사회과학 연구에서의

전기적 연구방법의
이해와 활용

사회과학 연구에서의
전기적 연구방법의 이해와 활용

Barbara Merrill · Linden West 지음
전주성 · 임경미 옮김

아카데미프레스

Using Biographical Methods in Social Research
by Barbara Merrill, Linden West

| 역자서문 |

전기적 연구방법은 우리의 삶에 천착하여 우리의 실재를 다루는 연구방법론이라는 점에서 그 독특성과 매력이 있다. 전기적 연구는 개인의 삶의 과정이 개별적인 주체와 사회적 상황의 상호작용을 통해 어떻게 발달하는지에 관심을 갖는다. 이 지점은 정확히 아리스토텔레스가 이야기하는 사적 공간으로서의 오이코스(oikos)와 공적 공간으로서의 에클레시아(ecclesia) 사이에 걸쳐진 광장(agora), 혹은 소위 우리가 발을 내딛고 사는 생활세계(lebenswelt)에서의 우리의 삶이다.

우리의 삶은 거시적 사회구조나 역사적 힘에 의해 일방적으로 쓰인 피동적 텍스트가 아니다. 우리 개인의 실재는 각자가 내딛고 사는 저마다의 삶의 맥락에 의미를 부여하며 그 삶을 주체인 우리의 것으로 만들어 내는 힘을 가지고 있다. 전기적 연구방법은 우리 개인이 가지는 각자의 전기성(biographicity)에 깊은 관심을 둔다. Alheit와 Dausien(2002)의 말을 빌리자면, 우리는 자기의지적이며 자기생성적으로 주체인 자신의 삶의 전기성을 구현해 나간다. 구체적으로, 전기성은 자신의 삶을 이끄는 숨겨진 능력이며, 우리가 살아가는(살아가야 하는) 구체적인 맥락 안의 삶의 윤곽을 우리가 계속 새롭게 다시 설계할 수 있고, 또한 어떤 형태를 만들고 설계할 수 있는 것으로서 이들 맥락을 경험하는 것으로 본다(Alheit, 1995).

바야흐로 우리는 역사상 가장 풍성한 전기의 시대에 살고 있다. 우리 모두는 전기 작가이며 전기를 생성해 내는 주체이다. 각종 블로그나 페이스북, 인스타그램, 팟캐스트 등을 통해 우리는 스스로를 이야기하며 우리의 이야기를 소비한다. 전기적 연구방법은 저자들이 이야기하는 것처럼 사회적 그리고 역사적 맥락에서 자신과 다른 이들을 이해하는 데 있어 풍부한 보상을 제공해 줄 수 있다.

전기적 연구방법은 사회적, 심리적 그리고/혹은 역사적 틀 안에서의 적극적인 행위자(agent)인 개인의 역동적인 삶을 이해하기 위해 개인의 이야기나 다른 개인적 문서들을 활용하는 연구방법이다. 요컨대, 우리 자신의 전기를 이해하기 위해 다른 사람들의 이야기를 어느 정도 이용하는지는 물론, 다른 사람의 삶과 경험을 이해하기 위해 우리 자신의 전기를 어떻게 이용하는지에 대해 아는 것이 전기적 연구의 핵심이다.

우리는 무늬와 결이 독특하고 매력적인 우리만의 삶의 텍스트를 가지고 있다. 전기적 연구방법은 자신과 다른 이, 우리의 삶의 이야기를 잘 드러내 줄 수 있는 훌륭한 도구가 된다. 이 책은 전기적 연구의 역사적 맥락은 물론, 다양한 박물관 작업에서 전기적 연구가 어떻게 활용되고 있는지, 그리고 전기적 연구의 이론 및 방법론적 뿌리와 전기적 연구를 구체적으로 어떻게 수행할 수 있는지를 체계적으로 다루고 있다.

아무쪼록 이 책이 전기적 연구방법에 관심을 두고 있는 연구자 및 학생들에게 유용한 가이드가 될 수 있기를 기대한다. 번역서가 출간될 수 있도록 지원해 주고 인내의 시간을 함께한 아카데미프레스의 홍진기 사장님께 감사의 마음을 전한다. 아울러 공역자인 임경미 박사님의 각고의 노력에도 따뜻한 감사의 마음을 전한다.

2018년 봄

살피재 연구실에서 전주성 씀

| 차례 |

역자서문   5

1 도입: 장면 설정하기   **13**

방향의 전환   17

우리를 책 속으로 옮기기   19

바바라(Barbara)   20

린든(Linden)   24

용어와 교차문화적 시각에 대한 한 가지 질문   28

반박   30

누구를 위한 책인가?   33

이 책의 구조   33

2 전기적 방법들: 개괄적인 역사   **39**

도입   40

전기적 전환   40

구술 전통과 구술사   41

프랑스 혁명: 사례 연구   43

강력한 운동   46

구술사와 페미니즘   47

시카고 학파의 사회학   48

잭 롤러(the Jack Roller)   52

쇠퇴, 그러나 그 정신은 살아있다   56

좀 더 최근-그리고 몇 가지 질문   58

페미니즘 도입   60

자서전/전기   63

비판이론과 후기구조주의   64

심리학   66

교육 및 성인 학습 연구   68

전망   70

3   전기적 연구의 현대적 이용   **75**

전기 작가들의 현주소   76

특정 영역들로 이동하기   76

영역 보여 주기   77

사회학과 사회 정책에서의 전기적 연구   78

동유럽   80

진실과 화해   82

돌봄, 간병인들과 가족들   84

가족과 소중한 것   85

슈어 스타트(Sure Start)   87

범죄   90

전기, 건강 연구와 건강관리 전문가들   91

간호사와 간호   94

전기적 연구, 교사들과 평생 학습   96

급진적 영역   98

전기와 지역공동체 개발   99

학제간 연구   100

4   이론적인 이슈 확인하기   **105**

도입   106

Barbara의 접근   108

Linden의 접근   124

비판 노트   132

범주 개발하기   133

결론   134

5 좋은 실천 보여 주기: 사례 연구   137

가족들과 기관들 간의 상호작용   138

새로운 노동   139

방법   140

슈어 스타트: 지속 공간(sustaining space)?   141

도심에서의 작업과 학습   148

위기와 출현   150

교사가 되기 위한 학습   151

고등 교육에서의 계급, 성, 민족성 및 학습   156

성, 계급 및 전기적 접근   157

연결짓기   168

6 연구 시작하기   171

도입   172

무엇을 연구할까?   173

주제 선택시 자신의 역할   175

연구질문과 연구과정 확인하기   180

샘플 선택하기   183

학생들에게 골칫거리인 샘플링   186

인터뷰를 위해 자신을 준비시키기   192

결론   196

7   **경험을 인터뷰하고 기록하기**   **199**

창의적 행위   200

순간의 이용과 묘사   201

페미니스트 연구의 공헌과 연구자의 포지셔닝   203

오직 여성들만?   205

정신분석 관점   206

인터뷰에 대한 다른 접근법   209

전이공간으로서의 인터뷰(The interview as transitional space)   214

시작하기   215

인터뷰 종결하기   217

실천하기, 녹음기 이용 및 전사하기   218

훌륭한 전기적 인터뷰어 되기   220

8   **전기 이해하기: 분석**   **225**

도입   226

분석에 대한 인본주의적, 주관주의적 접근   228

분석에 대한 Barbara의 접근   229

분석에 대한 Linden의 접근   238

전기적 설명 분석의 다른 방법들   247

근거이론   248

'객관주의적' 접근   250

컴퓨터 기반 분석   251

결론   252

9   **이야기 표현하기: 쓰기**   **257**

도입   258

경계 허물기?   258

창의적 글쓰기   260

팩션 262

좋은 전기적 글쓰기의 예시 263

글쓰기와 자신 267

선택과 그 외 문제들 268

얼마나 많은 경우? 270

원문의 난입자들 272

글쓰기 시작하기 273

누가 나의 독자인가? 275

시간 벌기, 장소 찾기 277

쓰기: 논의되지 않는 문제 279

요약 279

10 전기적 연구는 타당하고 윤리적인가? 283

타당성 284

역사와 타당성 285

관례적 입장 286

가족사 287

휴머니즘에서의 타당성과 그것의 의미 291

연구 윤리의 중요성 292

연구 윤리에 대해 더 생각해 보기 294

연구 윤리 가이드라인 298

연구참여 동의 299

기밀성, 사생활 보호 그리고 친밀함 300

권력 관계 302

비밀 활동 303

전기적 연구와 치료 305

요약 308

11 **전기적 연구자가 된다는 것에 관해서**　　　　　　　**311**

　　연구 가족: 가까운 친척과 먼 친척　　　　　　　313

　　페미니즘과 상호주관성　　　　　　　314

　　전이공간과 사회과학 연구의 두 체제　　　　　　　316

　　특수성과 일반성　　　　　　　317

　　이론과 경험주의　　　　　　　320

　　이론과 주관성　　　　　　　322

　　학제와 학제간 연구　　　　　　　324

　　연구자 되기: 실용적 학습과 삶을 살기　　　　　　　326

　　확장된 관심과 사회 정책　　　　　　　327

　　미래로 돌아가서　　　　　　　328

　　용어설명　　　　　　　331

　　참고문헌　　　　　　　335

　　찾아보기　　　　　　　349

1

도입
장면 설정하기

사회학 그물이 아무리 촘촘하게 짜이더라도 감사 또는 사랑에 관한 하나의 순수한 표본을 제공해 줄 수 없듯이 계급에 관한 순수한 표본 역시 제공해 줄 수 없다. 관계는 반드시 언제나 실제 사람과 실제 맥락 속에 뿌리박혀 있어야 한다(Thompson, 1980, p. 8).

외부에서 안을 들여다보면, 관찰자는 '일반적인' 조건을 볼 수도 있다: 베트남에서 살해당한 아들, LSD(환각제)로 정신이 피폐해진 딸, 이혼한 부인, 법정 의무에 종속된 남편, 이들은 이혼이 보여 주는 모습이다. 하지만 내면의 삶을 보면, 개인에게 일어나는 일들은 독특하다. 생애사라는 건 눈송이처럼 결코 같은 모양을 보이지 않는다(Audrey Borenstein, 1978, p. 30).

개요

- 이 책의 타당성에 대해 설명하고 전기적인 전환을 소개한다.
- 우리들 자신에 대해 소개한다.
- 이 책이 누구를 위한 것이고 우리가 성취하고자 하는 것이 무엇인지를 알아본다.
- 각 장의 개요와 이 책의 구조를 소개한다.

우리는 왜 이 책을 썼고 누구를 위해 썼는가? 이 질문에 대한 대답은 전기적 연구 수행에 관한 폭넓은 경험에 바탕을 둔 우리의 신념에서 얻을 수 있다. 이러한 경험들은 개인들과 역사, 내면세계와 외부세계, 나 자신과 다른 사람들 사이의 역동적인 상호작용에 대한 풍부한 통찰력을 부여한다. 우리는 인간이라는 존재가 역사적이고 사회적인 힘에 의해 단순히 결정되기보다는 그들의 삶을 만들어 나가는 데 있어 적극적인 행위라는 생각을 전달하기 위해 '역동적'이라는 단어를 사용한다. 이러한 생각—우리가 연구에 대해 생각하는 방식에 엄청난 영향을 끼치는—은 때때로 사회과학 분야에서 상실되거나 도외시되어 왔다. 하지만 최근에 사회과학은 새로운 자극을 발견했다. 만약 (당신과 우리 같은) 사람들이 적극적으로 그들의 세계를 체험하고 의미를 부여하며 그것을 창조해 나간다는 것을 생각해 보면, 우리는 어떻게 이러한 일들이 일어나고, 관련된 사람들에게 어떻게 이해되며, 어떻게 가장 잘 이해될 수 있는지에 대해서 좀 더 생각해 볼 필요가 있다.

우리는 지금이 이러한 책을 펴낼 적절한 시기라고 생각한다. 우리는 모두 전기 작가이며 우리의 이야기를 들려주고 싶어하는 것 같다. 장르는 우리의 문화 도처에 스며들어 있다. 얼핏 봐도 대부분의 서점에서 전기와 자서전이 자아(self)와 사회적 탐구 혹은 어쩌면 자기홍보를 위한 주요 수단으로 쓰이는 것을 볼 수 있다. 지금은 전기의 시대이며, 이야기를 말하는 것은 대중문화에서 아주 흔한 것으로 보인다. 텔레비전에서 반복되는 다양한 시리즈물들에 의해 증명된 것처럼, 우리는 유명 인사들의 이야기를 사용하고, 리얼리티 TV에서 나오는 이야기에 빠져들며, 끊임없이 전시(戰時) 이야기에 매료되고 있다(Goodley et al., 2004). 가십과 유명인을 다루는 잡지들, 흥미 위주의 웹사이트들, 팟캐스트, 블로그, 전기 영화와 전기 드라마들은 유명 인사뿐만 아니라 일반 사람들에게도 전기적인 표현과 실험을 위한 장이 된다. 유명 인사들에 대한 새로운 전기는 거의 매일같이 나오는 듯하다. 미국 토크쇼 진행자인 Jerry Springer는 자신의 정체성 문제를 해결하기 위한 일환으로서, 자신의 이야기와 홀로코스트에서 살해당한 할머니들을 포함한 자신의 가족사를 탐색하고자 TV를 이용한다. Oprah Winfrey는 논란이 많은 대중매체뿐만 아니라 친밀한 고백형식을 만들어 내는 데 도움이 되어 왔으며, 무엇보다 게이, 성전환자와 트랜스젠더들이 그들의 이야기를 할 수 있도록 해 주었다. 언급한 바와 같이 우리는 모두 지금 전기 작가이며 그렇게 되도록 격려된다.

전문 작가들은 다양하고 심지어 놀라운 상황에서 전기적 접근법을 사용하고 있다. 예를 들어 전 세계뿐만 아니라 수많은 도시들에서도 최근에 전기가 발간되었다(Ackroyd, 2000; Gribbin, 2007). Peter Ackroyd는 런던 역사상 명백하게 다른 측면들 사이에서의 더 큰 이해와 연결을 만들어 내기 위해 전기적 형식을 사용했다. 그에 따르면, 이 장르에서 가능한 것은 '만일 런던의 빈곤의 역사와 런던의 정신이상의 역사가 근접한 경우, 이들의 연결고리는 전통적인 역사기록학적 조사보다 더 의미 있는 정보를 제공할 수 있다'(Ackroyd, 2002, p. 2). 이질적인 사회현상과 개인적인 경험을 연결하고 그것들 사이의 이해를 새롭고 때로는 놀랄 만한 방식으로 만들어 내며, 우리가 설명할 것처럼, 많은 전기적 연구를 특징화했다.

전기적인 방법들은 학술 연구에서 점점 더 비중 있는 위치를 차지해 왔으며, (비록 때때로 하찮게 취급되고 논쟁이 될 때도 있었지만) 문학, 역사학, 사회학, 인류학, 사회정책과 교육학 같은 다양한 학문 분야뿐만 아니라 페미니스트와 소수집단 연구에서도 여전히 건재하다(Smith, 1998). 사람들이 다양한 방식으로 삶과 자신에 대해 말하는 이야기를 연구하는 것에 관심을 두는 전용 연구 센터와 학술대회, 석·박사 프로그램이 급격히 증가하고 있다. 그러한 방식들을 묘사하는 데 쓰이는 용어들은 Norman Denzin(1989a)이 언급한 것처럼, 예컨대, 내러티브(narrative)뿐만 아니라 자서전(autobiography), 자문화기술지(auto-ethnography), 개인사(personal history), 구술사(oral history) 혹은 생애사(life history)와 같이 다양한데, (비록 강조점의 차이는 있지만) 이들 사이에는 많은 유사점이 있다. 예를 들자면, 거기에는 사람들의 일상 삶에서의 그들의 변화하는 경험들과 관점들, 그들이 무엇을 중요하게 여기는지, 그리고 그들의 과거, 현재와 미래, 그들이 말하는 이야기들 속에서 그들이 이것들에 부여하는 의미를 어떻게 이해하는지 등에 공통의 관심이 있다. 거기에는 위에서 언급했던 눈송이처럼 삶과 이야기의 독창성 그리고 유사성에 대한 민감성이 있다. 전기는 우리로 하여금 삶의 패턴뿐만 아니라 특수성도 분간할 수 있게 해 준다. 특정한 것과 일반적인 것, 독특한 것과 공통적인 것 사이의 관계는 사실 전기적 연구에서 하나의 중심 이슈이다.

전기에 대한 만연한 관심은 세대 간의 연속성이 약화되고 정체성과 표현에 대한 새로운 정치적 견해가 다양한 그룹들 사이에서 출현하는 포스트모던 문화의 삶에 입각하여 이해될 수도 있다. 여성과 남성, 게이와 레즈비언, 흑인과 백인, 청년과 노인은 점차 부모 혹은 조부모와는 다른 방식으로 삶을 살기를 추구할 수도 있으며, 전기적 작업 수행은 이를 위한 하나의 수단이 되어 왔다. 자아와 경험은 우리가 누구인지에 대한 재작업에 초점을 두고, 이것에 대해 다른 이들과 소통하며 아마도 더 넓은 문화 속에서 우리와 같은 사람들에 대한 몇몇 지배적인 이야기들에 도전하는 일종의 성찰적인 삶 프로젝트가 된다. 그러한 현상은 또한 페미니즘의 출현을 포함한 지난 수십 년간의 심오한 경제적, 문화적 변화에 입각해 이해될 수도 있다. 이러한 과정들은 자기 인식(self-definition)을 위한 더 많은 기회들을 제공해 왔다(예를 들어, 매스커뮤니케이션 테크놀로지를 통한 세계와 지역 간 상호작용 안에서 그리고 다양한 라이프 스타일에 대한 축하 속에서). 하지만 Anthony Giddens와 Ulrich Beck과 같은 학자들이 언급했듯이, 이 역사적인 순간은 역설로 가득해 보인다. 자기 인식을 위한 새로운 기회들은 뿌리 깊은 불안과 우리의 대처 능력에 대한 실존적 의구심과 공존한다. 모든 방면에서, 전기적 접근의 불가피성은 삶의 구성을 위한 필요성과 상속된 원형이 불필요해지고 인생 행로의 본질이 글로벌화되어 가는 세계에서 점차 불확실하고 좀 더 분열되고, 개인화되며, 예측할 수 없는 문화에 의미를 부여하는 것에 의해 추동될 수도 있다.

방향의 전환

명시된 바와 같이, 지난 30여 년간 학문 분야에서 전기, 자서전, 생애사, 내러티브적인 접근으로의 주요한 방향 전환이 있었다(Chamberlayne et al., 2000). 이러한 변화는 많은 라벨(내러티브 혹은 주관론자의 전환)을 가지고 있고 많은 사회과학을 포함하여 서로 다른 학문 분야를 아우른다. 이 분야만을 다루는 새로운 학술지들이 나왔고 관련 서적이 급격히 증가했다. 영국에서 전기적 방법을 이용해 '학습하는 삶(learning lives)'에 관한 주요 연구(Biesta et al., 2008)를 후원하는 경제사회연구위원회 교수학습 프로그램의 부책임자인 Miriam David는 교육, 고등 교육, 그리고 평생교육의 연구에서 이러한 접근방법들이 더 많이 이용되고 있는 것에 대해 환영했다. 그녀는 현재의 증거기반 접근들에서는 무엇이 가장 쉽게 수량화되고 측정되는가에 대한 집착 때문에 자주 놓치거나 경시하는 전 생애에 걸친 학습의 복잡함에 대해 잠재적으로 중요한 통찰력을 제공한다고 말한다(David, 2008).

개념적인 측면에서, 방향의 전환은, 자연과학을 모델로 하는 객관성과 일반화가능성의 기치 아래, 연구에서의 인간 피험자의 긴 세월에 걸친 누락 또는 소외에 대한 일종의 응답이다. 지배적인 이야기 과학은 그 핵심에서 의문의 여지가—객관성과 직접적인 관찰이 가능한 것들에 중점을 둘 필요성과 감각 형성 과정에서의 인간 상태의 방법론적 초월성에 대해—있을 수 있음을 스스로 말했다(Roberts, 2002). 사회과학은 탐구를 요하는 능력, 지배적인 관심사 그리고/혹은 강력한 신화에 의해 형성된 인간의 실천행위(practice)로서 1960년대 이후 (하지만 이전 주제들을 되풀이하면서) 수년 동안 재개념화되었다. 페미니즘과 구술사의 성장은 인간 대상에 대한 경시에 도전하는 데 특히 영향력이 있었다 (Chamberlayne et al., 2000; Plummer, 2001). 양자 모두 사람들이 말해야만 했던 것에 대해 존중하고 가치를 부여하는 방식으로 개인적인 이야기들에 관여하는 것에 관심을 두었다. 이 방법들은 또한 대개 주류의 사회적/역사적 기록에서 무시되어 온 사람들의 목소리 혹은 서면 기록을 이끌어 내고 분석하는 몇몇 수단들을 찾아내었다. 페미니즘과 구술사는 때때로 많은 전기적 연구자들의 생각과 실천을 지속적으로 형성해 나가는 근본적이고 탐구적인 신랄함을 드러냈다. 더욱이, 전기적 연구자는 전적이지는 않지만 목소리를 내고 지배적인 가정에 도전하는 것을 추구하면서 자주, 좀 더 올바른 사회질서를 구축하는 인본주의 프로젝트의 일환으로서 소외된 사람들과 관계를 맺을 수도 있다.

우리는 이러한 전기적인 연구 방법들 및 사람들과 그들의 인간성(humanity)을 사회 연구의 핵심에 놓기 위한 요구(이 둘 모두 새로운 것은 아닌)를 추가해야 한다. 이 방법들은 이들의 가장 직접적인 관심사와의 대화(dialogue)에는 관여하지 않으면서 단지 행위를 관찰하고 측정하기보다는 Max Weber(구조보다는 사람들의 행위에 더 초점을 둔 독일 사회학자)와 사회과학(관련된 사람들을 대상으로 하는)에 대해 이해하고자 하는 요구에 도달한다. 사람들의 참여 그리고 그들이 자신들의 세계를 어떻게 이해할 것인가에 대한 강조는 시카고 학파의 핵심과 유사하다. 이것은 전기적 연구 '가족'의 역사에 있어 중심을 차지한다. 1920년대에 시카고 학파의 사회학자들 및 사회심리학자들은, 특히 언어라는 수단을 통해, 역동적이고, 학습되며, 가변적이고 구조화된 인간의 정체성 및 사회의 질을 포착하기 위해 상징적 상호작용주의(symbolic interactionism)라는 개념을 개발해냈다. 상징적 상호작용주의자들은 마치 시스템 그 자체라고 불리는 무언가에 의해 행해진 것이라기보다 사회구성원이 행위자로서 수행하는 것들을 다룬다. 간단히 말해, 사회적 질서는 사회구성원들의 상호작용 안에서, 상호작용을 통해 그리고 상호작용으로부터 역동적으로 만들어진다. 연구자의 과업은 심리학적, 사회학적, 역사학적, 그리고 문학과 내러티브 이론들의 레퍼토리를 이용해 그러한 과정을 어떻게 기록할 것인지와 어떻게 이론적으로 설명할 것인가이다. 더욱이, 상징적 상호작용주의자들은 자세한 사실들과 인간들만이 실증적 실체를 지닐 수 있다고 믿었다. 이들은 계층, 진보와 더 나아가 사랑과 같은 이론적 추상적 개념을 인간, 인간이 살아온 경험과 이야기를 벗어나면 진정한 내용이 없는 것으로 보았다. 이러한 경험에 대한 철저한 이해를 기초로 하며 그에 따른 이론의 충실한 적용은 많은 사람들에게 전기적 연구에서의 중심 가치로 남아 있다. 지나치게 추상적인 범주들이 아닌 인간들이 프로젝트의 중심에 있다.

영국의 사회역사학자인 Edward Thompson은 그의 주요 연구인 「영국 노동계급의 형성」(Thompson, 1980)에서 이러한 점을 강조했다. '형성'은 그의 존재론(ontology 혹은 theory of being)에서 핵심이었다. 계급은 그렇게 하나의 구조나 범주라기보다는 인간관계 안에서 만들어지는 무언가이다. '가장 촘촘하게 짜인 사회학 그물망이라 할지라도 그것은 존중 또는 사랑에 관한 하나의 순수한 표본을 제공해 줄 수 없듯이 계급에 관한 순수한 표본 역시 제공해 줄 수 없다'(Thompson, 1980, p. 8)는 처음의 인용문과 같이, 계급은 실제 사람과 실제 맥락 속에 뿌리박혀 있어야 한다. 당신은 연인이 없으면 사랑을 할 수 없고, 노동자와 대지주가 없으면 복종(존중)을 받을 수 없다. 계급이라고 하는 것은 어떤 남자와 여자가, 공통 경험(공유하거나, 물려받았거나, 심지어는 상상한)의 결과로서, 다른 집단과 비교하여 어떤 관심에 대한 정체성을 느끼거나 표현할 때(우리는 여기에 반사적으로 '배우는 것'을 덧붙일 수 있다.) 생겨난다. 사람들이 어떻게 적극적으로 자신들의 세계와 자신들의 세계에서의 위치를 '배우거나 학습'할 수 있는지, 뿐만 아니라 이것에 어떻게 이의를 제기할 수 있는지는 많은 전기적 연구의 중심에 있다.

우리를 책 속으로 옮기기

우리는 초기 단계에서 우리들 자신을 소개하고 우리의 일, 삶과 성향을 직접 책 속으로 옮기기를 원한다. 이 책은 어떤 의미에서 전기적 연구의 개념들을 개인적인 여행으로 결합하여 의미 있고 좋은 연구를 수행하는 방법에 대한 책이 되길 추구한다. 우리가 보기에 연구를 수행하는 일은 그러한 접근 안에서 더욱 생동감 있게 된다. Liz Stanley(1992) 또한 자서전을 통한 우리 자신의 삶에 대한 해석과 전기를 통한 다른 이들의 삶에 대한 해석 간의 상호연관성으로 주목을 받았다(Liz는 '/'를 이용하여 자서전적/전기적(auto/biography)으로 표현함). 우리는 우리의 주관성 및 가치는 물론 우리 자신의 역사와 사회 및 문화적 위치에 대한 성찰 없이는 다른 이들의 이야기를 쓸 수 없다. 더욱이, 전기적 연구 주제를 선정하는 일은 거의 항상 우리 자신의 개인적 전기 또는 직업적 전기에 기반을 둔다(Miller, 2007). 우리가 다른 이들의 삶에서 선택하는 주제는 우리 자신 안에 있는 이슈에 의해 동기부여되거나 우리 자신 안의 심오한 이슈를 불러일으킨다. 그러므로 우리는, 많은 연구자들이 그러는 것처럼, 다른 이들에 대한 우리의 관심과 이해가 사람들과 우리의 경험으로부터 결별하는 혹은 결별해야만 하는 척하기보다는—이것을 꽤나 명쾌하게 규명하기 위해—그 사건에 대해 연구자, 그리고 관계의 과정들을 연구프레임으로 가져가야 한다고 주장한다.

바바라(Barbara)

Barbara의 전기적 접근방법 이용에 있어서의 관심은 그녀 자신의 삶의 역사에 뿌리를 두고 있다. 성인 교육 분야에서 일하는 사회학자로서, 나 Barbara는 늦은 나이에 지역사회, 계속교육 혹은 고등 교육에서 다시 학습하기로 결정한 성인들의 이야기와 경험들을 연구하는 데 관심을 두고 있고 이것에 대해 글을 쓴다. 특히, 나는 계급, 성 그리고 인종적 불평등이 아로새겨진 삶의 역사를 가진 소외된 성인 학습자 그룹을 살펴보는 것에 관심 있다. 후자는 내 삶의 전반을 관통하는 핵심적인 관심사가 되고 있다. 여성 그리고 노동계급으로서, 나 자신과 내 가족의 경험을 통하여 나는 곧 계급과 그리고 그 후에 사회의 성차별과 불평등에 대해 알게 되었다. 뒤에, 나는 다문화종합학교에서 교사로 재직하면서 흑인 학생들의 삶을 통해 사회에 만연해 있는 인종차별주의에 대해 아주 잘 의식하게 되었다.

여성이자 노동계급으로서의 내 삶의 경험들은 1970년대 초에 17세였던 나를 맑시스트나 페미니스트 정치사상으로 이끌었다. 학교와 대학에서 사회학을 공부한 것은 내 삶의 경험들을 분명히 표현하고 이해하고 정치화할 수 있게 만들었다. 그 당시의 많은 젊은이들과 같이, 나는 자본주의의 부당함은 공격받을 수 있고 집단의 정치적인 행동으로 사회가 바뀔 수 있다는 것에 낙관적이었다. 그것은 사회구조의 결정적인 구속력에서 독립적으로 기능하는 행위(agency)를 구축하고, 구조적 힘에 대한 결정주의를 극복하는 데 있어 주관성의 중요성에 대한 믿음이었다. 이것은 아마도 내가 수행하는 전기적 연구와 관련하여 내가 사람들의 삶 안에서 구조와 행위(agency)의 역학에 관심을 두는 이유의 하나일 것이다.

그러나 1973년부터 1976년까지 Warwick 대학의 학부생으로서의 나의 정치적 의식에도 불구하고, 나는 우리 학교 대다수의 학생들이 가진 중산층 문화와 특권적인 삶, 그리고 학교기관의 문화에 압도되었다. 이것은 내가 학과 공부를 즐기고 서클 친구들도 있으며 정치 그룹에도 관여함에도 불구하고 항상 소속감이 없는 아웃사이더에 속한 느낌을 갖게 했다. 나의 자신감은 이런 정치적 배경과 사회학적 지식에도 불구하고 때때로 약화되었다.

전기적 연구를 수행한 나의 첫 번째 경험은 학교에서 가르치면서 Warwick 대학의 사회학과에서 철학 석사 학위를 시간제로 공부하던 1980년대 중반에 있었다. 나의 연구 주제는 학교에서의 인종차별주의였으며 흑인 학생들을 인터뷰하고 그들의 삶의 경험에 대해 이야기해 보도록 하는 것을 수반했다. 생애사 인터뷰를 처음 맞닥뜨렸을 때를 생각해 보면, 나의 접근은 어떠한 특정 이론적 기반에 근거하지 않았었다. 순진한 방법일 수 있지만 좀 더 과감하고 사람과 직접 관계를 맺는 방식을 취했다. 운 좋게도, 모든 학생들이 기꺼이 이야기를 나누고 싶어했고 어떻게 인종차별주의가 그들 자신과 가족의 일상생활에 영향을 미쳤는지에 대해 친근하게 이야기해 주었다. 나를 놀라게 만들었던 것은 그들이 개인적이고 정치적인 인종차별주의의 문제들과 그들이 다른 친구, 선생님, 학교에 대해 어떻게 느꼈는지를 어찌 그렇게 잘 표현할 수 있었나 하는 것이었다. 그들은 일상의 삶을 이해하는 데 있어서 전기적 접근이 얼마나 강력할 수 있는지를 보여주었다.

그후, 나는 14~18세의 학생을 가르치는 일에서 Warwick 대학에서 성인들을 가르치는 일로 커리어를 바꿨다. 나는 연구에 착수할 기회를 얻었다는 들뜬 감정을 안고 학계에 들어갔지만 한편으론 두려움도 경험했다. 젊었을 때의 학부시절이 떠오르면서 학문 세계에서 충분히 잘 할 수 있을지 걱정이 되었다. 이것은 내가 Warwick에 남아 있기 원한다면 박사학위를 취득해야 한다는 것을 암시했다. 나의 전기는 학문 분야를 선택하는 데 도움을 주었다. 그래서 나는 오랫동안 교육 시스템 밖에 있었던 노동계급의 성인 학생들이 비록 Warwick과 같이 비교적 신생 대학이지만 여기에 존재하는 '전통적인' 중산층 환경에 어떻게 대처하는지에 관심을 갖게 되었다. 나는 내가 가르쳤던 학교의 학생들을 떠올려 보았다. 왜냐하면 이들 중의 상당수가 중산층과 백인 중심의 학교 시스템에 의해 소외되었고 결과적으로는 학교를 마치지 못한 채 떠났기 때문이다. Warwick의 성인 학생들도 비슷한 삶의 경험들을 공유했을까? 만약 그렇다면, 왜 그들은 다시 배우러 돌아왔고 왜 그들의 삶에서 지금 이 시기인가?

나는 전기적 접근 사용을 두 번째 하게 되었다. 하지만 이번에는 나는 연구팀 및 환경의 일부였다. 비록 연구의 초점이 성인 여성 학생이었지만, 나는 차이점과 유사성을 비교하기 위해 성인 남성 학생도 인터뷰했다. 이 과정은 사회과학 연구자로 하여금 과거의 삶이 어떻게 현재에 영향을 미치는지를 드러낼 뿐만 아니라 사회적 삶에 대한 깊이 있는 이해를 도모할 수 있게도 하는 생애사의 가치에 대한 나의 믿음을 확고하게 했다. 이 이야기들은 종종 고통스럽기도 했지만, 삶의 여러 일들을 잘 처리해 내고 학위를 취득하기 위해 고군분투하는 결의에 있어서는 회복력으로 가득 차 있었다. 그러한 내러티브들은 교육이 어떻게 더 나은 방향으로 삶에 권한을 부여하며 그것을 변화시킬 수 있는지를 보여 준다.

더구나, 나 자신의 전기는 연구에 있어서 하나의 특정 지향성을 개발시키는 것과 관련되어 있는데, 생애사를 채택하는 것은 사람들의 삶의 변화를 위한 공통의 경험과 가능성을 탐색하기 위한 것이다. 나의 가족의 생애사 역시 전기적 연구를 이용하는 데 있어 사람들이 단순히 너무 고통스럽거나 트라우마 때문에 절대 말하려 하지 않거나 부분적으로만 드러내는 이야기가 있다는 사실을 우리가 기억해야만 한다는 것을 인식하도록 했다.

　나의 아버지는 고통스러운 기억으로 인해 절대로 공유하지 않는 이야기를 가지고 계셨다. 그 말할 수 없는 이야기는 우리 가족의 삶에 전체적으로 영향을 주었다. 사실 잘 알려지지는 않았지만, 우리 아버지는 아우슈비츠 제III 캠프(E715)의 영국인 전쟁포로였다. 아우슈비츠 제III 캠프(모노비츠)는 유대인 등과 함께 영국인 전쟁포로들이 강제노동에 동원되었던 IG Farben 화학공장 근처에 위치해 있었다. 그들은 유대인들과 다른 사람들에게 행해진 많은 잔혹행위들의 목격자였다. 그 캠프는 미국인들의 공중폭격 표적이었다. 그 날은 일요일 휴무여서 그들이 축구를 즐기고 있었다는 것을 뒤에 알게 되었다. 우리 아버지는 살아남았지만 아버지의 친구들은 죽음을 당했다. 아버지는 이 일에 대해 잠깐 언급은 하셨지만 자세히는 말씀하지 않으셨다. 그것은 너무나도 고통스러운 일이었다. 부모님이 돌아가신 후, 아우슈비츠의 다른 영국인 포로로부터 받은 편지 안의 증거서류는 물론 영국 전쟁 참전용사 잡지에 실린 아우슈비츠의 아버지 사진을 통해 아버지의 이야기에 대해 더 많은 것을 알아낼 수 있었다. 좀 더 최근엔 아우슈비츠의 영국인 전쟁포로의 경험을 다룬 책에 아버지의 이야기가 언급된 것을 발견했다. 그 일화는 내가 알지 못했던 것인데, 아버지와 친구 한 명이 1944년 공습 당시에 탈출을 시도했었다는 것이다. 나는 고모님께 이 이야기를 해드렸고 친구 둘과 함께 아우슈비츠에 가 보았다. 그러나 그 당시엔 아우슈비츠 제III 캠프 현장을 가 볼 수 없었고, 그 캠프에 대해 더 자세한 것을 찾아내기도 쉽지 않았다. 하지만 나는 조만간 나의 생애사의 한 측면을 완성하기 위해 그곳에 다시 가 보고 싶다. 전기, 그리고 다른 이의 삶을 연구하는 것은 심오하고 상호연결된 방법으로 우리에게 영향을 미칠 수 있다.

린든(Linden)

나의 전기는 다른 이들처럼 고통, 혼란스러움 그리고 슬픔도 있다. 그것이 나로 하여금 전기적 연구를 하도록 이끌었다. 이것은 전문적으로는 관례적인 연구 방법에 대한 환멸과 좌절을 포함한다. 1980년대 중반 나는 성인 학습자의 삶에 제 2의 기회를 주는 교육 프로그램의 영향을 조사하는 연구 책임을 맡았었다. 이 프로그램들은 노동계급 사람들이 성공적으로 교육으로 돌아갈 수 있도록 설계되었다. 그 연구는 주로 양적연구로 설계되었는데, 표면상으로는 엄격함과 신뢰성이 잘 검사된 표준심리도구를 이용했다. 같은 질문을 다른 방법으로 묻는 다양하고 확실한 절차로 구성된 설계였다. 특정 도구들은 프로그램 시행 기간 동안의 자아개념, 건강 그리고 웰빙은 물론 통제 소재(사람들이 자신의 삶을 스스로 형성해 나갈 수 있다거나 혹은 그것들이 외부의 힘에 의해 결정된다고 느끼는 정도)의 변화를 측정하고자 했다.

　사실은 '기구들'(심리학 연구의 언어는 실험실 느낌이 날 수 있음) 중 일부는 다수의 학생들, 특히 프로그램이 끝나 가는 노동자 계급의 여성들에 의해 혐오되고 있다. 이들 여성들은 프로그램에 의해 자신감을 얻었으며 학자들의 언행에 대해 질문하도록 권장되고 특정한 답을 찍도록 강요되는 느낌을 싫어한다. 이들 여성들은 '하지만 전혀 그런 것은 아니고, 조금 복잡해요'라고 말하곤 한다(Lalljee et al., 1989). 이들 여성들은 느낄 수 있었고, 자세히 설명했으며 자신감을 얻었으며 자신들의 삶을 주도하고 있다고 느꼈으나 동시에 그렇지 않다고 느꼈다. 어떤 의미에서 통제 소재는ー페미니스트 사상처럼 선하고 협조적인 그룹에의 접근을 통하여ー긍정적인 방향으로 전환되었지만, 이는 단지 그림의 일부일 뿐이었다. 만일 그들이 심한 성 차별 및 계급화된 문화가 그들로 하여금 자신이 무능하다고 느낄 수 있게 만드는 것에 대해 새로운 통찰을 얻게 되고, 결국 당연시되었던 것에 대해 의문을 제기할 수 있는 힘을 부여받는다면, 그들은 또한 비관주의에 상응하는 사회 및 문화적 불평등의 만연함을 알게 될 것이다. 세상을 바꾸기 위한 분투는 어렵고 실체가 없는 것처럼 보인다. 나는 사람들이 어떻게 느끼고 생각하는지에 대한 이런 복잡성과 미묘한 차이를 좀 더 잘 연구할 수 있는 방법, 그리고 좀 더 협력적인 방법을 찾고자 했다.

1990년 나는 성인 교육 행정직으로 있다가 대학 교수직으로 자리를 옮겼다. 이러한 자리이동은 부분적으로 개인적이고 가정적인 이유로 매우 충격적인 경험이었다. 나는 새로운 자리와 그 일을 수행할 자격이 있는지에 대해 확신이 서질 않았다. 나는 전문적인 경험을 이해하기 위해 성인 교육에 대해 집필하고 싶었다. 그러나 나는 각기 다른 환경의 성인 학습자들과 일하는 사람들을 위한 새로운 과정과 석사학위 과정을 개발하는 데 예기치 않게 많은 시간을 할애한 탓에 이 바람은 빗나갔다. 새로운 과정에 등록한 학생들의 범위는 간호사 교육자, 경찰, 상담사, 사회복지사, 고등/계속/성인 교육 분야의 교사들을 포함하여 예상했던 것보다 좀 더 폭넓었다. 이들의 요구는 다양했고 나는 이에 대처하기 위해 고군분투했다.

학생들은 그들의 경험과 관심사로부터 거리가 먼 일부 심리학 문헌을 찾아냈다. 특정 학문적 관례들은 문제들을 복잡하게 했다. 많은 학생들은 자신들의 연구에 좀 더 반사적이고 심지어는 전기적인 초점을 확립하고 이해하기를 원했다. 하지만, 이것이 허용될 수 있는지, 그리고 그들 자신의 경험을 학문적 글쓰기에 이용해도 되는지, 심지어는 글쓰기 과제에 인칭 대명사인 '나'를 쓸 수 있는지, 아니면 좀 더 객관적으로 자신을 기술해야 하는지를 물었다. 이러한 질문들은 지금은(비록 학생들은 아직까지도 이러한 질문을 하고 있지만) 순진한 질문일지 모르지만, 나는 학문적 글쓰기와 연구의 규칙과 관례에 대해 걱정했다. 사실, 나는 학생들에게 글 쓰는 데 있어 좀 더 경험적이고 자서전적인 접근을 취하라고 격려했다.

이러한 긴장에 대한 해결책은 전기적 연구자 공동체의 일원이 되는 것에서 발견되었다. 전기적 연구에 관한 문헌과 다양한 동료들의 글들은 개인적인 것과 학문적인 것, 심리적인 것과 사회적인 것 그리고 자신과 타인 사이의 개념적이고 방법론적인 연결을 제공했다. 나는 또 (그 당시 심리치료사로서 훈련받고 있었다.) 급증하는 심리치료 아이디어들을 가르치는 일, 연구 및 학문적 글쓰기에 어떻게 연계시키는지를 이해하게 되었고 다른 사람들도 똑같이 하고 있다는 것을 알았다(West, 1996). 만일 내가 미친 것이라면, 똑같이 미쳐 있던 사람들이 있었다. 게다가 나는 전기적 탐구의 한 형태로서 심리치료 그 자체를 바라보게 되었다. 이에 관해서는 이 책의 뒤에서 다룬다.

삶에 관한 연구에서 사회적 및 심리적 수준들의 설명을 연계하고자 한 바람은 나의 자서전에 깊이 뿌리박고 있다. 나는 영국 중부의 도자기 제조업 중심지의 변두리에 있는 애비 휼톤이라 불리는 공공 주택 단지에서 중등학교(11세의 나이에 시험을 통과한 학생들을 위한 학교로 대부분 중산층 아이들이 재학함)에 진학한 몇 안 되는 노동계급 아이들 중 하나였다. 사실, 나는 영국 계급체제의 구분선을 뛰어넘느라 친한 친구들을 떠나 버렸다. Brian Jackson과 Dennis Marsden의 교육과 노동계급에 관한 중대한 연구는 시종점, 정체성, 그리고 그들이 진짜로 어디에 속해 있는지에 관한 이슈들로 고군분투하는 노동계급 아이들의 삶을 문서화하는 데 부분적으로 전기적 접근을 취했다(Jackson and Marsden, 1966). 이 책은 나에게 말을 걸었고 지금도 그러하다. 왜냐하면 이 책은 한편으론 나의 이야기였기 때문이다.

그러나 나 자신의 경험을 이해하는 것은 계급과 교육체제의 작동에 대한 사회학적 이해와 더불어 심리학적 통찰을 요구했다. 우리 부모님은 노동계급이었지만, 할아버지는 비록 대공황 때 망하긴 했지만 두 전쟁 사이에 도자기 업체 소유주였다. 지금 생각해 보면, 어머니는 잃어버린 지위로 인한 불안정과 사회적 열등감에 분개했고 결코 같은 사람이 될 수 없었던 할아버지에게 가해진 엄청난 정서적 충격에 영향을 받았다. 나는 어머니가 어떻게 본인의 에너지를 부분적으로 본인 자신과 가족의 좌절된 열망과 손실에 대한 보상으로써 나의 교육에 투자하게 되었는지를 알게 되었다. 나와 아버지와의 관계도 동일하게 복잡했다. 내가 나이 들면서 우리 사이는 멀어졌고 청소년기에 접어들면서 예전에 가졌던 일부 친근감이 사라졌다. 삼촌 한 분이 우리와 함께 살기 위해 이사를 왔고 아버지는 그것에 대해 압박을 느끼셨다. 그후 나는 어머니를 대신하여 학문적 성공의 과시를 추구하는 데 사로잡혔고 그 과정에서 나의 배경 일부와 일반 노동계급 출신인 아버지를 배척했다. 오이디푸스 콤플렉스와 사회적인 것이 깊게 뒤엉켜 있었다.

정신분석 심리치료는 나의 첫 번째 저작에서 사회학과 결합하여 전기에 대해 생각하는 방식을 나에게 제공해 주었다. 정신분석학은 주관성의 우연성뿐만 아니라 주관성을 만드는 것과 이의 의미를 정신분석학 연구의 핵심으로 한다. 주관성과 자아성은 중요한 타인들과의 상호작용의 질 그리고 이런 것들이 어느 정도 공개적이고 다소 호기심이 많은 경험으로의 참여를 장려하는 정도로 형성된다. 우리는 우리가 누구인지 그리고 우리가 무엇을 원하는지에 대해 거부되는 것에 대한 두려움 때문에 위축되는 경향이 있다. 우리는 편파적이고 다른 힘 있는 자들을 달래기 위한 필요에 의해 형성된 이야기를 하는 방법을 배울지 모른다. 이런 패턴은 연구자들을 포함한 우리가 무의식적으로 우리의 생애 초년기의 중요한 사람들의 특성 중 일부를 다른 이들에게 이입할 수 있는 바와 같이 한 인생에 대해 계속될 수 있으며 연구의 모습으로도 나타날 수 있다(Holloway and Jefferson, 2000; West, 1996). 나는 내가 전기적 조사에서의 개인적 경험과 연구, 이해에서의 심리학과 사회학적 형태 간의 경계를 다시 그리는 점점 커지는 운동의 일부였다는 것을 자각했다. 현재의 책은 사실은 이 범학문적(학제간) 프로젝트와 대화를 발전시키기 위한 우리 양자를 위한 욕망에서 탄생되었다. 우리는 전기가 해석과 매우 큰 풍요로움과 활력에 대한 이해를 주는 범학문적 정신을 필요로 한다고 주장한다.

60세가 되어 갈 즈음인 2006년도에 나에게도 학제간 접근을 취하고자 하는 충동을 확장시킨 무언가가 있었다. 나는 Barbara와 같이 아버지의 삶과 그가 살았던 시기에 대해 많은 생각을 했다. 아버지는 1905년에 태어났으며 1차 세계 대전이 발발했을 때 아홉 살이었다. 2차 세계 대전이 시작될 때 아버지는 34살이었고

1944년에 심하게 부상을 당하셨다. 역사는 중요하다. 아버지는 독일의 영국 대공습(Blitz) 때 국가화재서비스(NFS)에 자원했고 영국 남동쪽 켄트 메이드스톤에 있는 한 공장이 폭격되었을 때 유리 파편이 그의 헬멧을 뚫고 들어갔다. 아버지를 이해하기 위해서는 사회학 및 심리학과 더불어 역사에 대한 이해가 요구된다. 동시대의 다른 남자들처럼, 아버지는 친밀함을 거북해했고 이것은 사회계급과 남성 지배 구조에서 빚어졌다. 내가 처음 대학에 들어갔을 때, 아버지는 나를 만나러 와서 소시지와 베이컨, 과일이 들어 있는 바구니를 주셨다. 아버지는 전쟁 중의 물자의 부족과 그러한 음식이 얼마나 귀한 것인지에 대해 언급하지 않으셨다. 아버지는 1965년 제스처의 상징적 의미를 탐색하는 것에 불편해하셨을 것이다. 아버지는 많은 것들에 대해 거의 이야기를 하지 않으셨고 의미는 더욱 함축적이었다. 그러나 그의 상징적 의미가 있는 제스처는 역사적, 사회학적, 심리적, 관계적인 중요성을 품고 있었다.

용어와 교차문화적 시각에 대한 한 가지 질문

우리는 전기적 방법이라는 용어의 사용이 하나의 사회적, 심리적 그리고/혹은 역사적 틀 안에서의 삶을 이해하기 위해 개인의 이야기나 다른 개인적 문서들을 활용하는 연구를 의미한다는 것을 명확히 할 필요가 있다. 한 가지 문제는 생애사, 내러티브, 삶 기록하기, 자서전적 연구 그리고 자서전적/전기적 연구 등과 같은 혼란스러운 용어들의 사용이다(용어가 헷갈린다고 느낄 때면 언제든지 책 맨 뒤에 있는 용어설명을 참고하라). 우리는 서로 다른 호칭을 가질 수 있는 연구들을 아우르기 위해 편리한 용어로 '전기적'이라는 말을 사용한다. 우리는 내러티브 혹은 전기적 연구와 같은 기술어가 공통점뿐만 아니라 서로 다른 의미와 선입견을 의미할 수 있다는 위험을 인식하고 있다. 예를 들어, 내러티브 연구자들은 사람들이 말하는 이야기의 본질과 관습에 집중하는 경향이 있다. 내러티브는 시작과 중간 그리고 끝을 포함하는 사건들의 시간적 순서를 나타내는 것으로 이해된다. 시간에 대한 고려는 어떤 절대적 의미에서 고정되고 객관화되기보다는 소설과 같은 실재를 탐구하는 창조적 수단이 사건에 대해 설명하는 방식이 그러하듯이 내러티브 연구의 중심에 깔려 있다(Andrews, 2007). 또한 내러티브 연구는 넓은 문화 내의 신화가 어떻게 개인적 내러티브를 우려내고 형성시키는지를 포함할 수 있다. 예를 들어, 지식을 통해 언뜻 빛이 비추는 곳을 향한 초라한 시작으로부터 이후 고난을 겪으며 마침내는 어떤 최종 구속을 이룩해 내는 여정을 떠나는 성인 교육 문헌의 성인 학생에 관한 영웅적 신화를 보자. 학교 내의 냉소와 절망으로부터 적어도 잠재적으로 학생들에 의해 구원된 성인 교육자의 신화를 또한 보라('Educating Rita'라는 영화에서 Julie Walters와 Michael Caine은 얼마간 이러한 자질을 갖췄다). 우리는 우리의 이야기 안에서, 우리가 어떻게 다양한 신화를 이용할 수 있을지 혹은 그것들이 우리를 어떻게 이용하는지에 대해 거의 모를 수도 있다.

전기와 생애사라는 용어는 또한 꽤나 다른 의미를 가질 수 있다. 덴마크에서는 예를 들어(West et al., 2007), 전기 또는 인생이야기와 삶의 역사, 그리고 연구자가 자신의 해석과 이론적 통찰력을 발휘하는 생애사 사이에는 구분이 있다. 이러한 차이는 다른 나라의 전기적 연구자에게도 영향을 미쳤다(Roberts, 2002). 우리는 다양한 용어가 얼마나 혼란을 주는지 인식하고 이 책에서는 언어를 단순화하기 위해 노력했다. 우리가 자서전적/전기와 같이 다른 용어들을 명시적으로 사용할 필요가 있다고 느끼는 것에 대해서는 그렇게 하지만, 용어가 논쟁의 장이 될 수 있다는 것을 항상 염두에 두면서 그것들을 최소화하기 위해 노력했다.

우리가 의도적으로 남반구의 국가들은 물론 유럽, 미국에 걸쳐 다양한 맥락에서 수행된 전기적 연구 사례들을 의지한 점을 고려해 보면 교차문화적 관점들 역시 이 책에 영향을 미쳤다. 우리는 가족 및 치료과정의 사람들은 물론 직업세계 혹은 다양한 형태의 일, 교육, 지역사회에 속한 사람들에 관한 연구를 포함한다. 이 책은 정치적 그리고 사회적 행동과 페미니즘의 대두와 같은 사회운동을 연대순으로 기록하고 해석하기 위한 전기의 이용, 그리고 어떤 전기적 프로젝트의 핵심으로 떠오르는 비판적 학습과 의식 등을 아우른다(Ollagnier, 2007).

반박

우리는 이 책을 통해 중요한 사회적 현상에 대한 참신한 시각들을 생성하기 위해 그리고 사회 연구에 있어서 범죄의 두려움과 같은 복잡한 문제들을—평생 동안 부적당하게 관계를 맺고 거의 직접적으로 관여함으로써—과도하게 단순화하는 경향에 도전하는 전기적 연구의 특별한 힘과 잠재성을 조명한다. 그러나 전기적 연구는, 질적연구의 다른 형태와 마찬가지로, 비록 언급한 것처럼 영국의 경우에 전기적 방법이 상당히 더 많은 재원을 받기 시작했음에도 불구하고, 누가 연구에 자금을 지원하는지와 같은 강력한 이해관계를 포함하는 비판들이 있다(Biesta et al., 2008). 예를 들어, 심지어 미국 정부는 자금을 지원할 만하다고 간주되는 연구는 질적인 패러다임보다는 과학적이고 양적인 패러다임을 선호하는 실증주의적 전통에 근거해야 할 필요가 있다는 것을 법으로 규정하는 데까지 이르렀다(Davies and Gannon, 2006).

전기적 연구는 학문적 비판 또한 존재한다. 일부 역사가들은 전기적 전환이 큰 그림과 중요한 사회정책 질문들을 모호하게 하는 '겉치레적이고, 의미 없는 구체화'로의 후퇴라고 문제를 제기한다(Fieldhouse, 1996, p. 119). 이 견해로 보자면, 연구자들은 어떻게 사회가 작동하는지 혹은 어떻게 사회가 더 좋게 바뀔 수 있는지에 대해 사람들의 이해를 돕지는 않고, 심지어는 자기도취적인 방식으로 삶의 세세한 묘사 속에서 길을 잃어버린다. 다른 비판은 특히 프랑스 철학자 Michel Foucault의 연구에 영향을 받은 특정 '후기구조주의자' 관점으로부터 나온다(1979a, 1979b). Foucault는 사람의 주관성은 다양한 권력-지식 형태들의 작용으로 주조된다고 생각했다. 인간들은 자신들이 만일 자각을 할 수 있다면 어렴풋하고 흐릿하게 자각할 수밖에 없는 방식으로 언어에 의해 자신의 위치를 찾는다.

전기에 집중하는 것은 어떻게 권력이 지식과 앎의 모든 수준에 침투하는지에 대한 보다 큰 포인트를 놓칠 위험이 있다. 특히 우리의 고해(성사)사회에서 권력은 통제를 위해 작동한다. 초기에는 신체가 규제되었지만 심리적, 의학적, 전문적 실천의 범위 안에서 표현되는 자아의 기술(technologies of the self)을 통해 지금은 영혼이 규제 대상이 된다. 이러한 관점에서 볼 때 권력은 Oprah Winfrey건 연구자들이건 사람들이 말하는 이야기들을 포함하는 주체들 안에서 유통되고 주체들을 규제한다. 그러나 Foucault와 다른 후기구조주의자들은 여성과 집단이 형성될 수 있는 담론을 분명히 하기 위한 시도가 이루어지는 페미니스트 집단의 전기를 포함한 다양한 전기적 연구자들에게 영감을 주었다는 것을 언급할 필요가 있다. 이는 시간과 장소뿐만 아니라 담론에 독립적으로 존재하는 개인에 대해 생각하는 경향에 이의를 제기할 수 있다(Davies & Gannon, 2006).

우리는 전기적 방법이 사회적 그리고 역사적 맥락에서 자신과 다른 이들을 이해하는 데 있어 풍부한 보상을 제공해 준다고 믿지만 그러한 연구는 연구자들이 초보이건 경험자이건 간에 반드시 고려해야만 하는 많은 질문들을 제기한다. 사실, 이 책을 쓰는 주요한 이유는 우리의 연구와 우리의 연구에 영감을 준 것뿐만 아니라 다양한 이론적, 해석적, 실천적 도전, 그리고 사람들이 말하는 이야기와 그들이 드러내고자 하는 실제 사이의 관계(스펙트럼 한쪽 끝의 현실주의와 다른 쪽 끝의 일부 후기구조주의자 사이의 관계) 등에 대한 우리의 통찰들을 나누기 위함이다. 우리는 진실로 현실에 대해 조금이라도 말할 수 있는가? 거기엔 또한 전기적 연구에서의 이론의 성격과 위치에 대한 물음이 있다. 이것은 전기적 연구자들에 의해 필수적인 것으로 간주되지만, 주의를 기울여야 한다. 그것의 발전은 반드시 실제의 사람들과 그들의 복잡한 경험 및 이야기들과의 연계에 근거를 두어야 한다. 과도하게 추상적인 이론화는 의혹으로 여겨지는 경향이 있다.

또 다른 수준에서, 어떻게 인터뷰를 하고 무엇이 훌륭하고 풍부한 인터뷰 자료를 만드는지에 대한 질문들이 있다(사회 조사에서 인터뷰의 핵심적인 위치로

인하여 우리의 주된 관심사는 전기적 인터뷰이지만, 일기, 편지, 자서전 그리고 다양한 종류의 수집품을 이용하여 수행하는 다른 많은 전기적 연구 방법들이 있다. 사진과 비디오를 이용하는 시각적인 전기도 있을 수 있다. 인터뷰는 이러한 방법들과 결합하여 이용될 수 있다). 우리는 어떻게 인터뷰를 수행해야 하며 좋은 인터뷰란 어떤 것인가? 그리고 그 이유는 무엇인가? 우리는 어떻게 인터뷰 자료를 전사하고 해석하며 코딩해야 하는가? 그러고 나서 어떻게 그 자료를 우리의 글쓰기에 혹은 다른 형태의 표현에 이용해야 하는가? 예컨대, 우리는 어떻게 우리의 해석과 인용문을 균형 맞추는가? 결정적으로, 우리가 인간 삶의 어렵고 감정 소모를 요구하며 잠재적으로 취약한 측면에 관여할지도 모른다는 점을 고려해 볼 때 전기적 연구의 윤리는 어떻게 되는가? (이는 일단 당신이 전기적 연구에 대한 이해를 어느 정도 갖게 되면 우리가 이 책 후반부에서 다룰 중요한 문제이다.) 사람들의 영혼에 관음주의, 방해 또는 간섭의 위험이 있는가? 마지막으로, 무엇이 그리고 어떠한 용어가 그러한 연구를 타당하게 만드는가? 실제적이면서 이론적인 이러한 질문들이 우리의 글의 기초를 이룬다.

우리의 목적은 맥락 속에 전기적 방법을 두고, 그것의 범위와 잠재력을 실증하며, 아울러 그것의 이용을 둘러싼 많은 질문들에 관여하는 것이다. 이 과정에서 우리는 연구자로서 우리의 가치와 입장을 명료하게 드러낸다. 우리는 페미니즘의 영향하에서, 연구 수행에 있어 해석은 물론 인터뷰를 포함하는 좀 더 협력적인 접근 방식을 선호한다. 우리는 우리의 배경과 가치관 때문에 소외 계층과 작업하고 적어도 지배적인 정설에 도전하려는 성향을 갖는다. 우리는 다른 이의 이야기를 만드는 데 있어 우리 자신의 역할을 관여할 뿐만 아니라 학제간 연구를 선호한다. 그리고 우리는 다른 이의 삶의 실재와 다른 사람의 입장이 되어 보는 것(비록 어떻게 우리 그리고 다른 이가 영향을 미치는지에 대한 성찰적 이해를 필요로 하지만)에 대한 설득력 있는 의미를 구축하는 것이 가능하다고 생각한다. 실수와 잘못 들어선 길에 대해서뿐만 아니라 다른 이들의 여행과 더불어 우리 여행의 측면들을 기록하고, 우리가 어디에 그리고 왜 서 있는지를 명확히 함으로써, 우리는 당신으로 하여금 당신만의 분명한 길을 찾도록 도울 수 있다고 믿는다.

누구를 위한 책인가?

고등 교육에 재학하고 있는 학생들(학부생 및 대학원생), 학계의 연구자뿐만 아니라 다양한 직업세계의 맥락에서 이러한 방법을 이용하는 것에 대해 급증하는 관심을 고려할 때(Chamberlayne et al., 2004; Dominicé, 2000; West et al., 2007) 많은 전문가들 역시 이 책의 대상이 된다. 이 책은 다양한 학자 공동체가 관여되어 있는 하나의 대화에 참여할 수 있는 일종의 초대장을 의미한다. 우리는 연구를 수행하고 유사한 관심을 지닌 다른 이들과 관계를 맺는 것에 관심을 두는 전문가는 물론 대학생들에게 유익하고 포괄적이며 접근가능하고 실제적인 가이드를 제공하고자 한다.

이 책의 구조

제2장에서는 전기적 연구의 기원을 구전 및 구술사로까지 추적하면서 역사적 맥락에서 전기적 접근의 발전에 대해 다룬다. 이 과정에서 우리는 프랑스 혁명에서부터 폴란드 전통과 미국에서의 시카고 학파의 출현, 그리고 좀 더 최근의 발전(특히 페미니즘)에 이르기까지 구두보고가 어떻게 이용되었는지를 소개한다. 우리는 전기적 방법에 대한 심리학과 같은 학문 분야의 일부 저항을 소개한다. 우리는 현대의 급증하는 전기적 연구 및 전기 그 자체에 대한 관심이 과거의 농경사회나 산업사회에서처럼 한때 사람들의 삶을 형성하던 사회적 양식이 약화되고 전기적 연구 수행의 필요성이 증대되는, 적어도 발전된 서구사회의 시점에 어떻게 자리할 수 있는지 언급한다.

　제3장에서는 사회학과 사회정책, 교육 및 평생학습 연구, 심리학, 심리치료, 의학, 그리고 헬스케어 등과 같은 많은 학문 분야에 걸쳐 전기적 방법이 어떻게

응용되고 있는지를 살펴본다. 우리는 전기적 연구자들이 종종 소외된 사람들과 함께 작업하는 것과 그러한 작업의 사례들을 제공해 주는 것에 대해 기록했다. 영역을 구획하는 데 있어, 우리는 심리사회적 관점과 같은 새로운 출현을 포함하여 일부 지역의 학제간 양상을 기록했다.

제4장에서는 전기적 연구에 대한 다양한 이론 및 방법론적 뿌리를 소개하고 연구자들이 어떻게 그들의 연구에서 해석주의(interpretivism), 해석학, 상징적 상호주의, 비판이론, 정신분석학, 페미니즘, 내러티브 이론과 후기구조주의를 이용하는지 기록했다. 하지만 우리 책의 목적을 위해 우리는 상징적 상호주의, 페미니즘, 비판이론, 심리사회적 및 정신분석적 사고와 같이 우리의 연구에 영향을 끼친 관점들에 특히 주의를 기울였다. 우리는 이런 종류의 연구에 대한 성찰과 주관적 및 상호주관적인 통찰의 역할에 대해 소개할 뿐만 아니라 사회학자와 심리학자 사이의 일부 대화를 소개한다. 우리는 서로 다른 이론적 그리고 인식론적 포지션을 분류하기 위한 잠정적인 프레임워크를 개발하고 이들 '포지셔닝'과 관련하여 당신에게 어느 포지션을 선택할지를 물을 것이다.

제5장에서는 전기적 연구를 이용하고 개념화하는 서로 다른 방법들에 대한 사례 연구를 제시한다. 우리는 우리가 수행한 것이 무엇이며 왜 했는지에 대한 공유의 일환으로서 여기에 우리의 연구 일부를 포함시켰다. 이것은 소외된 지역에 사는 가족들, 교사들의 전문적 학습뿐만 아니라 성인 학습자 사이의 변화하는 정체성 그리고 힘든 빈곤 도심지역 맥락에서 진정한 의사나 교사가 되고자 하는 분투를 다룬 연구들이다. 우리는 탐구의 주제를 구체화하는 데 있어 연구자의 역할에 관심을 기울였고 일부 윤리적 이슈들도 다루었다. 우리는 하나의 교육적 장치로서 당신 자신의 자서전의 여러 측면들과 이것이 어떻게 다른 이들의 삶에 대한 당신의 관심을 구체화할 수 있는지에 대해 성찰해 보도록 초대한다.

제6, 7, 8장에서는 데이터를 생성, 분석, 제시하는 것을 포함하여 전기적 연구를 어떻게 하는가에 대한 세부사항을 다룬다. 우리는 연구 주제를 어떻게 선정할지를 검토한다. '왜 이 주제를, 왜 내가, 왜 맨 처음 전기적 접근을 선택했는가?'

등과 같은 질문들을 생각한다. 우리는 개인 연구자 또는 연구팀의 일원으로 작업하는 것에 주의를 기울인다. 우리는 연구 대상자 선정에 대해 생각해 보고 학생들이 자주 묻는 '당신은 정말로 오직 한 사람 혹은 아주 소수의 사람들만으로 연구를 수행할 수 있는가?'와 같은 질문에 대해 논의한다. 제7장은 인터뷰 프로세스에 초점을 맞추었고 기술(description)의 특성과 역할, 그리고 우리가 말하는 '좋은 이야기'라고 일컫는 것을 만들어 내는 데 있어 개념적 이해는 물론 우리의 감성이 얼마나 중요할 수 있는지에 대해 자세히 살펴본다. 우리는 연구방법적 접근에 있어서의 몇 가지 차이, 특히 인터뷰 과정에서의 연구자의 역할에 대해 대비되는 관점을 반영하는 내러티브 인터뷰와 상호작용적 인터뷰를 강조한다. 우리는 고등 교육에서의 비전통적 학습자들에 대한 새로운 탈유럽연구의 맥락에서 이것에 관한 몇 가지 논쟁들을 설명하고 기술에 대한 서로 다른 접근에 대해 자세히 살펴봄은 물론 우리가 수행한 작업의 인터뷰 샘플을 제공한다.

　제8장에서는 대화체적인 것은 물론 근거이론에서부터 컴퓨터 기반의 서로 다른 분석 기법에 관한 개관을 제공하고 우리들의 방법에 대해 상세하게 설명한다. 제9장에서는 전기적 연구 집필의 과정, 그리고 창의적 글쓰기와 분석적 글쓰기 사이의 경계를 어떻게 그것이 모호하게 하는 경향이 있는지를 검토한다. 이야기에서 자신과 다른 사람을 표현하는 방법 또한 살펴본다. 우리는 글쓰기에 좋은 환경을 조성하는 등의 글쓰기의 실제적인 측면과 글쓰기를 시작하는 데 필요한 준비를 설명한다. 우리는 창의성에 대해 다루었지만 좋은 연구 글쓰기의 핵심인 규율에 대해서도 살펴보고 그 사례를 제공한다. 우리는 전기 자료를 제시하는 다양한 방법에 대한 논의는 물론 서로 다른 청중들을 위한 다양한 글쓰기 스타일을 소개한다. 제10장에서는 전기적 접근들의 타당성과 윤리에 관한 중요한 이슈들로 되돌아가서 타당성의 상이한 개념들, 그리고 전기적 연구방법에 대한 타당성 주장이 얼마나 자주 실물과 똑같음 혹은 신빙성의 개념에 근거를 두고 있는지—또한 훌륭한 문학작품처럼 알기 쉬우며 심지어는 심오한 방식으로 삶에 경험을 가져다주는 전기적 연구의 특유한 힘에 대해 탐색한다. 이번 장에서는 연구

와 치료 사이의 경계를 포함하는 본문 도처에서 제기된 윤리적 문제들을 좀 더 검토한다.

마지막 장에서는 특정한 것과 일반적인 것 간의 관계는 물론 연구에서의 주관성과 객관성의 위치, 전기적 연구물에서의 이론의 성격과 지위 등과 같은 이 책의 핵심 주제들을 요약한다. 우리는 전기적 연구자가 된다는 것이 무엇을 의미하는지 혹은 무엇을 의미할 수 있는지와 수반된 정체성의 변화에 대해 묻는다. 우리는 연구가 학문과 문화적 경계들을 가로질러 학문적 대화에 참여하는 것에 대한 흥분과 혜택(물론 어려움도)의 보상은 물론 의심과 염려도 주시한다. 우리는 좋은 연구자를 만드는 것이 무엇인지 묻고 연구공동체에 속하는 것과 다른 이들과 다름(otherness)에 관여하고 배우는 능력을 개발하는 것의 중요성에 대해 논의한다. 마지막으로 우리는 이 책을 쓰는 과정에 대한 회고와 그것이 우리에게 어떤 의미를 가지는지와 더불어 확장된 이슈들과 사회정책을 언급함으로써 이 책을 마무리짓는다.

요점

- 사회과학 연구의 전기적 방법에 대한 새로워진 관심이 있다.
- 어떻게 우리 자신의 전기들이 타인과 그들의 삶에 대한 우리의 관심을 빚어내는지에 대해 생각해 보는 것이 중요하다.
- 책에서 망라된 연구의 종류를 기술하기 위해 서로 다른 다양한 용어들이 사용될 수 있다. 우리는 많은 유사성도 있지만 일부 다른 점도 가지고 있는 다양한 접근들을 다루기 위해 간편한 호칭으로 '전기적 방법'이라는 용어를 사용한다.

추가 읽을거리

Chamberlayne, P., Bornat, J. and Wengraf, T. (2000) (eds) *The Turn to Biographical Methods in Social Science*, London: Routledge.

Plummer, K. (2001) *Documents of Life 2: An Invitation to Critical Humanism*. London: Sage.

Roberts, B. (2002) *Biographical Research.* Buckingham: Open University Press.

토의 질문

1. 당신은 전기적 연구를 어떻게 이해하는가?

2. 당신은 친척들의 삶이나 심지어는 자기 자신의 삶에 대해 연구해 본 적이 있는가? 어떤 의미에서, 우리는 예를 들어 이력서를 작성할 때 항상 전기적 연구를 '수행'한다. 중요한 것은 이력서/연구 수행 시 포함된 것만큼이나 많이 누락한다는 것이다. 연구 수행이나 이력서 작성 경험을 한 문단으로 적어 보라.

3. 당신은 전기나 자서전을 읽어 본 적이 있는가? 만약 그렇다면, 누구에 관한 것이었는가? 그리고 그 사람의 삶에서 핵심은 무엇이었는가?

4. 당신이 생각하는 전기적 방법의 강점과 약점은 무엇인가?

활동

1. 당신의 삶에서 중요한 의미를 주었던 물건 하나를 고르고 그 이유를 설명하라.

2. 당신 삶의 연대표를 그려 보고 그 위에 당신 삶의 주요 사건들을 표시해 보라.

전기적 방법들
개괄적인 역사

우리는 자서전/전기(auto/biography)이라는 단어가 내포하는 세 가지 요소인 자서전[autos]
(자기 자신이라는 것이 무엇을 의미하는가?), 삶[bios](삶이라는 것이 무엇을 의미하는가?)
그리고 쓰기[graphe](글쓰기 행위에서 무엇을 상정하는가?) 등을 이해하는 데 관심이 있다.
그러나 이러한 질문에 대해 답을 찾는 것은 쉽지 않으며 수세기 동안 철학적인 성찰의 기
반이 되어 왔다. 그리고 이러한 질문들은 하나의 삶에 대해 이야기하는 것에 대한 사색에
서 계속 회자된다(Ken Plummer, 2001, p. 86).

개요

- 우리는 어떻게 전기적 방법의 기원이 구술 전통과 구술사의 사용까지 거슬러 올라가는지
  를 확인할 것이다.

- 우리는 전기적 접근 역사의 중심인 시카고 학파(Chicago School)의 사회학을 살펴볼 것
  이다.

- 우리는 전기적 방법이 페미니즘 그리고 어느 정도의 비판 이론과 후기구조주의에 어떻게
  상당한 영향을 받아 왔는지 확인할 것이다.

- 우리는 심리학이 주류에서 어떻게 전기적 및 서사적 방법에 대해 종종 호의적이지 않은
  지를 고려할 것이다. 그러나 거기에는 보다 호의적인 견해를 채택했던 한 보충적인 흐름
  이 있었다.

- 우리는 전기적 방법의 인기가 때에 따라 서서히 약해졌다가 다시 강해지며 지금은 그 흐
  름이 다시 강해지고 있다는 것을 주목한다.

도입

이 장에서, 우리는 역사적 맥락 안에서 전기적 연구방법의 발전과정을 구술 전통과 구술사로부터 거슬러 올라가 살펴볼 것이다. 구술사는 프랑스 혁명으로부터 시작하여 이 분야에 큰 기여를 했다. 마찬가지로, 폴란드의 전통과 1차 세계대전 이후에 등장한 시카고 학파의 사회학이 이에 중요한 영향을 끼쳐 왔다. 우리는 페미니즘의 지대한 기여를 살펴보고, 특정 분야, 특히 사회학, 심리학 및 교육 분야에서 전기적 연구의 (때때로 일정하지 않지만) 발전과정을 살펴볼 것이다. 전기적 연구방법의 전기(biography)를 착수(활용)하는 것은 당대의 논쟁이나 방법론적 문제들의 큰 맥락을 파악하는 데 유용하다. Plummer(2001)가 말했듯이, 연구의 본질, 삶의 의미, 삶이 나타내는 문제들에 대한 질문들은 수세기 동안 존재해 왔다.

전기적 전환

제1장에서 언급한 바와 같이, 사회과학 분야에 (전기의 혹은 주관론자에 의한) 전기적 방법 사용의 현재 인기상승은 사회 조사(social enquiry)에서 발생하는 연구의 주관성 부정과 사회생활에서의 인간의 주체로서의 역할 무시와 같은 경향에 대한 반동을 보여 준다. 현재 이러한 경향이 다시 재기되는 이유는 적어도 선진국에서 농경사회나 산업사회에서 고정되어 왔던 사회계층화 구조를 약화시키고 이런 구조를 바꾸어 놓은 포스트모더니즘을 참고해 보면 알 수 있다. 많은 여성들은, 예를 들어, 페미니즘과 노동시장의 전반적인 변화와 여성의 교육기회 증가로 인해 자신의 어머니나 할머니와는 꽤 다른 삶을 살려고 노력할지도 모른다. 넓은 의미에서, 사람들은 영국의 사회학자 Anthony Giddens의 '자기의 재귀 프로젝트(the reflexive project of the self)'가 말하는 것같이 (사회와 경제적 변화를 통해 혹은 강제로) 자신의 전기를 다른 관점에서 쓰고 싶어할지도 모른다. 물론, 다른

사람들은 세대간의 연속성을 느슨하게 하는 것을 어렵다고 느낄 수 있으며 다양한 근본주의의 증가로 표현되는 과거의 확실성에 대한 향수 어린 갈망이 있을 수 있다(Frosh, 1991; Giddens, 1991, 1999).

우리는 다시 한 번 모든 사회과학 연구자들이 주관론자들의 전환에 영향을 받은 것은 아니며, 일부는 매우 적대적인 견해를 가지고 있다는 것을 강조해야 한다. 예를 들어, 많은 심리학자들은 다른 가정을 내릴 수 있다. 그들은 주관적인 설명, 묘사들은 너무 무정형적이며 학술자료로서 신뢰성이 없으며, 체계적인 관찰과 측정의 범위에서 벗어난다고 주장한다. 가장 많이 쓰이는 심리학자들의 연구방법론은 자연과학 분야에서 사용하는 것처럼 실험과 관찰을 기반으로 하여 결과를 수치화하고 통계학적인 검증을 하는 것이다. 그들은 직접적으로 관찰하고 측정할 수 있는 대조실험을 사용하여 구체적인 현상에 대한 (개인의 행동에 대한 집단 압력과 같은) 특정 변수의 정확한 영향을 식별하고자 하며 자신들이 보는 바와 같이 관련 없는 사회문화적 또는 주관론적 차원을 벗겨 내고자 한다. 이와 같이 사회 연구는 다양한 방향으로 진행될 수 있다(Frosh, 1989).

구술 전통과 구술사

스토리텔링은 모든 사회에서 사람의 의사소통에 중요한 부분이었다. 스토리텔링은 혼란스럽고, 폭력적이며, 예측 불가능할 수 있는 세계에서 의미와 지침을 생성하고 전달하는 역할을 했다. 스토리들을 통해서 집단의 역사, 공유된 가치와 삶을 위한 규범이 세대 내 그리고 세대 간에 소통되었다. 읽고 쓸 줄 알기 전에는 이야기를 하기 위해 목소리를 사용하는 것이 의사소통의 주요 수단이었다. 스토리들은 또한 선사 시대 동굴 벽화를 포함하여, 초기 시대에 예술을 통해 표현되었다. 사람들에 대한 집단의 역사, 신화 그리고 전설은 후에 「오디세이(The Odyssey)」와 「일리아드(The Iliad)」와 같은 서사시에 기록되었다. 스토리는 세대를 가로지르며 스토리를 전해 내려가는 구술 전통 안에서 정제되고, 재해석되고, 재구조화되었다.

Jan Vansina(1985)의 저서 「Oral Tradition as History」는 구술 전통의 발전과정을 제시했다. Vansina는 구술 전통이란 '과거와 관련된 모든 구술 증언들을 한 사람이 다른 사람들에게 전달하는 것이다.'라고 정의 내렸다(1985, p. x). 구술 전통은 정보의 주요한 역사적 자원이다. 예를 들어, 아직 일부 역사학자들이 타당성과 신뢰성의 문제를 제기하고 있지만, 우리는 Sioux와 Pueblo 인디언과 같은 미국 원주민의 역사를 대부분 구술을 통해 알고 있다. 자기 정당화나 어떠한 목가적인 과거에 대한 환상으로 점철되었을 수 있는 사람들이 말하는 이야기에 어떠한 신빙성이 있을 수 있나? 그러한 질문들은 현재 연구에서 주관성으로의 전환에 관해 대립하는 사회과학자들 사이에서 논란이 있다. 그럼에도 불구하고 역사가들로부터 구술사는 보통 사람들의 삶의 역사를 말하기 위해 그리고 그들의 용어(말)로 보통 사람들의 삶이 어떠했는지 탐구하기 위해 과거에 사용되었고 현재도 사용되는 방법이다. Paul Thompson은 이 점을 강조한다: '구술사의 도전은 역사의 필수적인 사회적 목적에 부분적으로 관련되어 있다'(2000, p. 3):

> 구술사는 대조적으로 더 공평한 실험(시험)을 가능하게 했다: 이제 증인들은 하위 계층, 특권이 적은 자들, 그리고 패배자로 불릴 수 있다. 이것은 더 현실적이고 공정한 과거의 재구성과 기존의 해석에 도전을 한다. 그렇게 함으로써, 구술사는 전체로서의 역사의 사회적 메시지에 대해 급진적인 함의를 지니고 있다(P. Thompson, 2000, p. 7).

이와 유사한 방식에서, Raphael Samuel은 '어떻게'를 강조한다:

> 인터뷰와 회고담은 역사가들에게, 단지 거리 이름을 모은 책자나 교구 기록부에만 남아 있을 사람들에게도 정체성과 특성을 부여할 수 있게 한다. 그리고 그들의 삶에 대해 아무런 기록물을 남기지 않은 자들의 고유한 중요성을 회복하기 위해서도 부여할 수 있다(Samuel, 1982, p. 142).

구술사는 많은 문서 증언이 좀처럼 하지 못하는 방식으로, 일기나 개인적인 증언과는 다르게, 사람들의 사회적 세계를 삶에 가져올 수 있다는 점에서 평등주의적 목적을 주장한다(P. Thompson, 2000). 사회과학 연구에서 구술 인터뷰와 마찬가지로, 구술사 인터뷰는 상호작용과 대화로 생각될 수 있다. 이것은 Frisch가 '공유 권한'이라는 개념으로 설명하면서, 구술사 인터뷰는 특정 정당성과 폭넓은 사회적 목적을 가진다고 지지했다. 많은 구술 연구원은 구술사가 사회적 목적을 갖는다는 주장을 받아들이면서 강력한 타인에 의해 주변화된 사람들의 이야기들과 같은 지배적인 신화나 도전에 대해 의문을 갖는다.

프랑스 혁명: 사례 연구

소르본(Sorbonne) 대학의 프랑스 역사학자 Jules Michelet은 프랑스 혁명의 역사에 대해 기술했는데, 일부는 그 당시 삶에 대한 구술 이야기를 묘사했다. Michelet은 자신의 접근법을 아래와 같이 설명했다:

> 내가 구술 전통이라 말할 때는 국민의 전통을 의미하는 것이다. 사람들의 입속에 보편적으로 흩어져 남아 있던, 소작농과 도시사람들과 노인, 여성, 그리고 아이들까지 모든 사람이 말했고 그 말이 반복되었다. 이런 저녁에 말은 마을 여관에 들어갈 때 들을 수 있다, 예를 들어 당신이 길을 지나가다가 잠시 쉬기 위해 만난 남자와 이야기를 시작하고 그 이야기는 비록 비, 날씨로 시작할지라도 이후에는 진리, 군주, 그리고 혁명에 대한 이야기로 변한다(1847, p. 530).

구술 전통의 사용은 역사가들의 세계에만 국한되는 것이 아니라 인류학에서도 비슷한 접근을 한다. Elizabeth Tonkin(1992)이 묘사하듯 구술 전통은 오늘날에도 계속해서 많은 문화와 비주류 문화에 지대한 영향력을 행사한다.

구술사는 구술 전통으로부터 발전되었으며 구술 전통은 구술에 대한 진실과 기억의 본질 또는 과거와 현재의 상호작용과 마찬가지로 해석 과정에 대한 긴 논쟁이 있었다(쓰인 글과 마찬가지로 구술의 내러티브는 그 사건 자체를 대표하기보다 필연적으로 그리고 항상 사건에 대한 해석을 강조한다)(P. Thompson, 2000). 구술사학자들은 전기적 연구자들도 언급했던 근본적인 문제를 제기했다. 예를 들어, Al Thomson은 구술사 내에 기억의 이론을 개발하면서 경험은 끝이 없고 현재의 관점에서 끊임없는 재창조에 개방되어 있다고 했다(Thomson, 1994).

Thomson은 참전한 전쟁에 대한 사적인 경험에 대해 몇 명의 Anzac 참전용사들을 인터뷰했고 이를 Anzac 전설의 힘 있는 부족 신화에 비교했다. 그 인터뷰들은 잃어버린 기억의 회복이나 억눌린 기억에 대한 회복으로까지 이르렀다. 이것은 가끔 지배적인 대중적인 이야기와는 상충된다(예를 들어 계층이 없는 평등주의 군대와 영국을 비교하여). 이야기를 개정하는 과정은 고통스러울 수 있다. 왜냐하면, 대중 신화들은 부분적으로 현재 삶의 방법을 정당화하기 위해 존재했기 때문이다(예를 들면 참전용사 조직과 같이). Thomson은 또한 선택적 기억의 이론을 개발시키기 위해 억압에 대한 심리분석학적 개념들을 사용했다. 개인은 특정한 시기에 그들의 이야기 속에서 경험을 결합하는 데 있어서 연약함을 많이 느낄 수 있다. 그리고 그들은 경험을 부정하고 억압함으로써 생존한다. 전쟁에서 일어나는 끔찍한 사건처럼.

Luisa Passerini(1990)나 Alessandro Portelli(1990)와 같은 구술사가들은 기억과 스토리텔링에 관한 선택적 본질에 대해 비슷한 문제를 제기한다. Passerini는 사람들의 이야기 속에서 신화의 본질과 힘에 초점을 맞췄다(신화는 다양한 방법으로 정의될 수 있다ㅡ신화는 역사적으로 신성하거나 탁월한 인간 삶의 본질과 관련이 있었고, 심리학적 맥락에서는 불만족스러운 욕구의 산물일 수 있고 혹은 사회적 소외일 수 있다. 신화는 상상이나 꿈, 공상 그리고 스토리텔링으로 표출된다). 신화는 집단 소외나 실망을 상대하는 방법일 수 있다. 예를 들어, 영국과 이탈리아 자동차산업 노동자들(car worker)은 평등과 풍요 혹은 성적 능력의 수단으로서 자동차에 대한 신화가 어떻게 자동차 종사자들이 말하는 이야기에 침투할 수 있는지 밝혔다. 신화는 지각된 실패나 급진적 조직들에 대한 불만에서 표출이 될 수 있다. 이탈리아의 Red Brigade와 같은 이야기에서 세계에 맞서는 작은 공동체들이나 그들의 나라에서 혁명을 위한 영웅적 투쟁처럼 말이다. 신화는 이런 뜻에서 어려웠던 과거나 불확실한 현재를 해결해 주는 방법으로 쓰인다. Portelli(1990)는 1940년대 이탈리아에서 공산주의 세대가 해방 후 새로운 질서에 대한 희망을 잃고 좌절했다는 신화의 일부를 자세히 말하고 있다. 그들이 나이들면서, 어떤 경우 역사는 꿈과 같은 방법들로 재해석이 될 수 있으며 또한 좌절감을 불러일으킬 수 있다. 서술자들은 실망과 환멸을 다루는 방식으로 그들의 역할을 과장할 수도 있다. 과거는 좌절과 희망의 상실로 고통스러운 곳일 수도 있다. 그리고 우리가 과거에 대해 말하는 이야기는 자기 정당화를 위한 필요에 의해 형성될 수 있다.

그럼에도, Portelli(2006)는 구술사를 강력히 지지하는 저자이다ㅡ특히 이탈리아의 맥락 안에서. 그가 주장하는 바에 의하면 학술원(academy)과 그 이상으로 다음과 같은 범위의 역사에 대한 비판이 있다고 했다: 일단 '구술의 수문이 열리면, 글은 (그리고 합리성도 함께) 마치 자연스럽게 조절 불가능한 액체 덩어리나 형체가 없는 물질처럼 휩쓸려 버릴 것이다'(2006, p. 33). 이것은 특정 영국 역사가의 '의미없는 미사여구'에 대한 비난을 반향한다. Portelli는 사실 '역사의 전통적인 작가'와 '전지적 서술자'를 지지했다. '그들은 편견이 없고 초연해 보였다. … 구술사가가 역사의 기록을 바꾼다. … 서술자는 이야기 속으로 끌려 들어가고… 이야기를 말하는 것은 말해진 이야기의 한 부분이다'(Portelli, 2005, p. 41). 구술사가들은 일부러 더 많은 사람들이 그들의 이야기를 말하도록 허락한다, 이렇게 하는 것은 선험적인 이야기(설명)보다는 다른 편애들의 대응구도를 창조하는 데 도움이 된다. 그는 이것이 구술사(전기적 연구를 포함할 수 있는)를 흥미롭고 중요한 것으로 만든다고 주장한다.

구술사가인 Michael Roper(2003)는 심리분석학적 개념들과 페미니스트 연구의 통찰을 사용했다. 그 이유는 연구자들이 현재와 마찬가지로 과거에도 초점을 맞출 필요가 있다는 것을 말하기 위해서이다. 특히 무의식적으로 연구자와 연구 간의 관계에서 어떤 일이 일어날지도 모른다는 것에 집중해야 한다. 그는 연구자에 의해 생산된 지식은 언제나 상황적인 것으로 상호작용의 결과라고 주장한다. 구술사학자들은 필연적으로 연구원의 과거를 포함하여 과거의 감정적인 잔류에 의해 사람들 간에 감정 이입이 생기는 상황이 있다는 것을 제시한다. Roper는 만일 우리가 대상들의 경제적, 사회구조적 혹은 의식적인 부분을 설명하는 것 이상을 알기를 원한다면—만일 우리가 주관성을 가지고 깊숙이 연구하고자 한다면—연구자를 포함해 대상의 관계를 고려해야 한다는 결론에 다다랐다(Roper, 2003, p. 30). 우리가 인간의 만남으로서 연구에 대해 진지하게 생각하게 되면서 과거와 현재, 자기 자신과 다른 것, 기억과 직접성 사이의 엄격한 구별이 해소되기 시작한다.

강력한 운동

구술사는 2차 세계대전 이후 여러 나라에서 강력한 운동이 되었다. 영국에서 구술사학회(Oral History Society)가 설립되었고 미국에서는 구술사협회(Oral History Association)가 설립되었다. 둘 다 여전히 유명하며 〈구술사(Oral History)〉저널과 같은 예로 중요한 국제적 관심을 받았다. 이와 관련해 학교 구술사 프로젝트, 구술사 워크숍 그리고 지역사회 교육 및 개발을 포함한 전 세계적으로 지역화된 다양한 그룹들이 있다. 구술사는 역사 연구의 근간이 되며 잊힐 뻔했던 많은 소외계층 사람들의 이야기에 많은 초점을 두었다. 구술사 방법은 과거의 괴로운 기억들을 직면하고 없애 주기 위해 지역사회 발전과 교육에 많이 사용되어 왔다. 독일에서 그러한 접근은 과거의 나치와 같이 구세대를 선동하는 것에 사용되어 왔다. 나치 독일과 홀로코스트에 대한 교육, 공동체 프로젝트는 다른 세대와 독일인과 폴란드인과 같은 다른 국적의 사람들을 연결하여 자신들의 이야기와 추정을 공유하고 질문하도록 했다(Dausien, 2007).

구술사와 페미니즘

구술사는 페미니즘과 역사상 알려진 여성의 삶과 경험을 형성하는 데 오랜 전통을 가지고 있다. Gluck에게는 '여성의 구술사…는 페미니스트와의 만남이다—비록 인터뷰 대상자가 페미니스트가 아닐지라도'(1979, p. 5). 예를 들어, 미국에서 페미니스트 역사학자들은 19세기의 국내 노동의 흑인 여성들(Tucker, 1988) 그리고 토착 미국 인디언(Perdue, 1980) 혹은 Pre-Stonewall 레즈비언(Kennedy, 2006)과 같은 여성의 소외된 집단들의 경험들을 탐색하기 위해 구술사를 사용해 왔다. 스웨덴 페미니스트인 Inga Elqvist-Salzman(1993)은 여성 교사들의 개인적이고 전문적인 삶을 연구하기 위해 다른 사람들이 사용한 것처럼 구술사를 사용했다.

여성의 구술사는 교실에서 탐색과 연결 도구로써 잘 정착되었다. 그 연구 지역은 다양한 곳에서 여성운동을 포함하여 인종, 계급, 성별, 성적 취향에 의해 결합된 여성들의 역사까지 다채롭다(Armitage and Gluck, 2006, p. 77). 그러나 Susan H. Armitage와 Sherna Berger Gluck과 같은 주요 페미니스트 구술사가들은 성취한 것이 무엇이며 최초에 인식한 것보다 더 복잡했다고 그들이 주장하는 연구 절차에 대한 더 많은 질문들을 하기 시작했다(Armitage and Gluck, 2006). 여성의 역사회복에 대한 열광도 남아 있지만 더욱 분석적이고 복잡한 논쟁도 남아 있다. 예를 들어 단순히 연구자의 해석에 의지하는 것이 아닌 서술자와 대화를 할 필요를 말하고 서술자와 인터뷰 질문자와의 관계에 대해 더 질문을 해야 한다. 단순히 '내부자(insider)'의 생각에 사로잡혀 있을 수는 없다. Gluck은 내부자는 그녀가 만든 공유된 의미 혹은 인터뷰하는 사람이 그녀에 대해 만들었을지도 모르는 가정에 의해 불이익을 받게 된다고 말한다(Armitage and Gluck, 2006). 더 다양한 여성의 이야기를 회복하도록 하는 강력한 정치적인 강제성이 남아 있지만, 연구자들은 모든 해석에 대해 '사실에 근거하고' 정보를 얻어야 하는 의무가 있다. 이것은 넓은 조건에서의 여성의 삶뿐만 아니라 이야기들이 수집되는 대인 관계적, 정치적, 사회적 맥락도 포함한다. 본연의 문화에 기반을 두었기 때문에 어떻게 여성이 그들의 이야기를 '보여 주는지' 또한 설명되어야 한다. 감정적인 어조에서 변화는 어떤 여성들에게 특별한 의미들을 줄 수 있지만, 예를 들어 팔레스타인 노인 여성들 중에 감정적인 어조는 개인의 마음 상태보다는 이야기를 하는 것에 대한 문화적 규범을 반영하는 것일 수 있다(Armitage and Gluck, 2006).

구술사는 개발 및 원조 활동가를 포함하여, 관심과 우선순위 그리고 그들이 함께 일하기 원하는 사람들의 경험이나 문화를 더 잘 이해하기 위해 여러 다른 맥락에서 사용되었다. 구두 증언은 그 지역사회의 발전을 위해 자신의 의제를 설정하는 더 많은 힘을 제공한다(Slim et al., 1993, p. 1). 구두 증언은 또한 가난하고 소외된 공동체에서 생활하는 사람들의 목소리에 공간과 청취를 제공한다. 그것은 의견, 인터뷰와 기억의 본질에 대한 주요 방법론적 토론을 동반한다. 이러한 문제들에 대해 다양한 구술사가들에 의한 중요한 기여들을 확인하고 싶다면 Perks와 Thompson(2006)을 보라. 이런 관심사는 전기적 연구의 핵심이기도 하다.

시카고 학파의 사회학

1918~1921년에 처음 출판된 William Isaac Thomas와 Florian Znaniecki의 서사시

저서 「The Polish Peasant」는 폴란드 이주민이 미국으로 가는 경험을 담은 것으로 전기적 연구의 저서 중 가장 먼저 그리고 가장 중요한 저서 중 하나로 손꼽힌다. 지금은 고전적인 사회학적 저서로 간주되지만 역사적으로 중요한 의미가 있다. 그 이유는 저서가 (Park and Burgess의 연구와 함께, 아래 참조) 실증주의적인 접근으로부터 사회 질서가 어떻게 창조되고 변화되었는가에 대한 구성주의적 아이디어로의 전환을 시작했기 때문이다. 이러한 연구들은 시카고 대학의 사회학과 출현에 매우 중요한 역할을 했다.

Thomas와 Znaniecki의 저서는 당대 사회학의 다른 부류들이 이론적이었던 것과는 대조적으로 실증적인 연구에 기초를 두었고 이론과 자료들을 종합하려고 했다. Thomas는 기록된 편지들과 미국에서 이주한 농민들에 의해 만들어진 폴란드 신문과 Wladek Wiszniewski라는 이름의 젊은 폴란드 농민의 전기들과 같은 문서를 통해 방대한 자료를 수집했다. 그때 문자와 전기의 사용은 사회학 연구에서 혁신적인 것이었으며 Herbert Blumer는 'Wladek의 삶의 역사는 체계적으로 수집된 최초의 사회학적 삶의 역사였다'고 강조했다. Wisznieswski는 250페이지에 달하는 그의 생애사에 관한 글을 써서 돈을 벌었기에 그것 역시 매우 흥미로운 일이었다.

Thomas와 Znaniecki에게 개인적 문서는 이민자들이 직면한 해체과정을 이론화하기 위한 토대를 제공했다. 그들의 초점은 또한 각각의 개인들과 그들의 가족들이 새로운 삶과 문화로 통합되고 재통합되는 것을 망라했다(Hammersley, 1998; Sztompka, 1984). 개인적인 기록과 이야기를 사용하는 것은 그룹들과 이보다 더 넓은 사회와의 자기 자신의 상호작용을 통해 사회적 삶에 대한 더 큰 이해를 수립했다. 자서전들은 개인의 삶의 과정과 다른 사람들과의 상호작용에 대한 통찰력을 제공한다(Bron, 1999). Thomas와 Znaniecki는 이렇게 주장했다: '가급적 완전히 기록된 개인적 삶의 기록이 완벽한 사회적인 자료의 한 종류라고 선언해도 무방하다'(1958; 1832). 서술적 자료가 그저 이전에 수립된 이론을 시험하기보다는 자연과학의 방식으로 연구자를 리드하도록 하는 주관성과 유도성은 사회 연구의 핵심이 되었다.

사례 연구: Wladek의 자서전에서 발췌

미국에서: Franciszek은 그 날 저녁에 왔고 브랜디와 맥주와 와인을 가져오기로 약속하고 자동차 값도 지불하겠다고 했다. 만약 다른 문제가 없었다면 모든 것이 괜찮았을 것이다. 1월 14일에 나는 해고되었다. 이유는 다음과 같았다: 이번 연도의 겨울은 다소 혹독했다 그래서 빵가게 안이 매우 추웠다. 빵도 조금밖에 구울 수 없었다. 매일 밤 나는 롤 케이크를 만들고 난 후 세 시간에서 네 시간 정도를 기다려야 했고 기다리는 동안 할 일이 없어서 오븐 옆에 있는 테이블에 기대어 잠을 잤다. 좀처럼 그러지 않는데 가끔 조금씩 더 잘 때에도 나는 어떤 것도 흘리지 않았고 롤 케이크는 항상 제 시각에 만들어졌다. 이번에도 똑같은 일이 생겼다. 내가 평소보다 30분 정도를 더 잤던 것 같은데 Mr. Z는 내가 잠자는 모습을 발견했다. 내가 두 시간을 더 잤어도 흘린 건 아무것도 없었음에도 그는 화를 냈다.… 이번 주에는 결혼을 준비하면서 집에서 할 일이 충분히 있었기에 일을 가려 하지 않았다.…

　그리고 일은 점점 더 꼬여 갔다. 결혼식 이후에 5달러가 남았지만 아내는 10달러를 정육점 주인에게 주었다. 노력했음에도 불구하고 나는 일을 찾을 수 없었다. 시아주버니께서 나를 위해 일을 알아봐 주지 않았다. 나는 아내의 한 친척으로부터 다른 친척들에게까지, 일자리를 좀 달라고 부탁하러 다녔다. 그러나 그들 모두는 가축수용소에서 일하고 있음에도 불구하고 그렇게 해주지는 않았다.… 일자리를 얻을 수 없을 바에는 차라리 진짜 예전에 죽어 버리는 게 나을 뻔했다. 유럽 전쟁으로 인해 끔찍한 위기가 닥쳐 왔고, 때문에 보호 없이 일자리를 얻는 것은 정말로 너무나 어려웠다. 나의 낡은 신발 외에는 신을 신발조차 없었기 때문에 아내와 함께 한 발짝을 나가는 것도 할 수 없었다. 그리고 내가 아내를 이런 상황에 처하게 했지만 아내는 모든 것을 나 때문에 참아내야만 했다(Thomas and Znaiecki, 1958, pp. 2220-1, 2225)

언급한 것처럼, Thomas와 Znaniecki는 시카고 대학의 사회학에 상당한 영향을 끼쳤다. 시카고 대학의 사회학은 Robert Park와 Ernest Burgees와 그들의 학생들의 도시 연구와 마찬가지로 1920년대에 창설되었다(Blumer, 1984). Park과 Burgess는 그들이 '실제 세계'를 보기 원했기 때문에 연구 장소로 도시를 사용하는 것에 관심이 있었다. 그들은 '현실 세계'와 관계를 맺고 싶었다. Howard Becker는 나중에 Park의 학생이 말해 준 것같이 Park이 고려했던 것들을 상기했다. 비록 Park은 관찰을 언급하고 있지만, 이 기록은 학교에서 일하는 정신을 더 광범위하게 요약한다.

Park (당시의 특징이었던 남성명사의 주된 사용에 유의):

당신은 도서관에 가서 자료를 찾으라는 지시를 받았으며 그로 인해 메모를 왕창 하고 때(더께)를 한 겹 뒤집어 쓰게 되었다. 당신은 지친 관료주의자들이 작성한 사소한 스케줄을 따르고 보조금을 받기 위해 마지못해 지원자들 또는 호들갑스러운 공상적 사회개량가 또는 무관심한 서기들이 기입한 퀴퀴한 냄새가 나는 일상적 기록의 더미를 찾는 곳마다 문제를 선택하라는 지시를 받았다. 이것이 소위 말하는 '실제 연구에서 직접적으로 체험해 보는 것'이다. 그러므로 상담을 하는 사람들은 현명하고 정직해야 한다; 그 이유는 그들이 제공하는 것들이 엄청나게 가치 있기 때문이다. 그러나 한 가지 더 필요한 것은 초기 관찰이다. 고급 호텔의 라운지에 그리고 간이 숙박소의 문간에 가서 앉아 보라. 값비싼 소파에 앉아 보라. 슬럼가의 임시 침대에 앉아 보라. 오케스트라 홀 안에 그리고 Star와 Garter Burlesk 안에 앉아 보라. 간단히 말해, 실제 연구에서 직접적으로 체험해 보라는 것이다(McKinney, 1996, p. 71).

당신은 왜 Park이 '진짜 연구'를 가장 유용하고 가치 있게 느낀다고 생각하는가?

마찬가지로 학교의 발전에 있어 W. I. Thomas와 George Herbert Mead의 영향은 지대했다. 시카고 사회학자들과 사회심리학자들(학제간의 구분이 그 당시에는 덜 엄격했었다)은 끊임없이 이민자, 젊은 범죄자들, 가난한 사람들 등을 대상으로 그들의 환경에서 집중적으로 현장연구를 했다. 그들은 또한 다양한 방법을 사용하고 질적인 자료뿐만 아니라 양적인 자료를 얻었다. 연구자는 사례 연구를 우선시했고 살아온 경험에 비추어 구축된 것이 이론적 이해를 확립하는 데 가장 유용한 접근이라고 생각했다. 사례 연구를 구축하는 방법에는 참여 관찰뿐만 아니라 전기적 저서와 같은 개인의 문서도 사용되었다.

잭 롤러(the Jack Roller)

Thomas와 Znaniecki 그리고 시카고 대학의 사회학에 의해 발견된 이야기(역사)를 연구하면서, Clifford R. Shaw는 1930년 「the Jack Roller」(1966년 재발행되었다)를 출간했다. 이는 Stanley라는 비행 청소년의 기념비적이고 고전적인 생활사를 담고 있으며, 비행자의 관점과 이야기에서 비행의 이해를 제공하는 범죄학의 연구이다. Ken Plummer는 저서 「Documents of Life」에서 전기적 연구를 위한 연구의 역사적 의의를 다음과 같이 강조했다:

> 나는 이것이 범죄학에서 가장 유명한 사례 연구이며 사회학에서 가장 빈번히 논의되는 것이라고 생각한다. 이는―옳든 틀리든―인생 역사에서 거의 '표준인' 상황을 가진다(second only, perhaps, to Wladek)(2001, p. 106).

「the Jack Roller」는 'Stanley'와 그의 비행 경력(비록 Shaw는 연구에서 다른 비행자도 조사하고 있었다)을 연관시킨다. Shaw가 Stanley를 처음 만났을 때, 그는 14세였다. 그는 학교를 무단결석하고, 들치고, 소매치기를 하여 몇 차례 경찰의 감독 아래 있었다. 이는 시카고의 빈민 지역에서 (그가 싫어했던) 계모에 의해 양육

된 불행한 유년시절에 따른 것이었다. Shaw에게 있어 Stanley의 이야기는 그의 연구의 핵심 요소를 형성한다:

아이의 개인적인 태도, 감정과 관심을 확인하기 위한 장치로서, 다른 사람들과 연관해서 그의 역할을 어떻게 인지하는지를 보여 주고 그가 살아가는 상황에 어떤 해석을 하는지 보여 준다. 아이가 자신의 열등감과 우월감, 불안이나 두려움, 삶에 대한 이상과 철학, 적대감과 정신적인 번민, 그리고 편견과 합리화를 드러내는 개인적인 기록이다(1966, pp. 3-4).

흥미롭게도, 수십 년 후에 이에 대한 페미니스트 연구의 반향이 있었고, Shaw는 Stanley와 긴밀한 관계를 맺었다. 몇 년 후에 Stanley는 'Shaw는 나의 진정한 부모였다'(in Snodgrass, 1982, p. 171)고 말했으며 Shaw는 그에게 어떠한 영향을 준 유일한 사람이었다. Shaw는 Stanley의 전기를 통해 범죄의 학습 방법과 도시 생활의 영향이나 범죄 경력을 형성하는 것에 대한 낙인 이론의 역할을 보여 준다.

사례 연구

Stanley는 자신의 말로 자신의 이야기를 전하고 그의 가족의 생활을 반영하며 시작한다:

기억할 수 있는 데까지 거슬러갔을 때 내 인생은 슬픔과 불행으로 가득 차 있었다. 그 원인은 잔소리하고, 때리고, 모욕하고 나를 집 밖으로 내밀었던 계모였다. 내가 네 살 때 어머니가 돌아가셨기 때문에 나는 진정한 어머니의 애정을 몰랐다.

내가 다섯 살 때 아버지는 재혼했다. 내 진정한 어머니의 자리를 차지한 계모는 감정과 같은 특성들이 결여된 빼빼 마른 사람이었다.… 계모는 7명의 아이가 있었고, 그들은 나쁜 사람들이었다. 우리 가족은 8명이어서 총 15명이 되었다. 우리는 방 5개에서 함께 살려고 했다. 문제는 바로 발생했다. 계모는 지옥을 만들기 시작했다. 그녀는 모든 면에서 자식들을 편애했다. 계모는 일어나는 모든 일에 있어서 우리를 비난하고 그들에게 가장 좋은 음식을 주었다.…계모는 우리에게 자기 마음대로 했다. 우리는 모두 지속적으로 학대당하고 있었다.…

나는 밖으로 거리에 나설 만큼 나이가 들었다. 거리와 골목에서의 생활은 흥미롭고 매혹적이었다. 나는 유치한 감탄과 경외로 올려다본 두 동료가 있었다.… 한 명은 계모의 아들인 William이었다. 그들은 나보다 네 살 연상이며 절도의 예술에 정통한 친한 친구들이었다.…

어느 날 계모는 William에게 유개 화물차를 부수기 위해 나를 철길에 데려가라고 말했다. William은 항상 일들을 주도하고 계획을 세웠다. 그는 화물차를 열 것이며 나는 기어들어가 물건들을 가지고 나올 것이었다. 우리는 우리가 이 목적을 위해 만든 우리의 카트를 채우고 집을 향해 나아갔다. 우리가 몹쓸 수확물들과 함께 집에 도착한 후, 계모는 우리를 만나고 내 등을 쓰다듬으면서 착한 아이라고, 보상을 받을 것이라고 말했다. 보상, 하! 스스로에 대한 분노와 수갑으로 보상받았다(Shaw, 1966, p. 47, 50, 52, 200).

이 연구는 사회적 세계의 주관성에 초점을 맞추고 주제들 그 자체의 경험과 해석으로부터 이해를 도출하는 상징적 상호작용주의의 원칙을 강조한다. Shaw와 다른 상징적 상호작용주의자들에게 전기는 다른 형태의 연구에서 완전히 다 놓치거나 중요하지 않다고 간주되는 경향이 있는 인생의 사적이고 개인적인 측면(후기의 페미니스트 연구자들이 공유하는 관점)에 있어서 사회적인 것과 심리적인 것의 상호작용을 보여 주었다. Becker는 Shaw의 저서의 제2판(재판본) 서문에서 '생애사' 기법의 가치와 장점, 그리고 사회질서가 만들어지는 과정에 대한 이론적인 통찰력의 발달에 얼마나 필수적이었는지에 대하여 다음과 같이 극찬했다; '어쩌면 참여자 관찰을 제외하면 생애사는 절차라는 진부한 개념에 다른 어떤 기법보다 훨씬 더 많은 의미를 부여할 수 있다'(Becker, 1966, p. xiii).

Becker는 더 나아가 다른 접근방법에 비교하여 이 방법의 독특한 특징들에 대해 설명했다:

상상력이 풍부하며 인간적인 이들 형식에 반하여, 생애사는 더 현실적이며 저자의 목적보다 우리의 목적에 더 충실하며, 예술적인 가치보다는 대상자(피험자)가 살아가는 세상에서의 경험과 해석을 충실하게 옮기는 것에 관심을 가진다. 생애사를 수집하는 사회학자는 단계를 걸쳐 반드시 생애사가 우리가 알고자 하는 모든 것을 다루고, 중요한 사실 또는 사건이 무시되지 않으며, 다른 가능한 증거와 함께 사실에 기반을 둔 광장임을 주장하는 것과 그 주제의 해석이 솔직하게 제공된다. 사회학자는 대상자들이 사회학이 관심을 가진 질문을 지향하도록 하고, 대상자들에게 부연을 필요로 하는 사건들에 대하여 질문하며, 대상자들이 말한 이야기가 공식 기록과 대상자, 사건 또는 해당 장소를 잘 아는 타인들이 출간한 자료와 일치하도록 한다. 사회학자는 우리를 위해 이 일을 정직하게 유지한다. 그렇게 하면서 그는 자기 자신의 관점에서 그 일을 추구하는데 그 사람 '자신의 이야기'의 가치를 강조한다(Becker, 1966, p. vi).

Shaw와 시카고의 학자들은 1960년대까지 전기적 연구방법을 사용하여 연구결과를 계속적으로 발표했다. Ernest Burgess와 같은 일부 학자들은 생애사를 통계적 기법과 결합했으며 사례 연구를 방법론적으로 통계적 접근법과 비교해 볼 때 그에 못지않다고 주장하는 동시에 생애사를 통계적 기법에 결합하는 것에 어떠한 모순도 발견하지 못했다. Burgess는 「the Jack Roller」 1966년 말 간행본의 토론에서 개인적 기록물의 기여에 대해 강조했다:

많은 독자들에게 본 문서의 주된 가치는 Stanley와 기타 범죄자들의 성격 또는 유사한 경우의 치료법의 이해에 대한 기여가 아닐 것이다. 독자들에게 본 문서가 가져다주는 지대한 영향은 현대 도시의 삶의 환경하에서 전문적 범죄자가 되는 원인과 새로운 유형의 유소년 범죄자의 사회심리학에 대한 조명에 내재 될 것이다(Burgess, 1966, p. 196).

시카고의 다른 사회학자들은 1940년대 이후부터 사례 연구 방법을 계속 사용했다. 대부분은 William Foote Whyte(1943)와 그의 잘 알려진 저작 「Street Corner Society」와 같이 일탈에 초점을 맞췄다. 또한 Becker(1963)의 연구 「Outsider」와 David Matza(1969)의 연구 「Becoming Deviant」도 있었다. 이 연구들 중 몇몇은 참여 관찰에 의지했으나 이것과 전기적 접근 사이에는 많은 유사점과 공통점들이 있었다.

쇠퇴, 그러나 그 정신은 살아있다

하지만 1960년대 즈음 시카고 대학의 사회학 외부에서 전기적 방법을 적용하는 일은 감소했다. 이는 전기적 접근을 찬미한 Becker와 같은 사람들에게 놀라운 일이었다. 사람들은 '생애사를 기술하는 데 있어서 다양한 과학적 활용들을 생각해보면, 전기적 접근의 추락에 대한 상대적인 무시에 의문을 가져야 한다.'(Becker, 1966, p. xvi). Becker는 이에 대한 몇 가지 이유를 제시했다. 사회학자들은 사람들의 삶보다 추상적인 이론에 집착하게 되었다. 게다가 사회심리학이 독립적인 분야로 나누어짐으로써 사회학자들은 사회생활의 구조적 측면에 몰두하게 되었다. Becker는 1960년대 중반에 연구가 더욱 '과학적으로' 이동하게 됨에 따라 사회학이 지나치게 '엄격'해지고 '전문화'되었다고 주장했다. Talcott Parsons와 다른 사람들의 저작을 통해 실증주의와 양적 연구는 더 '과학적인 접근'에 대한 강박과 객관적인 '진실'의 탐색에 지배적인 위치를 가정했다.

그러나 C. Wright Mills(1970)와 Peter Berger(1966)와 같은 사회학자들은 오래된 정신을 유지했다. 그들은 더 사회적으로 공정한 세계를 창조하고자 열망하는 사회학이 가진 일련의 인문주의적 가치를 유지하는 것을 추구했다. C. Wright Mills(1970, 원래는 1959년에 출판)는 저서 「사회학적 상상력」에서 개별 행위자와 사회 구조, 역사의 접점을 나타내는 전기에 초점을 둠으로써 사회학의 근본적인 이슈들을 논했다. 사회적 세계는 이러한 상호작용에서 구축되고, 전기는 생활을 구축하고 더 나은 세상을—하지만 문제와 경쟁이 야기되는— 창조하는 데 분투하는 지점이다. C. Wright Mills는 '사회학적 상상력'에 대해 다음과 같이 언급했다:

그것은 우리가 역사, 전기와 사회 속에서 양자의 관계를 파악하는 것을 가능하게 해준다.… 전기, 역사, 사회 내의 연관관계의 문제로 회귀하지 않는 어떤 사회 연구도 지적인 여정을 완성하지 못했다(1970, p. 12).

사회과학자에 대한 그의 조언은 인간과 사회가 어떻게 작동하는지에 대한 그들의 가정하의 전제에 관한 생각이었다:

항상 당신이 가정하고 부과한 당신의 연구에 의한 인간의 상—인간의 본성에 대한… 유전적 개념—에 대해 시선을 유지하라: 또한 역사의 이미지도—역사가 이루어지는 방법에 대한 당신의 관념. 한마디로 지속적으로 연구하고 역사 문제, 전기 문제, 전기 및 역사가 교차하는 사회 구조의 문제에 대한 당신의 관념을 수정하라. 개인의 다양성과 획기적인 변화 방식에 대한 개방적인 시선을 유지하라. 인간의 다양성에 대한 당신의 연구의 단서로서 당신이 본 것과 상상한 것을 활용하라.… 많은 개인적인 문제들이 단순히 문제로서 해결될 수는 없지만 공적 쟁점의 관점과 역사 생성의 관점에서 이해되어야 함을 이해하라. 사회과학의 문제들은 적절하게 공식화될 때 전기와 역사 그리고 그들의 복잡한 관계 범위 등의 이슈와 문제점을 모두 포함해야만 한다는 것을 알아야 한다. 그 범위 내에서 개인의 삶과 사회의 형성이 일어난다; 그리고 그 범위 내에서 사회학적 상상력은 우리 시대의 인간 삶의 질을 변화시킬 수 있는 기회를 갖는다

(Wright Mills, 1970, pp. 247-8).

여기서 C. Wright Mills는 어떻게 거시적인 수준의 권력과 사회 구조가 내부 세계와 그들 사이의 상호작용을 찾을지에 대한 학제간의 이해에 대한 헌신을 시사했다. 이러한 헌신은 현재의 저자들을 포함해 연구자들에게 지속적으로 영감을 주고 있다.

좀 더 최근-그리고 몇 가지 질문

Becker, Goffman, Downes, Rock Matza, Lemert와 같은 학자들의 연구에서 1960년 대와 1970년대의 시카고 학파의 전통은 주변부에서 지속되었다. 그들은 경력, 낙인과 일탈의 개념에서 언급했듯이 현상학과 민족사회학적 관점에서 미시적 수준에서의 사회학적 연구를 실시했다. 시카고 전 세대의 저작처럼 그들은 자연주의적 접근 방식을 추구했다: 행위자들의 관점에서 문화적 맥락과 '진정한' 사회 행동의 이해, 힘의 불의를 조명하고 발언권을 주는 무력자―약자―의 곤경을 강조하는 더 오래된 전통을 지속했다. 이 입장은 Becker(1967)가 연구자들이 그들 스스로에게 '누구의 옆에 서 있는가?'라고 지속적으로 질문해야 한다고 주장함으로써 깔끔하게 요약되었다.

하지만 Norman Denzin은 개인들의 이야기가 서사적인 영웅적 허구와 같은 것이 될 위험이 있다는 점과 Stanley는 단순히 '스크린 영웅의 사회학적인 버전'이었다는 점을 고려했다(1992, p. 41). 그는 계속하여 다음과 같이 말했다:

Shaw와 Burgess는 피와 살로 이루어진 피험자(실제 Stanley)를 경험적 주체(인터뷰에 응한 청소년)와 결합하여 그를 분석적이고 이상적인 유형의 고전적인 도심 비행 청소년으로 바꿔 놓았다. 그리고 나서 그는 첫 번째와 두 번째의 복잡한 본문 작성이 되었다. Stanley와 Clifford Shaw는 … 분리될 수 없는데, 왜냐하면 그림에서 Shaw를 (그리고 Burgess를) 뺀다는 것은 Stanley의 이야기에 껍데기만 남기는 것이 되기 때문이다. 이 사회학적이고 논리적인 두 전문가들이 말한 수사적 이야기 없이는 Stanley는 존재하지 않는다. 자연사, 생애사 방법을 통해 환상이 유지될 수 있었다: 즉, 실제 Stanley와 실제 Stanley의 경험이 포착된 것이다(Denzin, 1992, p. 41).

현대의 논쟁에 대한 일별이 있다. '자서전/전기'를 둘러싼 구술 역사에서의 논쟁과 연구자를 참여시킬 필요성, 권력에 대한 이슈뿐만 아니라 서술의 복잡성을 전기적 일화로 구성할 공명이 필요하다. 단순한 '현실주의'는 점점 더 도전을 받았다. 그러나 Denzin은 전기적 연구에 적대적이지 않았고, 1970년대부터 전기와 해석주의, 질적 연구와 관련된 다수의 책을 집필했다. 그는 다음과 같이 설명했다:

전기적 방법은 주관과 상호주관적으로 얻은 지식과 자신의 삶을 포함한 개인의 인생 경험의 이해에 달려 있다. 이러한 이해는 한 개인이 다른 감정적 삶에 관여하는 것을 이끄는 해석상의 과정에 달려 있다. 해석—무엇인가를 이해하게 만들고 설명하는 행위—은 다른 개인들의 해석된 경험의 의미를 파악할 수 있는 이해의 조건들을 창조한다. 이해는 상호주관적이고 감정적인 경험이다. 그 목표는 다른 인생 경험의 공유 가능한 이해를 구축하는 것이다(Denzin, 1989b, p. 28).

Denzin은 이 맥락에서 삶의 역사 속 '전환점의 순간'과 '통찰'의 중요성을 설명했다. 그는 '전기적 방법을 전환점의 순간을 묘사하는 삶의 문서 수집과 세심한 사용'으로 정의했다(1989b, p. 69). 통찰은 '사람들의 삶에 흔적을 남기는 상호관계적인 순간과 경험이다. 통찰 안에서 개인적인 특성이 나타난다. 통찰은 종종 인간의 삶에서 기본적인 의미와 구조를 변화시키는 결정적인 순간이다. 그 효과는 긍정적이거나 부정적일 수 있다(1989b, p. 70). 학습자의 삶에서 통찰의 개념과 위치는 고등 교육 성인 학습자들의 연구에서 강한 큰 동시대적인 공명을 가지고 있다(Merrill, 1999; West, 1996).

페미니즘 도입

1960년대 후반에, 두 번째 물결인 페미니즘은 특히 영국, 북미와 불어권 세계에서도(Ollangnier, 2007 참조) 학계에서 영향력을 입증했다. 페미니즘은 C. Wright Mills(1970)의 저작 이후에 시카고 학파에서 다시 나타났다. 페미니즘은 인간의 삶에 있어 만연하는 성의 영향력과, 특정 방식에서 대상자의 구조화와 위치 설정, 여성의 삶의 경험이 어떻게 과소평가되는 경향이 있는지에 대해 관심을 갖는다. 페미니즘과 여성에게 발언권을 주려는 헌신에서 파생된 페미니스트 연구 방법은 전에는 사회과학 연구나 그의 이야기에 숨겨져 있었다. 대학에서 사회과학 부문은 남성 학생뿐만이 아니라 남성 학자와 남성 공장 근로자들, 청소년 문화와 소년들의 선택이 반영된 연구 주제로 점철되어 있었다.

페미니스트 학자들은 불균형을 시정하려고 했다. 전기적 접근은 이 일에 가장 적합하다고 여겨졌다: '여성을 어둠에서부터 이끌어 내고, 역사적 기록을 수정하고, 여성 작가와 독자에게 대상자를 확인할 기회를 제공하기 때문에 전기적인 작업은 언제나 여성운동에 중요한 부분이다'(Reinharz, 1992, p. 126). 특히 영국 브리스톨에 있는 담배 공장에서 일하는 노동계급 여성에 관한 Anna Pollert의 사회학 연구와 여자 아이와 청년들의 문화에 대한 McRobbie와 Jenny Garber(1976)의 연구가 여성들이 비가시성에서 벗어나는 것을 추구하는 초기의 전기적 연구들이었다.

페미니즘은 가부장제와 남근중심주의 같은 기존 연구의 사상 중 일부에 도전하는 비판적인 관점을 포함한다: 면접 대상자들을 부수적인 것으로 다루고 위계관계에 의해 특징지어지는 관계를 촉진하기 위해. 이와는 대조적으로, 페미니스트 연구자는 면접관과 면접 대상자 사이의 관계를 동등하게 구축하려 했다. Ann

Oakley(1981)는 전기적 인터뷰는 면접관 역시 자신에 대한 면접 대상자의 질문들에 답해야 하는 양방향적 과정 — 대화 — 이 되어야 한다고 주장했다. 인터뷰 과정은 방법이 중심이 되어야 하는데, 이에 대해서는 7장에서 탐색한다.

페미니스트들은 연구와 인터뷰는 면접 대상자에게 권한을 부여해야지 면접 대상자를 이용하려 해서는 안 된다는 원칙을 개발했다. Shulamit Reinharz가 주장한 것처럼, 과정은 면접관을 위한 자기학습 경험이었다. '프로젝트가 한번 시작되면, 순환 과정이 뒤따른다: 공부를 하는 여성은 그녀 자신에 대해 배울 뿐만 아니라 공부하고 있는 여성에 대해 배운다'(1997, p. 127). 미국(Reinharz)과 영국의 페미니스트(예를 들어, Oakley, Stanley) 양 측은 전기적 방법론의 확립에 있어서 영향력을 미쳤다. 여성의 이야기는 사회에서의 그들의 탄압을 강조할 뿐만 아니라 얼마나 개인적인 문제들이 복잡한 것인지(Skeggs, 1997) 예증하는, 여성의 삶을 변혁하기 위한 수단들을 제공했다. C. Wright Mills와 마찬가지로 페미니스트는 '개인적인 것이 정치적인 것이다'라고 주장했다. Liz Stanley와 Sue Wise는 말했다: '페미니스트 사회과학은 경험과 직결되는 개인이 모든 행위와 행동의 기저를 이룬다는 인식에서 시작해야 한다'(1993, p. 164). 이러한 인식은 다른 다양한 사회적 약자 집단을 다루는 연구에서 발견된다(Plummer, 2001).

페미니스트 전기적 연구는 종종 성불평등과 억압의 문제들뿐만 아니라 계층과 인종과 같은 불평등의 다른 형태와의 상호작용도 밝혔다. Amrit Wilson의 아시아 여성에 대한 감동적인 저작(「Finding a Voice」, 1978)은 초기 영국의 사례였고, 흑인 여성의 삶이 어떻게 인종 차별되고 성적으로 분리되고 계층화되는지를 강조했다. Wilson은 저작 끝에서 그녀의 작업과 왜 이것을 썼는지를 되짚었다:

나는 아시아 여성이 할 말이 많다고 느꼈기 때문에 그들이 자신의 의견이나 감정을 표현할 수 있는 책을 쓰고 싶었다. 항상 자기 자신을 위해 말할 수 없는 무리로서의 그들을 나타낸 아시아 여성에 관한 것들이 쓰여졌다. 무엇보다도 그들은 단지 객체로 취급되었다. 그들의 삶에 대해 어떠한 감정을 가지고 있는지와 그들의 삶을 분석할 수 있는 것은 절대로 드러나지 않았다. 나는 아시아 여성이 그들 스스로를 위해 어떻게 말할 수 있는지 보여 주고 싶었다(Wilson, 1978, p. 166).

미국에서 bell hooks와 다른 흑인 페미니스트들은 백인 페미니스트들의 이론과 저작은 흑인 여성이 된다는 것의 경험과 목소리를 인정하지 않았다고 주장하며 백인 페미니스트들의 페미니즘을 비판하는 데 영향을 끼쳤다. 1980년대 말의 미국 페미니스트 그룹 중 또 하나의 중요한 그룹은 Personal Narratives(개인적 이야기) 그룹이었다. 해석적인 접근방법을 사용하여 이들은 연구의 중요한 목표는 이야기로부터 이해를 향상시키는 것이라고 보았다. 이것은 여성들이 혼란에 빠지거나 거짓말뿐만 아니라 착각을 하는 복잡한 과정으로 여겨졌다. 그럼에도 이는 일종의 진실이기도 하며 해석자의 임무는 여성들의 과거와 현재의 삶의 사회적, 개인적 지형 내에서 이것이 왜 그러하며 어떠한 목적에 따른 것인지를 이해하는 것이었다. 이 그룹은 그룹의 연구인 「여성의 삶 해석하기(Interpreting Women's Lives)」(Personal Narratives Group, 1989)에서 삶의 복잡한 의미에 대해 논의하고자 했다.

페미니즘의 영향하에서 연구는 특히 집단적 전기의 관행에 있어서, 참여사업으로서 점점 더 많이 제시되고 각광받았다. 여기서 초점은 교육적 맥락을 포함한 여성의 삶에서의 주관화의 과정과 사람들이 마음을 신체에서 분리하는 방법뿐만 아니라 외부질서의 다른 면들이 부과되는 방법을 학습하는 과정에 중점을 둘 수 있다. 하지만, 이것 또한 주관화에 도전하기 위한 경험의 집합적인 망을 만들어 내는 스토리텔링/구어와 문어를 통해서도 저항을 받을 수 있다. 이러한 집합적 전기의 일부는 한 문화의 지배적인 이야기들과 이들에 대한 저항을 통한 주관성의 담론적 구축에 대한 Judith Butler의 이론적 저작에 의지한다(Butler, 1997; Davies and Gannon, 2006). 우리의 추정은 대상자에 관한 것이며, 전기적 연구에서의 주관성은 큰 이슈로 남아 있다.

페미니즘에 의해 형성된 참여적 기풍도 성인과 평생학습 연구에서의 전기적 연구의 사용을 특징으로 하고 있다(Armstrong, 1998). 많은 유럽의 저작물(Bron, Edwards, Merrill)은 처음에 고등 교육에서 여성의—특히 노동자 계층의 여성들—학습 경험에 초점을 맞췄다. 연구는 정책 결정과 성인 교육과 관련하여 그들의 목소리를 고려하고, 연구 대상자들을 연구 과정의 중심에 두어야 한다고 주장했다. Arlene McClaren(1985)과 Rosalind Edwards(1993) 둘 다 그들 스스로 비성숙한 학생으로서 전기를 이끌어 냈고, 그들의 대학에서의 성숙한 여학생 연구에서 연구자 자신을 포함했다. 그들의 저작은 가족과 교육 사이의 관계에 초점을 맞춘 Edwards의 연구와 함께 여학생이 어떻게 다른 삶의 역할들을 위태롭게 바꾸는 것을 관리하는지 탐색했다. Merrill(1999)은 언급한 바와 같이 사생활 및 공공 생활 사이의 상호 관계와, 행위(agency)와 구조 간의 변증법적 방식과, 개인적인 전기를 집단적인 것으로 연결하는 것을 예증하는 전기를 사용하는 여성들과 계층에 관심을 두었다.

자서전/전기

1980년대의 페미니스트들은 연구자들이 어떻게 그들의 이야기를 생성하고 구술사에서의 논의를 반복하는지에 대해 심문하는 것을 고집스레 거절한다고 주장했다. 이에 대한 가정이 있었는데 자연과학에서와 같이 이론과 방법은 개인적 그리고 정치적 영향을 중화시킨다고 보았다. 전통적인 무심함과 거리 두기는 '집착(fetish)', '하나님의 장난(God trick)'이라고 묘사되었다. … 동등하고 온전하게 모든 곳에서 그리고 어디에도 없는 곳으로부터 환영을 제공하는 척하며 보는 태도(Haraway, 1988, p. 584). 이러한 트릭은 연구원의 이익, 특권과 권력을 거부하면서 '진실'의 허구성을 대변했다. Michelle Fine(1992)은 경험의 재귀, 자기 재귀 잠재성을 주장했는데 전문가들은 알려진 매트릭스의 일부분이며, 연구자들은 그녀가 어떻게 살아 왔는지, 연구의 프로세스를 어떤 방식으로 구축했는지 질문할 필요가 있다고 했다. '자서전/전기(auto/biography)'라는 용어는 자서전을 통한 개인의 인생의 건설 그리고 전기를 통한 타인의 삶의 건설 사이의 상호 관계성에 대한 관심을 끌기 위해 만들어졌다. 여기서 함축성(implication)은 다른 이들의 삶과 자아에 대해 참조하고 그런 연유로 이들을 구성하지 않으면 우리가 우리 자신에 대해 이야기를 쓸 수 없다는 것이며, 우리가 다른 사람들의 생애사를 쓸 때 다른 사람들에 대해 한 구성은 심리학뿐만 아니라 우리 자신의 역사와 사회적 그리고 문화적 장소들을 포함하고 반영한다. 명백하게 자서전/전기적인 저작들의 풍부한 보고가 지난 이십년 동안 모습을 드러내었다(Miller, 2007; Stanley, 1992; Steedman, 1986; West, 1996).

비판이론과 후기구조주의

전기적 연구 개발에 영향을 미친 또 다른 이론이 있다. 1920 년대 Frankfurt 대학의 설립 이후, 수십 년 동안 비판이론은 사회학의 전기 방식에서 한 역할을 하고 있다. 일부 핵심 인물은 Theodor Adorno, Max Horkheimer, Herbert Marcuse이다. 이들은 Karl Marx, G.W.F. Hegel, Immanuel Kant와 같은 초기 비판이론가들에 의지했으나 경제 결정론과 같은 생각은 거부했다. 비판이론가들에 대한 연구의 주요 목적은 불평등과 억압을 강조하고, 행위(agency)를 통해 사회를 변화시키는 것이었다. 연구는 정치적 행위로 간주되었다. 따라서 비판적 연구자들은 자신들의 추정하에서 조사를 하기 때문에 연구현장에 가져오는 인식론적이며 정치적인 응어리에 대해서는 누구도 혼란스러워하지 않는다. Lincoln and Denzin의 설명에 따르면:

> 비판적 이론가들의 비판과 관심은 서로 다른 공동체에서 저항의 페다고지를 설계하기 위해 노력하고 있다. 대다수의 이야기를 수용하기보다는 저항하며 '목소리'를 되찾고 자신을 위한 이야기를 재주장하는 페다고지는 Paulo Freire의

브라질 성인의 연구에서 가장 명백하게 알 수 있다(2003, pp. 625-6).

영국 버밍엄 대학의 현대 문화 연구 센터는 1970년대와 1980년대 동안 비판적 관점에서 민속지/전기적 연구를 착수했다. Paul Willis의 고전 연구인 「Learning to Labour: How Working Class Kids Get Working Class Jobs」(1997)는 그 중심지에 대한 기원을 잘 보여 준다. 최근 몇 년 동안, 덴마크에서 전기적 방법은 사회심리학 및 정신분석학과 함께, 비판이론을 사용하여 직장 생활과 학습의 연구에 이용되고 있다(Salling Olesen, 2007a, 2007b; Weber, 2007).

후기구조주의의 주된 초점은 언어와 담론 그리고 어떻게 이것들이 사람들을 배치하는 데 역할을 하고 그들이 누구인지를 구성하는지 그리고 어떻게 그들이 그들 자신을 생각하는지에 있었다. 우리는 세계와 우리 자신을 중립과는 거리가 먼 언어를 통해서 인지한다. 많은 페미니스트들을 포함하여 후기구조주의자들은 언어 역할에 대한 질문을 장려했는데, Patti Lather(1991), David Jackson(1990)과 페미니스트 Liz Stanley(1992), Judith Butler(1997)의 저서에서 규명되었다. 현실과 의미는 항상 다른 텍스트와 의미에 연결되어 있다. '사회과학은 더 이상 밖에 존재하는 현실의 일방적인 기술이 아니다; 대신, 사용되는 용어들이 논의되고, 정교해질 것이고 경쟁하게 될 것이다'(Plummer, 2001, p. 198).

그러나 Plumber(2001)가 언급했듯이 전기적 접근과 인간 열망에 대한 몇몇 후기구조주의자들의 관점의 중심에는 우울함과 비관이 있을 수 있다고 했다. Michel Foucault는 인간의 이야기의 가치에 대해 울적하게도 냉소적일 수 있다고 했다: 그의 관점에서 삶은 힘과 지식 구조에 의해 형성된다. 그러나 Plumber가 말하길―이것은 우리가 공유하는 관점이다―만약 언어와 상징적인 의사소통이 사람에게 중요하다면, 우리는 또한 학습을 위한 성찰을 할 능력이 있다―그리고 언어를 통하여 힘과 지식을 포함해서 자기 인지를 더 할 수 있고, 우리의 중심까지 형성한다(2001, p. 262). 인본주의적 프로젝트―인간의 존재와 그들의 경험을 기저선으로 하는―는 가능성을 남겨 두었다. 그러나 분열과 문제점이 될 수 있다.

심리학

심리학은 적어도 주류의 표면에서, 때로는 학문을 자연 과학 이상의 것으로 자리매김함으로써 이러한 종류의 철학적 혼란에 대비해 자체적으로 예방해 왔다. Louis Smith(1998)가 언급한 바와 같이 결과적으로 심리학자는 연구 방법으로서의 전기에 관한 어려움을 겪고 있었다. 그러나 전기적 방법은 정신분석학, 페미니즘 그리고 더 인간적이고 비판적인 인식에 대한 요구에 영향을 받은 부차적인 부분이 항상 있었다. Freud는ー Little Hans and 'Dora'와 같은ー그의 역동적 무의식(인간 행동에서 생각하거나 말할 수 없는 것의) 그리고 인간의 삶과 그 결과의 성적 억압에 대한 역할 이론을 발달시키기 위해 전기를 사례 연구로 사용했다(Freud, 1977). 더구나 Freud는 전기적 형식을 Leonardo De Vinci와 같은 중요한 창의적이고 역사적인 인물들의 전기를 구성하는 데 사용했다(Freud, 1910/1963). 또한 Leon Edel(1985)은 정신분석적 관점을 다양한 전기들의 의미와 해석에 관한 문제를 살펴보는 데 사용했다.

중용을 추구하는 몇몇의 심리학자들이 있다. Gordon Allport(1937)는 심리학에서 개인적 문서들을 사용하여 일련의 연구들을 만들었다. 그는 아들과 며느리에게 쓴 편지들을 통해서 Jenny에 대한 연구를 진행했었다(Allport, 1964). 이것들은 편지들을 해석할 때 다양한 이론들을 고려하기 위한 기초로써, '일하는 여성으로서의 그녀의 삶 그리고 그녀의 정신 상태에 관련된 문젯거리에 대한 생생한 자기성찰적인 설명들'을 제공했다(Smith, 1994, p. 297). Smith는 때때로 심리학에서는 최소한 그 여백에서 생물학, 가족 및 사회상황에 대한 '절충주의적' 강조가 전기와 함께 수시로 나타난다는 점을 주지시켰다. Eric Erkson(1959, 1963a, 1963b)은 인간의 발달 단계를 탐구하는 방법으로 생활 기록을 사용했고, 다른 심리학자들은 자신의 가설을 명확히 하기 위해, Hudson(1966)의 저서와 같이 전기를 사용하고 있다. 심리학의 형태를 더욱 인간적으로 만들기 위해 전기적 자료와 이야기 자료들을 사용하고자 하는 욕망은 결코 완전히 사라지지 않았다(Smith, 1994).

특히, 페미니스트 심리학자들은 모든 사람과 사회적 맥락으로 기억된 규율은 실험적 방식을 선호하는 상황에서 쉽게 무시된다고 확신했다. 많은 주류 심리학자들을 위해 경험적 실험실 등이 설립되었다. 왜냐하면 경험적 실험실은 사회 환경의 소음/잡음을 잠재우고 배경변수들을 침묵하게 하면서 안전하고 중립적이며 '객관적인' 현상을 끌어내기에 충분히 적합했기 때문에 많은 주류 심리학자들에게 찬사를 받았다(Fine and Gordon, 1992, p. 11). 성별은 많은 사회심리학 연구에서 '잡음'으로 표현될 수 있다. 그럼에도 불구하고 페미니스트 심리학자들은 여성의 데이터는 주류를 지배하는 경향이 있는 남성의 패턴(또는 보편적 법칙)에 분명하게 맞아 들어가지 않으므로 잡음으로 간주된다고 주장했다. 이러한 연구는 연구에서의 신뢰, 오랜 기간의 지속과 연결고리의 부재상에서 종종 진행되어 왔으며 여성 피험자들은 이러한 논거에 따르면 실험자의 연구 대상으로 변모되었다. 페미니스트들의 한 대안적 비판적 주장이 반향을 얻었으며, 서술적이고 전기적인 접근방법에 대한 큰 동조가 있었다. 이러한 대안적 전통은 예를 들어 Carol Gilligan(1982)의 「In a Difference Voice(한 다른 목소리 안에서)」, Mary Field Belenky(1997) 등의 「Women's Ways of Knowing(여성이 아는 방법)」과 히스패닉, 흑인과 레즈비언 여성의 여러 연구(Fine, 1992)에서 대변되고 있다. 피험자들과 이들이 경험에 주는 의미는 이해를 허물고 성별을 제거하며 정치색을 없애는 주류 (또는 남성 주류)의 성향에 반하여 이러한 심리학의 중심에 더 가까이 위치되었다.

일부 페미니스트 심리학자들은 그룹 구성원들에게 이런 신체적 영역에 초점을 맞춘 과거 사건에 대한 기억을 기록하도록 요청하면서 몸과 성적 자질에 대한 탐구를 통한 대안적인 집단적 전기운동에 기여했다. 그런 다음 이야기는 그룹 단위로 묶여서, 재평가 및 재작업 될 수 있다.

일부 페미니스트 심리학자들은 한 그룹의 일원들에게 이 육체적 영역에 초점을 맞춘 과거의 사건에 대한 기억을 적어보도록 촉구한 신체와 섹슈얼리티 탐구로 대안적인 집합적 전기 운동에 기여했다. 그 후에는 이야기는 그룹 기반으로 논의, 재평가, 그리고 재작업될 수 있다. 예를 들어 독일의 Frigga Haug와 동료들(1987)에 따르면 여성다움과 신체에 대한 억압적이고 종종 남성우위적인 형태에 저항할 수 있는 더 큰 역량을 구축함으로써 자신들의 작업의 치료적 결과에 관심을 보였다.

교육 및 성인 학습 연구

전기적 연구방법론은 교육 연구에서 거의 확실한 지위를 차지했다. 영국에서 교사가 되는 것에 대한 주관적인 경험 연구에서는 생애사와 전기를 사용하는 전통이 있다(Goodson, 1992; Goodson and Sykes, 2001; Woods, 1993). Ivor Goodson(1994)은 교사의 인생 경험과 경력이 주로 교실 내에서의 상호작용의 분석에 관련한 방법들을 보완하여 가르침의 비전과 접근방법을 형성한다고 주장했다. 학교에서 벗어난 교사의 생활세계와 생애사는 가르침과 교사가 달성하고자 하는 것에 직접적으로 영향을 끼친다. 이러한 관점에서, 교사들은 어떤 식으로 처리되든 간에 지식의 구축과 응답 레퍼토리의 개발에 있어 행위자(agent)가 되는 것이다.

전기적 연구자들은 또한 예를 들어 학습 장애가 있는 사람들과 같은 소외계층들과 교육 현장에서 일해 왔다. 부분적으로 이는 사람들에게 부정적인 딱지를 붙이는 것에 이의를 제기하는 것과 이들에게 발언권을 주도록 노력하는 것에 대한 것이다. Jan Walmsley(2006)는 이러한 일뿐만 아니라 특히 기본적인 문자해독능력을 갖추지 못할 수 있으며 연구 문헌에서 도외시되어 자신의 지식을 사용하여 질문을 생성하는 것과 같은 오리엔테이션이 힘든 사람들에 관련한 어려움에 대하여 정리를 한 바 있다. 소개서, 교정을 위한 인터뷰 원고 반환, 완성된 이야기를 제공하는 것 등에 모두 문제가 발생하게 된다. 발언권의 문제와 누구의 목소리가 대변되는지가 문제가 되어 왔음에도 불구하고 다른 연구자들과 마찬가지로 Walmsley는 이러한 난제들이 어떻게 절충될 수 있는지에 대해 설명했다.

성인 학습과 교육에 대한 연구에서는 양적 조사가 주를 이루어 왔다(예를 들어 Woodley et al., 1987). 이에 대한 도전은 고등 교육에서의 여성의 경험에 대한 페미니스트 연구로부터 왔다(예: Edwards, 1993; McClaren, 1985). McClaren과 Edwards 둘 모두 상기 언급한 바와 같이 성인 여성 학생이었으며 자신들의 텍스트에 직접 참여했다. 1990년대 초에 이르러서는 SCUTREA(영국의 성인과 평생교육 분야의 연구자들에 대한 굴지의 프로페셔널 네트워크인 the Standing Conference of University Teachers and Researchers in the Education of Adults, 성인 교육에서의 대학교 교사와 연구자의 상설 학회)에서 사회문화적 맥락에서의 생애사, 내러티브, 자기 자신의 변화와 자신의 정체성에 대한 몸부림을 다루는 논문의 비율이 증가하는 중이었다. 1988년에는 두 개의 논문만이 대안적인 방법으로서 광범위하게 정의된 생애사를 사용했으나(Armstrong, 1998), 1990년대에는 주류가 되었다. 이는 또한 북미성인교육연구학회(North American Adult Education Research Conference, AERC)와 같은 학회의 생애사와 자서전/전기를 다룬 논문의 수로 입증된 바와 같이 영국만의 현상도 아니었다(예를 들어 Sork et al., 2000 참조). 이러한 추세는 계속되고 있다(West et al., 2001 참조).

프랑스의 성인 학습 연구에서의 전기적 접근법의 사용은 Pierre Dominicé(스위스), Guy Villers(벨기에)와 Gaston Pineau(프랑스 거주 중인 캐나다인)의 연구로 형성된 안정된 역사를 지니고 있다: 연구원들의 대화 즉, 각자의 삶의 궤적과 관심 분야를 통해 그들은 성인 교육에 있어서 생애사 문제에 참고가 된 생각의 실체에 대한 연대감을 만들어 두움을 주었다(Ollagnier, 2002, p. 274). 성인 교육과 생애사는 강력한 운동이 되었으며 1990년에는 프랑스의 연구 네트워크인 ASIHVIF(Association Internationale des Histires de Vie en Formation)가 설립되었다:

독일에는 사회학의 주류에서 벗어나긴 했으나 사회학과 교육에서 전기적 연구에 대한 강한 전통이 있다(Apitzsch and Inowlocki, 2001). 흥미롭게도 독일에서는 나치 시대 때문에 전기적 기록을 순진하게 그대로 읽는 것을 우려해 이에 대한 커다란 논쟁이 있어 왔다. 전기와 스토리텔링은 특히 다루기 곤란한 시대를 살아온 사람들의 이야기 속의 회피, 침묵, 거짓말에 대한 경향을 감안하여 언제나 비판적으로 검증해야 한다(Fischer-Rosenthal, 1995; Rosenthal, 1993).

성인 교육에서 Peter Alheit의 연구는 유럽 전역의 성인 교육 연구가들 사이에서 유명하며 영향력이 있었다. 그는 사회의 개인화가 어떻게 전기 작성의 필요성을 중시하는 학습의 새로운 패러다임으로 귀결되었는지에 대해 탐구했다. 그러나 이것은 반대되는 수사법이 무엇이든 간에, 사람들이 자신들에게 일어나는 일이 종종 자신의 통제 밖에 있다고 느낄 수 있는 상황에서 성취되어야 한다(Alheit, 1993; Alheit and Dausien, 2007). Ulrich Oevermann의 연구는 마찬가지로 유출, 예측불가능성, 정서적 긴장감이 있는 사회적 조건에서 교육과 삶의 역사에 대한 치료적 통찰력을 가져오는 데 있어 중요한 역할을 했다(Alheit and Dausien, 2007 참조). 하지만 생애사에 대한 독일의 전통은 19세기 독일 철학자들과 보다 최근에는 Fritz Schutze(1992)와 Gabriele Rosenthal(2004)의 연구에 영향을 받은 보다 '과학적'이면서 덜 주관적인 태도 성향을 보여 왔다. 페미니즘은 보다 미미해지는 경향이 있었다.

전망

다음 장에서는 전기적 연구에의 최근 동향에 대해 좀 더 알아볼 것이다. 그것은 구술 역사의 초기 혹은 시카고 대학에서부터 범위와 복잡성이 증가했다. 4장에서는 이 장에서 다루었던 몇 가지 철학적, 이론적 문제로 돌아갈 것이다. 전기적 연구자들에게 비록 힘들더라도 살아있는 경험을 연대 순으로 기록하는 것이 중요하다면, 이론 또한 매우 중요하다.

- 스토리텔링은 수세기 동안 내부 및 전 세계적으로 중요한 의사소통 수단이었다.

- 구술사학자들은 이야기를 소외 집단에 목소리를 제공하는 수단으로 사용했고, 폭넓은 일환으로, 평등주의의 사회적 목적으로 사용했다. 최근 이 일에 관해 정교한 논의가 이루어지고 있다.

- 시카고 사회학 대학원은 사람들의 마음속 경험에 대한 사회적 과정의 이해 추구에 그치지 않고, 전기적 방법의 개발에 중요한 역할을 했다.

- 페미니즘은 전기적 연구의 과정에서 질문하고 발전시키는 것에 초점을 둔다는 점에서 막대한 영향을 끼쳤다.

- 전기적 방법은 심리학과 교육 분야에서 그다지 중요하지 않았지만, 강한 보충적인 흐름이 있었다.

추가 읽을거리

Bulmer, M. (1984) *The Chicage School of Sociology: Institutionalisation, Diversity and the Rise of Sociological Research.* Chicageo: University of Chicago Press.

Chamberlayne, P., Bornat, J. and Wengraf, T. (2000) (eds) *The Turn to Biographical Methods in Social Science.* London: Routledge.

Perks, R. and Thomson, A. (2006) (eds) *Oral History Reader* (2nd edn). London: Routledge.

토의 질문

1. 구술 증언과 구술사 그리고 전기는 어느 정도까지 정치적 연구 과제로 고려해야 하는가?

2. 어느 정도까지 Shaw의 「the Jack Roller」와 같은 민족지학적 연구가 생애사를 픽션으로 변형시켜 Denzin(1992)이 말한 바와 같이 이들 연구를 '영화 속 영웅의 사회학 버전'으로 만든다고 생각하는가?

1. 이전 세대의 누군가와 이야기를 나눠 보고, 그들이 기억할 수 있는 과거의 삶과 역사적 사건에 대해 그들에게 물어보라.

2. 당신의 인생사를 반추해 보라. 예를 들면 전쟁, 근본주의 등이 당신의 시간과 삶에 어떤 역할을 하는가?

3. Thomas와 Znaniecki를 고려해 보라: 「유럽과 미국의 폴란드 농민」. Wladek의 전기에 대한 분석으로 구성된 책의 결론에서 취한 아래의 초록을 읽고 마지막에 제기된 질문을 고려하라.

우리는 노트에서 Wladek의 개인적인 진전에서 가장 중요한 사실을 분석적으로 결정했으며 이 시점에서 이 진전에 대한 간략한 통합을 추가한다.

기질적 배경에 관한 한, Wladek은 기질적 태도가 눈에 띄게 부족하지도 않고 과도하지도 않으므로 완벽히 정상이다. 그의 신체는 특별히 힘이 세지도 않으나 건강하며 아주 좋은 지구력을 보여 준다. 그의 성욕은 강렬한 편이나 절대 압도적이지는 않으며 일상적인 삶의 요구에 어려움 없이 순종한다. 그의 동기생들 중의 평균적인 학생들과 같이 술을 자유롭게 마시나 그의 행동에서는 그를 영구적으로 무질서하게 만드는 어떠한 생물학적 영향도 보이지 않았다. 그리고 우리는 그의 기질에서 새로운 경험을 찾기 위해 지속적으로 밀어내는 특별한 기질과 너무 안정적인 상태로 이끄는 예외적인 우울증도 찾을 수 없었다. 그가 학교와 군대와 같은 시설에서, 세계에 관해 피상적인 개념을 다루는 방식에서, 그의 비체계적인 독서와 가끔 교양이 있는 사람과 맺는 교제에서 얻는 삶, 그의 경험과 관찰에 근거한 사회적 조건에 관하여 일반적인 아이디어를 해결하는 그의 능력에서 보이는 것과 같이 그의 지적 능력은 평균 이상이다. 그의 지적 한계는 이론적 사고에서 단순히 체계적인 훈련이 부족했기 때문이지, 그의 타고난 능력이 부족해서는 아니다.

특정한 사회조건이 주어지고, Wladek의 진화는 이러한 조건을 구성하는 사회적 가치를 향한 그의 태도에 달려 있으며, 그 스스로 발견한 사회적 조건들은 그의 진화를 결정한다. 한 손으로는 다른 개인 태도의 상대적 중요성과, 그리고 한편으로는 다른 사회적 가치가 넓은 범위에서 달라질 수 있으며, 자신의 인격을 종합적으로 재구성하려고 시도할 때, 우리는 반드시 먼저 그의 발전에 있어서 중요한 부분이었던 모든 태도와 조건들을 결정해야 하며, 이러한 측면에서 그의 타입을 특성화해야 한다.

Wladek의 진전에 의하면 가장 중요한 자세는 사회적 본능을 조건으로 한다. 그는 항상 오로지 그리고 완전히 사회에 의존한다. 심지어 그가 자발적으로 자신을 격려한다 해도, 그것은 어떤 질책에 대한 일시적인 반응이거나, 배경으로 들어감으로써 주의를 끄는 욕망이다.

- 초기 전기 작업 이후에 어떻게 전기적 해석과 분석이 변화되어 왔는가? (최근 텍스트의 내용을 읽어라.)

- 당신은 발췌한 이 글에 대해 어떻게 생각했는가?

3

전기적 연구의 현대적 이용

누구든지 소외감이나 무시 혹은 무력감을 느껴 본 사람이라면 최근 수십 년간 자서전과 전기의 분야에서 매우 활발하고 격렬하게 일어난 페미니스트와 소수자의 관점을 이해하게 되는 시발점을 가지고 있다(Louis Smith, 1998, p. 210).

개요

- 해당 분야가 많은 전공분야들과 주제들을 포함하고 있으므로 이 분야를 개괄하는 것이 복잡하다는 것을 강조한다.

- 어떻게 전기들이 이념적인 환경, 문화, 가능한 담론, 또한 저항 등으로 인해 형성된 다른 형태의 삶들 사이에서 생겨나는 갈등의 공간이 되는지 고려한다.

- 우리는 전기적 연구자들이 '사회의 민주화'라고 불리는 것에서의 지배적인 이야기에 도전할 수 있는 방식으로 소외된 집단과 어떻게 협력하는지를 본다.

- 전기적 연구가 학제간 연구를 장려하는 방법을 조사한다.

전기 작가들의 현주소

전기는 앞선 두 장에서 언급한 것처럼 학계에서 연구방법으로서 인기가 급격하게 증가해 왔다. 몇몇은 Louis Smith(1998)가 제안하는 방법을 활발히, 심지어 열정적으로 준정치적 프로젝트의 한 부분으로 이용하고 있다. 다른 사람들은 더 내용적으로 이끌리거나 방법론적으로 이끌렸다. 전기와 자서전은 우리가 씨름하는 다양한 문제들의 의미와, 권력의 문제와 정치 그리고 역사를 이해하고 자아를 이해하기 위한 주요한 틀로 보인다. 2장에서 전기적 방법의 역사를 보았다면 이 장에서는 오늘날 전기의 사용을 살펴보고, 어떻게 과거가 계속해서 현재 연구를 형성하는지를 설명한다. 시카고 학파와 페미니즘의 영향력은 여전히 강력하다. 마지막 장에서 언급한 목소리와 이야기가 들려오는 진리의 본질, 개인 서사를 형성할 때의 지배적인 이야기와 이데올로기의 역할, 즉각성과 기억의 관계에 대한 토론은 활발히 계속된다.

특정 영역들로 이동하기

전기적 연구는 주제를 알고 표현하는 것이 무엇인지, 그리고 이들의 이야기들의 상태에 대한 논쟁의 장소로 남아 있으며 영역에 대한 지도는 다양한 인식론적, 구상주의적 문제를 포괄해야 한다(Andrews, 2007). 전기적 진술은 주제와 전기의 저자 간의 상호작용으로부터, 그리고 유용한 내러티브 자원을 포함하여 그들이 거주하는 이데올로기적 환경과 청중 사이의 상호작용으로부터 나오는 것으로 보일 수 있다. Julia Swindells(1995)는 이러한 시각이 사회세계와 이데올로기적 논쟁들과의 관계로부터 분리시켜 개개인의 독립적인 증거로써 전기와 자서전의 개념을 쉽게 이해하도록 도와준다고 말한다. 한편, 우리는 이용 가능한 내러티브 자원과 문화와 힘 사이에서, 다른 한편으로는 목소리와 이야기에 대한 투쟁과 개인적인 삶 사이에서 상호작용하는 것으로써 전기의 생각을 옮긴다. 페미니스트

운동은 어떻게 여성들이 인간관계 안에서 성의 중요성을 주장했는지 그리고 어떻게 남성의 주체성과 인간의 정체성 사이의 진부한 융합에 도전했는지에 대한 훌륭한 예시를 보여 준다. 여성은 담론에 의해 지위를 부여받은 대상이기보다는 담론 안의 주체이길 추구하면서 다른 이들의 지시에 저항했다(Smith, 1987). 이는 '우리는 좀처럼 우리 자신이 선택할 수 있을 때는 전기를 만들어 내지 않는다'는 생각을 내포한다(Chamberlayne et al., 2000).

영역 보여 주기

그러면 어떻게 더 다양하고 광범위한 영역을 잘 발견하고 더 충분히 넓고 깊이 있게 발견할 수 있을까? 전기적 방법의 발전으로 주어진 이러한 것들이 많은 규율과 주제를 아우를 수 있을까? 이러한 방법들은 특히 소외된(marginlised) 사람들의 경험에 대한 연구나 젠더 연구의 풍부한 토대를 발견함으로써 다양한 학문 영역에서 채택되거나 재발견되었다. 이 방법들은 의학이나 심리학과 같은 분야에서처럼, 만일 더 소외되어 있다면, 의사와 환자 그리고 그들의 이야기에 관한 연구들을 아우를 것이다(Greenhalgh & Hurwitz, 1998; West, 2001).

명백하게도, 모든 것을 보여 주기에는 불충분한 공간이지만 최근 지침서와 같이 우리는 풍부하고 생생하며 변화하는 영역을 제공하고자 한다. 우리는 국제적으로 알려진 연구자들과 우리 자신의 연구를 이용한 특정한 장소들(5장을 포함하는)에서 그러한 영역을 보여 주려고 한다. 우리는 전형적인 예시가 되는 수많은 다른 특징들을 위해 조사를 선택하고 신중히 선별해 왔으며(만약 전기가 끊임없이 변화하는 산물이라면) 조사자들은 그들 스스로 이주나 정치적 격변을 포함해서 변화의 과정에 초점을 맞춘다. 또한 돌보는 것과 돌보는 사람들에 대해 가족과 가족의 삶, 전문성과 그들의 직업과 학습뿐만 아니라 자기와 전기에 대해서도 관심이 있다. 우리는 다양한 연구단체의 회원을 이용했다: 교육 및 평생 학습; 보건 의료 및 의학; 심리 치료; 사회학; 성별 연구 단체. 우리의 대조적인 학문적 전기들은—Barbara의 경우에는 사회학, 역사, 교육에, Linden의 경우에는 역사, 교육, 심리학, 심리치료—세계적인 사회학, 교육학 연구 네트워크(국제 사회학회 전기 네트워크와 성인 교육 연구를 위한 유럽 사회를 포함한)에 있는 동료들과 함께 일하고 있는 그대로를 보여 주는 데 도움이 되었다. 예시들은 사회학, 사회 정책, 건강 연구, 교육학, 전문성에 대한 연구 등에서 얻었다. 우리는 연구에서 문학적 관점이나 이야기 이론에는 상대적으로 덜 집중하지만 여기에도 활기찬 영역이 기저하고 있다.

사회학과 사회 정책에서의 전기적 연구

사회학과 사회정치학 안에서 전기적 연구는 다양한 나라와 문화적 맥락 안에서 여러 사회적 기관과 변화 프로세스에 적용되었다. 몇몇의 연구들은 개별화, 위험 및 성찰 그리고 다른 사회 조직들의 경제 변화에 대한 반응 같은 개념에 대해 광범위하게 비교 조사를 수행했다. 수많은 주요 협력 유럽 연구 프로젝트들이 이 목적을 달성하기 위해 진행되어 왔다. Prue Chamberlayne, Antonella Spanò 그리고 동료들은 자격(증)이 없는 젊은이들, 미취업 졸업생들, 비전통적 노동자들, 조기 퇴직자들, 한 부모, 소수인종 집단들과 같은 수많은 범주의 사람들의 경제 변화에 따른 반응을 기록하고 분석했다(Chamberlayne & Spanò, 2000). 그들의 일은 사람들의 경험과 그들이 말하는 이야기들이 형성될 때, 문화적 위치의 중요성을 밝히는 것이다. 예를 들면 개인들에게 내재되어 있는 문화와 사회적, 경제적, 정치적 혼란에 대한 그들의 반응 사이에 강한 관계가 있을 수 있다. 전기적 연구는 사람들을 맥락에 배치한다.

'Rita'는 상세한 사례 연구를 제공한다. 그녀는 나폴리에서 태어났으며 전근대적인 문화가 계속 지배하며 공공의 영역과 개인의 영역이 엄격하게 분리되지 못한 전통적 친족 위주의 네트워크가 지속되는 곳에서 살았다. 이것은 연구자들의 기록과 같이 그녀에게 경제적 변화에 대한 적응과 '노동자 삶의 마침표'를 찍는 것을 보다 쉽게 했다(Chamberlayne & Spanò, 2000, p. 333). 반면에 런던 동부에서 온 Tony는 적응 과정이 더 어렵다는 것을 안다. 일과 가족의 분리뿐만 아니라 영어문화권에서 책임의 개별화와 같은 요소들은 경제적 규제 완화의 적응에 걸림돌이 된다. 연구자들은 그들의 성적 차별 측면을 포함하여 삶의 세부사항을 보다 광범위한 사회적, 문화적, 경제적 맥락에서 엮어냈다.

사례 연구

Rita의 정체성은 '그녀의' 공장에서의 삶의 체험을 통해 매우 분명하게 나타난다. 그녀의 삶에서 중심은 일이지만 일이라는 이름하에 가족을 희생시키는 동시대적인 "커리어 우먼"은 아니다. 그녀가 자신의 몸과 영혼을 공장에 바쳐 전념하는 동안 "좋은 일꾼"이 되는 결실은 가족에게 헌신하는 것이다. Tony에게 일은 가장 고통스러우며 상실의 의미로 일을 지속적으로 병과 연관 지었다. 만일 하루의 일과 끝에 그저 직장을 잃게 될 가능성을 보게 된다면, 대체 무슨 이유로 양심적으로 성실하게 열심히 일하겠는가?

Tony와 Rita 둘 다 핵심적인 문제는 업무에 있어서 현대화와 비인격적인 면을 견디는 것에 무능력하다는 것이다. Rita는 현대 관리통제주의에, Tony는 자유화에서 말이다. 그들이 배신당하고 화난 것으로 그들 스스로를 표현할 때 그들의 반응은 매우 다르다. Rita는 사실 포스트모던 세계로 행복한 이동을 해 왔다. 그녀 스스로 배신한 것이라는 묘사는 그녀 스스로의 배신을 회사에 숨기고 회사 밖에서는 "좋은 일꾼"에서 행복한 엄마, 행복한 노동자로 변모한다. Tony는 여전히 해고의 고통스러운 경험에 참여하고 있다. Rita에게 '이전'과 '새로운' 삶의 세계 간에 재-예비교육은 더 쉽다(Chamberlayne & Spanò, 2007, pp. 330-332).

이와 같은 사례 연구는 삶과 변화 과정에서의 거시적 및 미시적 상호작용의 이해에 있어 세부사항의 중요성을 보여 준다. 역사와 개성의 변증법, 위치와 반

응은 개별성과는 별개로 대조적으로 강하다. 그러한 세부사항은 중요하나 일반화는 이러한 전기적 렌즈를 통해서 볼 때 어려울 수 있다. 예를 들어, Rita에게 주어진 개인적, 문화적 자원은 남부 이탈리아 전체에는 간단히 적용될 수 없는데, 그 이유는 남부 이탈리아에는 변화 과정에서 각기 다른 반응을 자아내게 할 수 있는 '더 완전히 공업화된 환경'이 있기 때문이다. Tony 또한 런던 동부의 다양성에 대해 동일하게 적용될 수 없을지도 모를 지역의 '사회민주 집합주의'의 특정 문화에 의하여 형성되었다. 언급되었듯이 어떻게 우리가 특정함에서 일반화로 가는지의 질문들은 전기적 연구와 질적 연구의 핵심이다. 이러한 문제들은 책의 후반부에서 다룬다.

동유럽

다른 연구들은 특정한 사회문화적 맥락 안에서 다양한 전기들을 통해 대규모의 정치적 변화의 의미와 영향을 문서화하여 이론화해 왔다. 이것은 지난 세기 말에 이루어진 동유럽의 격변 연구를 포함하고 있다. 이 연구는 기억의 기능과 본성에 대한 많은 질문을 야기했고 기억의 해방을 불러일으키는 극적인 변화(사건)를 지나치게 단순화하는 생각에 도전할 수 있게 했다(Andrews, 2000). 이것은 또한 어떻게 연구자의 전기나 가치가 텍스트를 생성할 수 있는지에 대한 반복적인 문제를 강조할 수 있다(Andrews, 2007).

연구자들은 예를 들어 동부 독일로부터 수집된 삶의 이야기를 이용하여 그들이 살아갈 변화된 삶에서 호환을 가능하게 했는지 그리고 어떻게 자신에 대한 새롭고 허용 가능한 정체성을 구성하기 위해 재빨리 움직였는지를 언급했다. 그러나 이것은 사람들이 과거를 기억하는지 아닌지의 간단한 문제가 아니라 오히려 기억하기 위한 과거인지 아닌지의 문제이다. 실제로 현재 사람들에게 과거에 대해서, 보여 주기 식으로, 역설적인 방법으로, 난처하게 하는 방법을 통해 공산주의 기간의 특징들에 대해서 말하지 못하도록 만들 수 있다.

사례 연구

Ruth Reinecke는 베를린에서 Maxim Gorki Repertoire 극장의 여배우이자 장벽 허물기 운동의 활동가였다. 그러나 그녀는 이 시기의 삶을 분석하기 어려운 것으로 묘사했다. 장벽의 개방은 독일민주공화국에 지대한 영향을 미쳤을 뿐만 아니라 그녀의 정체성에도 큰 영향을 미쳤다.

'장벽이 열렸을 때 갑자기 내가 알 수 없는 다른 세계가 존재했고 내가 원하든 원하지 않던 살아야만 했다. 그 세계를 탐험하고자 하는 큰 호기심이 있었고 여전히 그 호기심은 존재한다. 반면에 내 스스로 새로운 세계에서 살 능력이 있는지 없는지 다소 두려움을 가지고 있었다. 아마도 이제껏 살아온 이전의 나의 모습으로 더 이상 지낼 수 없을 것 같아 두려웠던 것 같다'(Andrews, 2000, p. 182).

어떤 과거를 기억하고 이야기를 할 것인가에 대한 질문은 어떻게 변화 과정이 다른 것과 함께 말이 없는 하나의 형태로 대체될 수 있는지를 보여 준다(Andrews, 2000, p. 192). 그리고 어떻게 승리주의자들이 억압으로부터 해방 때문에 부분적으로 불안하게 되는지뿐만 아니라 관념적으로 의욕이 넘치는지를 보여 준다(Andrews, 2007). 과거와 기억은(과거에 의한 현재) 새로운 상황이 그들 스스로가 목소리를 내기 위해 투쟁하는 동안 현재에 의해 형성된다. 스토리를 이야기하는 것은 심오하게 정치적이 될 수 있지만 최종 목적 없이는 문제를 일으키는 행동이다.

Molly Andrews는 다른 사람의 삶을 구조화하는 그녀의 역할을 조사하기 위해 동유럽에서 가졌던 이전의 직업으로 돌아왔다(Andrews, 2007):

내가 이 연구의 초기단계를 되돌아봤을 때 나는 어떤 면에서 실천되어 왔던 사회주의가 아니라면, 적어도 기초적인 원리들을 구하려 했다. 나의 정치적 학습과 여러 해 전에 가지고 있었던 선입견은 그리 놀라운 일이 아니다. 나는 '정말로 존재하는 사회주의'와 같은 용어에 위안을 얻었고 나의 관점에서 사회주의 원리들의 바람을 명상했다. 1989년의 사건을 보면, Britain의 생애 사회주의 운동가들에 대한 나의 프로젝트에서 만났던 Frida는 나에게 글을 썼다.

당신은 아홉 번째 교향곡을 잘 연주하지 못하기 때문에 그것을 등지는 것을 상상할 수 있는가? 나는 그럴 수 없다! 잘못된 사람들이 그것을 연주하고 잘못 해석했다고 해서 위대하며 좋고 아름다운 것이 하찮고 형편없게 변하지는 않는다(Andrews, 2007, p. 123).

Andrews는 전기적 연구 및 이야기를 심문하는 것이 언제나 그리고 피할 수 없이 불완전하고 잠정적인 과정이며 우리 자신의 위치, 요구 및 궤적이 우리가 듣고 보고 하는 것에 어떻게 영향을 미치는지에 대해 끊임없이 고려할 필요성을 생생하게 기술한다. Andrews는 자기 인식이 우리 연구의 중심에 있어야 한다고 주장한다.

진실과 화해

또한 Andrews의 연구는 남아프리카에서 진실과 화해 위원회(이하 TRC: Truth and Reconciliation Commission)의 업무를 포함했다(Andrews, 2007). 그녀는 맥락 안에서 훌륭한 조화와 회복의 예시로써 전기를 사용하는 것에 대해 적어도 외부 세계의 시각에서 일련의 질문을 제기했다. 그녀는 어떻게 새로운 남아프리카의 탄생(시작)의 의제가 이야기를 말하는 것에 영향을 끼치고 말하기와 회복 사이에서의 문제적 관계인지 질문들을 제기한다. 회복의 과정이 항상 그리고 필연적으로 심리적 해방인가? 그녀는 질문한다. 같은 맥락으로, 그녀는 몇몇의 세부사항에서 TRC에 사용되는 방법론에 의문을 제기한다. 그녀는 어떻게 조사 도구가 직설적인 도구가 되었는지 그리고 어떻게 사람들의 이야기들이 안내되었는지를 묘사한다. 공공적 증언에 선택된 이야기의 윤곽들은 TRC가 고려했던 관련문제들에 의해 큰 영향을 받는다(Andrews, 2007, p. 158). 그녀는 그 과정에 대한 몇몇 사람들의 양가감정을 기록했다. 즉 어떻게 증언하는 것이 손상된 곳을 악화시키고 감정을 황폐화시킬지 또한 신체적 심리적 측면에서 동시에 개인적 위엄을 되찾기 위해 힘과 수단을 제공하는지에 대해서 말이다. Andrews는 전기적 연구자들이 자신들의 연구를 정당화하기 위해 자주 사용하는 '목소리를 내는 것'이 개인적인 목소리가 다양한 다른 목소리들과 개인들이 박탈감을 느끼도록 할 수 있는 방법으로 합쳐질 경우 최소한 도덕적으로 복잡한 과정이 될 수 있음을 보여준다. Andrews는 연구자가 무엇을 해야 하는지에 대한 언급으로 글을 마무리한다:

> 연구자로서 우리는 스스로를 재훈련해야 한다. 우리는 어떻게 있는 그대로의 생각을 즐기고 우리가 예측하지 않았던 이야기라도 혹은 우리의 기대와 대립하더라도 경청하는 능력을 향상시킬 수 있을까? 우리의 일은 우리가 스스로의 목소리의 존재에 더욱 민감해지도록 발전할 것을 요구한다. 이것은 우리가 항상 지니지 못할 수도 있는 자기 인식과 때로는 겸손까지도 요구한다(Andrews, 2007, p. 169).

Andrews의 업무는 또다시 진실, 묘사, 기억뿐만 아니라 연구자의 역할에 관련한 것에 대해서도 중요한 질문을 제기한다. 그녀의 글은 또한 전기적 연구 안에서 학제간의 필수적인 예시로 제시되고 있다. 그녀의 첫 번째 학위는 정치학이었고 심리학 박사학위를 받았으며 그녀는 역사와 사회학에 관심을 가진다. 그녀는 전기적 연구는 규율들 사이에 공통의 근거를 탐색하도록 허락한다고 쓰고 있다. 왜냐하면 개인적인 이야기들은 어떠한 규율의 경계도 없다는 것을 알기 때문이다(Andrews, 2007, p. 10). 이러한 관점은 설명될 것이고 많은 전기적 연구자들의 연구에 활기를 불어넣는다. 우리는 아래의 학제간 연구로 돌아가고자 한다.

돌봄, 간병인들과 가족들

간병인들과 '돌봄의 문화들' 또한 전기적 연구의 주제가 되어 왔다(Chamberlayne et al., 2000, 2004). 런던 북부와 동부에 있는 두 그룹의 간병인의 연구에서 다양한 기관들로부터 돌봄을 받거나 돌봄 경험에 대해 말하기 위한 간병인들의 샘플을 활성화하기 위해 24명과의 인터뷰를 사용했다(Jones & Rupp, 2000). 연구자들은 이야기를 형성함에 있어 문화와 가족 그리고 친밀한 세계의 상호작용, 그리고 시간이 지남에 따라 이것들이 어떻게 변할 수 있는지를 언급하면서 '전기적 해석 방법'(6장 참고)을 사용했다. 이야기를 말하는 것도 간병인으로서 면접 대상자들의 행동도 가족들과 문화적 맥락의 관계를 포함해 사람들의 변화하는 전기적 지식과 역동성 없이는 이해될 수 없다. 문화적 이해와 변화하는 개인적 환경의 이해는 전기적 연구에 필수적이다.

'Mrs Rajan'은 엄격한 종교와 문화적 규칙을 따르는 인도 가족에서 야기되는 여성의 사례 연구다. 영국으로 이주 후, 그녀는 규칙이 지속적으로 문제시되거나 실효성 없는 것들이라고 느꼈다. 그녀는 장애가 있는 아들을 보살피는 동안 소수문화 네트워크 기관으로부터 최소한의 도움을 받았다. Mrs Rajan은 폭로하듯이 인도인 아내의 가장 중요한 의무들을 이행하지 않았다고 말했다. 그러나 건강한 아들을 출산한 후에, Mrs Rajan은 그녀의 의무가 끝났다는 것을 느껴 더 적극적으로, 가족들의 부적절한 방해를 거절할 수 있었고 전문적인 도움을 수락할 수 있었다. 그녀의 정체감과 기관이 변하게 된 것이다. 사례에서의 섬세하고 체계적인 해석에 의한 세부 묘사는 행동과 의미가 어떻게 전체적으로 이해되고 문화적으로 삶의 위치를 변화시키는지를 조명한다. 연구의 다른 형태들은 이러한 역동적인 묘사의 근처에도 가지 못한다.

Mrs Rajan은 이주의 경험과 규범의 충돌 그리고 역할 기대에 의해 지배된 "돌봄 유형"을 대표한다. 문화적 이해와 민감성을 사회적 노동자에 의해 요구받아 왔다(적어도 그녀의 감정에 관련한 것은 아닌). 그녀는 첫째 아이에게 있어서도 인도인 아내의 의무를 이행하지 않았다. 그녀는 가족 도움의 부족으로 고통받았지만 외부 기관에 도움을 요청할 수 있었다.

Mrs Rajan은 둘째 아들이 출생하기 전에 고통스러운 경험을 말하기 위해 투쟁했지만 지금에 와서야 이야기를 할 수 있게 되었다. '주제와 관련된 분야 분석'으로 주의깊게 정의된 것에, 연구자들은 이질적인 문화와 가족 전통에 의한 집단에서 어머니가 투옥되는 것을 볼 수 있었다. 그들은 또한 현재 스토리텔링이 변형된 경험에 어떻게 영향을 받을 수 있는지 보여 준다. 이 경우에는 둘째 아들의 출생이다(Jones & Rupp, 2000, pp. 280-281).

가족과 소중한 것

가족과 변화하는 가족 구조는 전기적 연구의 큰 관심이었다. 몇몇은 사고방식 — 세계에 대해서 생각하고 경험하는 것 — 의 여러 개념을 포함해 이주과정에 관련된 유사한 가족집단들 사이의 서로 다른 '심리들'을 탐구했다. Daniel Bertaux와 Catherine Delcroix(2000)는 프랑스 이민자 가족의 여러 세대에 걸친 '사고방식'에 대한 사회학적 정보를 전기적 연구의 한 사례로 제공한다. 그들은 개인의 역사를 포함하고 있는 '공통의 형성(common formations) — 하위사회 또는 이주의 유입(a sub-society or a migration flow)'에 속하는 사람들에게 관심이 있다. 가족은 소우주(microcosms), 작은 세계로 인식하며, 잠재적으로 천 개의 사례를 조명할 수 있는 '사회학적 진주'를 포함한다(Bertaux & Delcroix, 2000, p. 83). 이러한 관점은 학문에 관한 배경에 의해 형성되며 전기적 연구에서 서로 다른 강조점이 될 수 있다는 것을 설명한다. 예를 들어 사회학자는 심리학자보다 그리고 개별 사례보다는 오히려 사회적 형태의 구축에 초점을 맞출 수 있다는 것이다(Plummer, 2001).

Bertaux와 Delcroix(2000)는 프랑스 Toulouse에서 이민자의 가족들이 빈곤한 도시에서 삶의 불안정한 상황 속에 어떻게 대처하는지에 대해 집중한다. 서른 쌍의 가족(대부분 Maghreb로부터 온 이민자들)은 가장 낮은 임대 주택 단지에 사는 사례 기록들을 제공한다. 실질적으로 모든 아버지가 건설 또는 유사한 업종의 근로자였고, 대부분은 여전히 이러한 직종에 종사했다. 연구자가 끌린 것은 아이들을 교육하는 방식에서 각 가구 간의 차이점이었다. 프로젝트의 도시 환경은 거칠어지고 있었다: 몇몇 부모는 아이들이 수업이 끝났을 때 실내에 있기를 바랐다. 다른 부모들은 아이들이 학교 및 기타 단체가 주최하는 활동의 범위 내에서 참여하는 것을 허락했다.

가족의 하위문화와 관련 사고방식에 대한 차이점들은 처음에는 서로 다른 가치 체계의 결과라고 생각했지만, 가까이 들여다보니 소득의 정도가 재산(estate)에 대해 '폐쇄' 혹은 좀 더 '개방'에 관한 차이점을 만들어 냈다. 이러한 문제들은 가족들과 논의되었고 가족들은 그들이 소득 향상으로 변화되는 것을 보고했다. 전기적 방법은 시간이 지남에 따라, 시험과 재시험 가설에 대해 그리고 당사자들이 이것들을 생각하도록 한다.

연구는 오래된 가족의 구성원에 대한 가족 구조를 바꾸는 데 영향이 크다(Bornat et al., 2000). 구세대는 가족의 붕괴와 '재구성'에 대해 어떤 이야기를 하며 이를 어떻게 활용하는가? Joanna Bornat과 동료들은 공개토론과 가족상태에 대한 도덕적 윤리를 통해 사람들이 개인적인 감정과 경험을 어떻게 설명할 수 있는지 명확히 규명한다. 많은 구세대들은 가정 붕괴의 책임이 경제적 또는 사회문화적 변화라기보다는 개인적 실패 또는 도덕적 결핍의 결과로 여겨지는 이데올로기적 환경의 관점에서 수치스러운 감정과 개인적 실패를 경험한다. 우리는 그들의 경험의 빛 속에서 이데올로기적인 분위기와 어떻게 사람들이 그 속에서 상호작용하는지에 대해 비추어 보지 않고는 가족 구성원의 이야기를 이해할 수 없다.

　가족 신화와 심지어 병리학은 세대간에 표현을 발견할 수 있다. John Byng-Hall(1990), 전기적 관점을 사용하는 한 심리치료사,는 가족 전설이 어떻게 가족의 이미지를 끊임없이 형성하는지 설명한다. 그는 이것을 한 아이의 성 정체성에 대한 걱정으로 인해 찾아온 한 가족을 참고하여 설명한다. 사실, 성 정체성에 대한 우려가 주요한 세대 간의 주제이다: 가족의 다른 일면에서 할머니는 두 남동생이 있는 맏이였다. 부모님은 그녀가 딸이라는 것에 매우 실망했고, 그녀의 상속권을 박탈하고 그녀를 제외했다. 이것은 차례로 그녀의 딸과 그녀의 아이들 상호간의 상속권 권리에 영향을 미쳤다. 끔찍한 사건과 비극은 여러 세대를 거치면서 아이들이 다시 재현할 수 있다. Ruth Finnegan(2006)은 모든 가족이 어떻게 신화를 갖는지에 대해 쓰고 있다. 예를 들어, 주위의 구혼과 첫눈에 반한 사랑('그녀의 어머니와 같이') 혹은 주위에 경쟁 구혼자들 사이의 테스트(혹은 Linden의 경우, 교육을 거쳐 가족 지위의 상실과 회복의 이야기로 나타나는 것). 이민자 그룹들의 삶 이야기는 아직까지는 재산의 상승이나 이민자 성공(예를 들어, 미국으로 이민 간 아일랜드인 이야기)에 대한 고전적인 이야기에 쓸 수 있다는 것을 구별할 수 있어야 한다. 가족 이야기는 신화로 물들 수 있다: 언젠가 집으로 돌아오는 중 신화의 예가 만들어진다. Finnegan은 우리가 연구자로서 인터뷰를 포함한 추억의 산물을 볼 때 우리는 이들이 '기계적 프로세스에 의해 전달되는 선명한 경험적 데이터가 아니라' 오히려 가족 내의 전설, 논쟁 및 이데올로기에 의해 불어넣어지고 주조된 이야기임을 인식해야 한다는 것에 주목했다(Finnegan, 2006, p. 180).

슈어 스타트(Sure Start)

가족 상황이 — 그리고 더 광범위한 이데올로기 풍조의 상호작용 — 영국의 '가족 지원' 프로그램에 대한 최근의 '자서전/전기' 연구의 중심에 있다(West, 2007;

West and Carlson, 2006). Linden과 동료인 Andrea Carlson은 가족뿐만 아니라 직원의 이야기를 통해 프로그램의 영향과 의미를 이해하려고 노력했다. 슈어 스타트는 특히 소외 사회 내에서 가족들을 '대상으로 한' 무수히 많은 계획 중 하나였다. 이것은 박탈의 순환을 끊을 수 있고, 아이들이 더 잘 배우기 위해 학교에 갈 수 있도록 도와야 하고, 부모들은 노동시장에 진입하는 혹은 성인 학습 교육 프로그램 참여를 장려 받아야 한다는 생각과 함께 미국 헤드 스타트 계획을 모델로 했다. 그러나 슈어 스타트와 같은 프로그램은 이데올로기적 면을 나타낸다: 그것은 가난한 사람들과 관련한 사회 통제와 도덕적 권위주의에서의 활동으로 볼 수 있다. 도덕적 결핍의 담론은 듣기 좋게 꾸민 미사여구나 현학적인 말을 늘어놓을 수 있다(West and Carlson, 2006).

연구자들은 변화하는 경험과 의미를 역동적이고 반사적으로 고려할 수 있도록 하기 위해 100쌍의 부모들과 특정 경우에 그들과 같이 거의 5년 이상의 많은 시간을 보내며 연구했다. 다양한 목적 및 가치와 현지에서 사람들이 만든 프로그램들 그리고 전기적 방법들은 시간이 흐르면서 이해가 어떻게 변하는지를 설명할 수 있다. 연구자들은 어떻게 부모들이 처음에 슈어 스타트를 의심했는지―'사회적 활동가들이 우리를 감시하는 건가?'―그러나 점차적으로 우울증을 포함한 어려운 문제들을 다루는 데 슈어 스타트가 의미 있는 지원을 하고 있다는 것을 발견하게 되었다고 언급했다. 전문가들 자신들도 사회적 정책을 통지하는 결손모델에 대해 비판적일 수 있으며 종종 더욱 협력적이며 상호 존중하는 작업방식을 실천했다. 본 연구는 프로젝트들이 또한 공공 서비스 기획과 운영에서의 대중의 참여와 빈곤 가족들에 대한 만연한 근거 없는 믿음에 이의를 제기하는 것에 대해 어떻게 '업무적인 공간'을 만들어 낼 수 있는지에 대해 조명한다(West & Carlson, 2007).

슈어 스타트 연구는 '자서전/전기'로 묘사된다. Linden과 Andrea는 특정 인터뷰 후에 차에 앉아서 자신들이 들은 매우 비참할 수 있는 이야기를 참고하여 자신들의 가족 역사의 측면들을 공유하던 것에 대하여 쓰고 있다(5장 참고).

우리는 인터뷰 후에 조용히 차 안에 앉았다. 우리는 그들과 그들의 미래를 위한 [부모의 일부] 회복력뿐만 아니라 그들의 우려를 감안할 때, 겸손과 존경을 함께 느꼈다. 우리는 그들로부터 예를 들어 개인사의 고충을 해결해 가는 것과 같은 것들을 얼마나 많이 배워야만 하는지에 대해 즐거워했고 그들의 사회와 가족의 결손모형에 대한 회복성을 비교해 봤다. 우리는 우리 자신의 가족 역사, 부모와 같은 실패와 무능력의 감정 측면을 공유했다. Linden은 공공 직업에 몰두하고 어린이와 가족생활에 대응을 소홀히 했다. 고통스러운 이혼 뒤에, 포기의 감정이 다시 표면위로 떠올랐다는 이야기를 들었다. 어린 시절의 기억을 환기시키고, 우리는 자서전/전기 과정을 구체화하기 위해 노트에 이러한 자료를 기록하기로 결정했다. 그럼에도 불구하고 어린 시절은 우리 모두에게 어려웠다. 부모 사이의 관계는 고민되었고, 우리는 책임감을 느꼈고 일이 잘되는 것을 원했다(West & Carlson, 2006, p. 369).

포기와 학대 사이에서 살아남는 데에는 고통스러운 경험에 대한 가슴 아픈 이야기가 있을 수 있다. 부모는 자신의 지배적인 이데올로기를 구현할 수 있다: 그들은 자신의 처지에 대한 책임이 있다. 그러나 연구의 반사적이고 장기적인 특성은 연구와 프로그램의 긍정적인 경험을 통해서 연구의 일부가 새로운 방식으로 그들의 삶을 해석할 수 있도록 한다. 호기심, 존중, 경청 그리고 연구자의 성찰은 어떻게 사람들이 그들 스스로 그들의 삶에 대해 생각해 보는지에 영향을 미칠 수 있다. 그들은 중요한 타인의 반응과 서서히 스며들 수 있는 큰 정당성의 감각을 고려하여 이것들을 새로운 관점에서 재평가할지도 모른다(West and Carlson, 2006). 연구는 이러한 측면에서 관계자 모두에게 학습의 형태가 될 수 있다. 또한 이러한 연구는 온-오프 인터뷰의 가치, 연구에 대한 신뢰의 중요성,

그리고 한번 더, 그들이 인터뷰하는 사람들에 대한 연구자들의 가정에 대한 질문을 제기할 수 있다. 또한 연구의 성격은 연구자가 가족생활의 고통스러운 세부사항에 어느정도까지 개입해야 하는지에 관한 윤리적인 질문을 제기할 수 있다(West & Carlson, 2006).

범죄

전기적 연구자들은 범죄 및 범죄에 대한 두려움과 같은 주제를 연구한다. Wendy Hollway와 Tony Jefferson(2000)은 범죄에 대한 여성과 노인의 공포가 심지어 그들의 희생 위험이 적을지라도 어떻게 남자나 젊은 사람들보다 크게 나타나는지를 주목했다. 이것은 전통적으로 '불합리'를 참조하여 설명되었다. Hollway와 Jefferson은 몇몇 남성들이 몇몇 여성들보다 어떻게 두려움을 더 느끼는지 그리고 특히 여성들은 많은 남성들보다 적게 두려움을 느끼는지에 관한 개인적인 이야기의 다양성을 분석하기 위해 전기적 접근을 사용했다. 유형론 수립에 계층, 성별, 인종, 나이와 거주지와 같은 인구학적 차이에 단순히 통계적으로 초점을 맞추는 것은 우리에게 많은 결과를 가져다주지 못한다. 남성과 여성의 차이점은 통계를 더 면밀히 조사하지 않는 한 매우 놀랄 만한 차이점을 보여 주지 못하며, 한편 남성과 여성 간에는 차이점만큼이나 공통점도 많다. 전기적 관점은 어떻게 유사한 '객관적' 상황에 처해 있는 사람들이 꽤 다른 방법으로 반응할 수 있는지를 포함하여 이를 조사하는 데 시급히 필요하다고 이들은 주장한다.

연구자들은 미디어에서의 범죄 담론이 어떻게 사람들의 이야기를 형성하는지를 기록하지만 또한 어떻게 사람들이 전기적으로 정통한 방식으로 다르게 반응하는지에 대해서도 기록한다(담론이라는 단어는 의미가 이들의 가치와 중요성을 부여하는 추정된 중심적인 명제 주변에서 일관성을 가질 수 있는 조직된 방법을 강조하기 위해 사용된다(Holloway and Jefferson, 2000). 예를 들어, Hollway와 Jefferson은 'Roger'를 인터뷰하고 왜 그의 특정한 범죄 이야기가 전통적이고 가부장적인 지휘권의 전성기에 대한 향수를 부여하는지, 그래서 그의 이야기가 계속되고 범죄와 어른에 대한 무례가 덜 설득력을 갖게 되는지에 대해 고려한다. 전기적 연구에서, 그들은 Roger의 아버지에 대한 뒤섞인 감정과—가족 안에 폭력이 있었다—또한 Roger가 가부장적인 권위가 실제로 작용하던 그의 어린 시절에 대해 어떻게 말하는지, 지금과 다르게—사고로 인한 장애와 우울증이 주어진—그리고 그가 그의 가족과 더 넓은 지위에 의해 존경받지 않음을 느낀다는 사실이다. 향수를 불러일으키는 이야기는 부분적으로 현재의 무력과 관련하여 설명될 수 있다. 과거는 이상적인 공간으로 설정되기 시작하고 전기적 방법은 우리가 그 이유를 이해하는 것을 돕는다.

이와 같은 연구는 왜 사람들이 특정한 이야기를 하며 그들 자신들의 취약하고 불안한 부분을 보호하는 데 있어서의 자신들의 잠재적인 역할에 대해 많은 질문을 제기한다. Holloway와 Jefferson은 변호를 받는 주제와 현재의 불안감에 대처하는 한 방법으로써 우리가 어떻게 선과 악으로 경험을 나눌 수 있는지에 대해 정신분석학적 아이디어에 의지한다. 그러므로 Roger에게는 좋았던 권위 존중의 황금기 담론에 대한 투자는 나쁘고 참을 수 없는 장애의 현재와 타인으로부터의 무례와 상반된 것이다. 연구자들은 전기적이나 심리사회적이기도 한 상상 없이는 미지의 영역이었을 통찰력을 제공한다.

전기, 건강 연구와 건강관리 전문가들

Brian Roberts(2002)는 전문가의 연구를 포함하여 전기적인 방법에 관한 흥미가 어떻게 보건과 사회사업과 연관된 일에서 성장하는지를 주목했다. 이것은 개인들 스스로 그들의 건강문제와 성장배경 속에서 개인적인 적응과 가족의 적응뿐만 아니라 건강과 보건당국에 대한 특별한 경험을 어떻게 이해하는지를 포함한다. 이 연구에 의문의 여지가 있을 수 있다.

예를 들어, 보건 시스템에서 환자의 경험에 대한 관심이 증가하고, 건강과 치료 분야에서 스토리텔링이나 서술의 중요성에 대한 관심이 커지고 있다. 내러티브 방법은 노인들의 일반적인 일과 추억(회상) 연구에 적용되고 있다(Greenhalgh & Hurwitz, 1998; Launer, 2002; Viney, 1993). 전기와 자서전은 의사와 그들 환자들의 경험에 대한 연구에도 사용된다(Salling Olesen, 2007a, 2007b; West, 2001; Widgery, 1993). 한 의사의 생산적인 전기적 연구는 John Berger와 Jean Mohr의 「A Fortunate Man」(Berger & Mohr, 1967)이다. John Sassall은 영국의 가난한 시골지역에서 권리를 박탈당하며 일반의로서 일했다. 연구자들은 그 의사의 일과 일의 의미 그리고 특별한 환자와의 상호관계를 말하고 회상하도록 격려하면서 시간을 보냈다.

Berger와 Mohr는 의사와 환자 사이의 상호작용을 형성하는 문화적 기준과 기대치에 초점을 맞추었다. 그들은 특별한 환자와 그들의 고통에 대한 의사들의 반응 이상을 이해하기를 원했고, 특별한 대면에 의해서 Sassall 자신의 상상력을 유발하는 것이 무엇인지를 이해하기를 원했다. 그들은 Sassall이 그의 일에서 좌절감과 무시, 불확실성 그리고 무기력감에 어떻게 대처하는지를 연구했다. 연구 중에 Berger와 Mohr는 몇몇 부적절하고 무익한 행동들이 한 의사를 괴롭힌다는 것을 알아차렸다. 그들은 종종 전문가의 배후에 숨겨 있는 일부 복잡한 전기적 지지를 드러냈다. 결국 Sassall은 자살했다.

Linden West(2001)의 연구, 즉 권리를 박탈당한 도시환경에서 일한 25명의 GP 연구는 유사한 주제를 보여 준다. 그 연구의 초점은 비록 도시의 내부에서 시작되었지만, 관련된 문제를 다루었다. 그것은 상당히 물질적으로 가난하고 힘이 없는 상황 속에서 일하고 있는 사람들에 관련된 연구이다. 그 연구는 환자의 물질적인 문제와 감정적인 혼란을 대처하기 위한 특별한 의사의 심리적, 감정적인 노력을 조명한다. 그리고 의사들이 경험으로부터 배우고 관리하려고 하는 자원을 조명한다. 그것은 외과수술에서의 투쟁이 의사 자신의 전기에 어떻게 뿌리를 내릴 수 있는지뿐만 아니라 그들이 살고 있는 전문적 문화에 의해서 어떻게 형성되는지를 보여 준다. 다양한 연구자들은 의사로서 생의학 모델의 지속적인 우위를 고려할 때, 의학적 문화는 감정적, 심리적, 사회문화적 면을 어떻게 소홀히 할 수 있는지에 주목했다(Sinclair, 1997).

사례 연구

많은 저자들은 언급한 것처럼, 의학에서는 좀 더 힘들고 좀 더 강한 과학적인 증거보다는 오히려 일화나 견해의 문제로서 사회적으로 비판적인 통찰력과 함께 학습의 감정적인 면을 지속적으로 폄하하는 경향이 있다. 긍정적인 자연 과학 패러다임과 객관성의 주목은 강하게 남아 있다. 언급한 것처럼, 의학 훈련에서 사회적 · 심리적 의사소통과 반성하는 관행이 증가함에도 불구하고 자기 지식에 대한 노력을 포함해 감정적인 학습과 비판적인 인식은 확실히 주변부에 남아 있다.

일반의였던 Daniel Cohen 박사는 의학문화에서 주관적이고 감정적인 학습에서 지속적인 의심이 존재하며 실질적으로 직업이 지향해야 하는 것에 비판적인 인식도 존재한다고 말했다. 그러나 그러한 이해는 과학이 지식의 다른 분야와 연결될 수 있기에 더 훌륭하고 보다 더 믿을 만한 의사가 되는 핵심에 있었다. 그는 그의 수술실에 온 소말리아 여자 난민의 이야기를 말했다:

'…한 엄마와 다섯 명의 아이의 아버지는 전쟁에서 사망했다… 천식으로부터 뇌전증까지의 광범위한 문제를 가진 아이들… 엄마…. 나에게 크리스마스 선물을 가져왔다… 나는 바로 감동받았다. 왜냐하면 그것은 우리가 받은 진짜 강한 상징이었기 때문에… 안전 토대 …. 그리고 그녀는 나를 그녀가 신뢰할 수 있는 권위 속에서 한 명의 백인 영국 사람으로서 인정했다…. 우리는 아이들이 소말리아에서는 걸리지 않았을 천식이나 습진을 왜 그녀의 아이들이 걸리는지에 관하여 다윈의 진화론에 관한 가장 특별한 대화를 가지는 것으로 끝냈다…'

그는 그 이야기를 말할 때 이것이 하나의 문제를 낙인찍기보다는 그의 환자가 인간성을 회복한다는 것과 그 자신의 가족 역사와 환자 가족의 역사를 연결 짓는 것을 깨달았다. 그의 가족이야기에서 GP는 부모와 다른 친척들이 박해 및 학대를 피해 도망칠 수 있는 안전한 공간을 제공했다.

'…내 생각에 그것은 어떤 면에서, 삶에 관한 것과 삶을 이루어 가는 것, 그리고 경청해 주고 격려해 주는 사람들이 있음을 발견하려고 애쓰면서, 언제든 개인적인 탐색의 일로 되돌아오는 것이다.' 이는 개인적 및 전문적, 자아와 타인, 생각하는 것과 느끼는 것, 문화와 내면성의 이원성을 초월한 자서전/전기적 평생 학습의 한 형태였다(West, 2001: 85-7).

Henning Salling Olesen(2007a)은 덴마크의 맥락에서의 GP 연구와 전문인력의 주관성의 형성에 있어서 유사한 영역을 개척했다. 의사들은 자신들의 전문직으로서의 참여와 정도의 차는 있으나 자신들의 직업에 속하고 이와 자신을 동일시함으로써 형성되나 또한 자신들의 광범위한 생애사에 의해서도 그러하다. 의료 행위의 주관적인 측면은 의사들이 환자와의 상호작용에 어떻게 반응하는지뿐만 아니라 자신들의 직업의 지식기반과 의료인 직업의 문화에 대해 어떻게 공감하는지와 관계가 있다. 다양한 GP와 심층적인 인터뷰―일부 인터뷰는 매우 고통스러웠다―가 진행되었으며 이들 인터뷰의 결과가 피드백되었다. Salling Olesen은 전문직으로서의 정체성에 대한 기본적인 투쟁이라 결론내리며, GP들이 어떻게 점점 커지는 산업화와 기술화되는 보건시스템과 개별 환자들의 엉망진창인 요구들 사이에서 자신들의 위치를 유지할 수 있는지를 묻고 있다.

간호사와 간호

간호사와 간호는 전기적 연구의 성장하고 있는 핵심 주제와 비슷하다. 의료 연구에서 객관적인 패러다임을 지배하고 있는 사람들과 투쟁해 온 간호 전문가들에 대한 날카로운 비판들이 있을 수도 있다. 통계적 형태의 근거를 기반으로 한 무작위의 통제 시험과 큰 데이터 집합들은 연구와 유효한 증거의 의미를 위한 최적 표준(gold standard)을 구성해 왔다. 하지만 통계적인 접근이 모든 상황에 적합한 것은 아니다. 간호의 생생한 경험이나 간호사가 되는 것을 이해하고자 할 때는 적합하지 않다. 질적인 접근은 점진적으로 더 큰 차원의 공간과 수용에 이르렀는데, 이것은 간호와 의료서비스가 해야 할 일과 그들의 상호관계에 대한 근본적인 질문에 대한 것을 말한다(Banks-Wallace, 1998; Falk Rafael, 1997; Gramling & Carr, 2004; Kirby, 1998).

캐나다 사람의 관점에서 Falk Rafael(1997)은 간호실습에 대한 회복운동과 여성인권 신장론과 포스트모더니즘에 근거한 구술역사 이야기(narrative oral history)가 정치적이고 사회적인 현실을 변모시킬 수 있는 힘과 잠재력을 지닌 연구 방향을 제시한다고 주장한다. Rafael은 한 간호사의 연구를 인용했는데, 그 간호사는 그녀의 직장에서 간호 일의 방향 재설정과 감소로 극심한 고통을 경험했다(이것은 영국을 포함한 다양한 국가에서 유사한 예들이다)(Howatson-Jones, 2009). 스토리텔링은 간호의 지배적인 구조에서 무엇이 억압적인지, 무엇이 누락될 수 있는지 그리고 간호사가 되기 위한 학습에 전기적으로 무엇이 포함되는지에 대한 여지를 부여한다.

Rafael은 연구가 적어도 소외계층들의 침묵에 작용하는 힘을 노출시킴으로써 건강한 사회를 건설하는 데 덜 도구적이고 더 큰 범위의 간호적 도움을 줄 수 있다고 주장한다. 비슷한 의미로 간호 연구자들은 생명선(lifeline) 접근방법을 사용하는데, 이는 개인 인생에서 연대기적 사건을 시각적으로 묘사하는 것을 말한다. 이것은 재귀(반사적) 인터뷰와 함께 여성들의 대처전략, 예를 들면 코카인 사용을 기록하기 위해 묘사된 사건을 이해하는 것도 포함한다. 이와 비슷하게, 간호 연구자들은 심리학적인 발달과 여성의 일반적인 대처전략에 대해 연구했다(Gramling & Carr, 2004). 현재 영국 'Welcome Trust'의 지원을 받고 있는 Royal College of Nursing의 구두역사 프로젝트가 있는데 이것은 건강과 사회정책, 그리고 여성의 역사와 같은 좀 더 넓은 맥락에서 간호 역사의 연대기에 의미를 제공해 준다.

다른 전기적 연구자들은 의료정책에 의문점을 가진다. Wendy Rickard는 매춘부나 에이즈로 고통받는 소외된 계층에 대해서 연구해 왔다(Rickard, 2004). 그녀의 동기는 임상실험에 대해 증가하는 비판과 환자방치, 건강 및 의료에 대한 생활경험, 의료종사자들과 그 서비스를 받는 사람들 간에 권력관계의 변화와 같은 다양한 요소들에 의해 유발되었다. 전기적 방법은 건강연구에 대한 포괄적인 접근방법과 참여를 촉진하고 모든 수준에서의 보살핌에 대한 보다 민감한 정책의 발전에 기여할 수 있다.

전기적 연구, 교사들과 평생 학습

전기적 방법은 사회 사업을 연구하는 데 사용되고, 심지어 서로 다른 상황과 국가에서 관리자나 기업가를 연구하는 데도 사용된다(Chamberlayne et al., 2004). 선생님들 역시 그들의 전기 작품들을 가지고 있고 Ivor Goodson과 Peter Woods의 작품도 이미 이전 장에 기록되었다. 전기 작품들은 계속해서 선생님의 정체성과 전문성을 이해하기 위한 전기적 접근에 영향을 주었다. 또한 이것은 강력한 이데올로기, 학교의 문화와 하위문화, 그리고 선생님들 스스로의 학습경험에 의해 야기된 저항 간의 상호작용을 포함한다(Woods, 1993).

우리는 유럽과 그 외의 곳에서의 성인-평생 학습 연구에서 전기적 접근이 출현한 것에 대해서, 그리고 이것이 어떻게 최근 몇 년 동안 급성장하게 되었는지에 대해서 주목해 왔다(West et al., 2007). 전기적 방법은 가족, 공동체, 치료 및 전문적인 환경에서 실시되는 비형식-무형식 학습을 실험하기 위해 사용되었을 뿐만 아니라 프랑스어권, 영어권, 그리고 영국에서 교육적이고 직업적인 지도자들이 사용하는 다양한 전문적인 교육도구로도 사용되었다(Dominicé, 2000; Reid & West, 2008).

정책담론에서 성인 교육에서 평생 학습으로의 이동이 있었고 학습과 개인의 경험 사이의 경계는 점점 더 사라졌다. 학습은 이제 가정, 사회, 직장환경의 다양한 형태에서 발생한다고 인식되고 있다. 전기적 접근은 이러한 다른 차원을 탐구하고 비형식-무형식-형식과 같은 다양한 형태의 학습에서의 상승작용과 부재를 이해할 수 있도록 잘 준비되어 있다(Edwards, 1997; Hodkinson et al., 2004; West, 2001, 2007). 직장에서의 학습은 구체적이고 연구의 영역이 진화하고 있다.

덴마크의 연구는 사무실 같은 조직에서 학습을 이해하는데 일대기적 관점으로 명명되는 것에 대한 몇 가지 이점들을 기술하고 있다(Andersen & Trojaberg, 2007). Anders Siig Andersen과 Rebecca Trojaberg는 직장환경에서의 교육에 대한 반응들이 어떻게 부정적인 전기적 경험들에 의해 깊게 영향을 받는지를 명확히 하기 위해 전기 사례 연구를 사용했고, 결과적으로 사람들은 불안함과 직장에서의 학습자로서 그들 스스로에 대한 불확실함을 느낄지도 모른다.

결과적으로 사람들은 경쟁이 거의 없거나 아예 없는 안전한 사회 분위기만큼 시험 같은 상황이 없고 작업할당이 일상화되어 있는 것에 대한 선호도를 키울 수 있다. 그들은 심지어 가족사의 경험들을 기반으로 하는 하향식 관리 접근 방식과 조직에서 분명하게 정의된 역할들을 선호할지도 모른다. 어떤 직장 환경에서, 특정 직원은 충성심 있고 부지런하며 양심적으로 이것이 상사로부터의 승인을 받는 방법이 될 수 있다고 생각하면서 행동한다. 어떤 직원들은 위계적인 문화에 저항하면서 유동적이면서도 수평적인 관리구조를 지향하도록 반응한다. 전기는 이러한 다른 반응들을 이해하는 데 중요한 단서를 제공해 준다.

전기적 방법은 경력학습과 같이 잘 정립된 개념을 사용하고 개발하여 영국에서 추가 혹은 고등 교육을 받으려는 성인 신입생들의 경험을 기록하고 이론화시키기 위해 지속적으로 사용되고 있다(Crossan et al., 2003). 성인 학습자들은 교육에서 중단되거나 제한된 참여 패턴을 가질 수 있다. 전기적으로 본 경력학습은 학습자들이 노동자, 엄마 그리고 고등 교육 학습자로 존재하며 이를 느끼는 것을 동시에 경험할 수 있는 것을 포함한 자신들이 정체성에 대한 각기 다른 측면을 관리하고 조화시킬 수 있는 자원을 찾아야 하는 동시에 상호모순적이며 불안정할 수 있다(Merrill, 1999)(5장 참고).

급진적 영역

소외된 사람들에 대한 헌신은 많은 전기적 연구자들의 작업에서 계속되었다. 이전 장에서 설명되었다시피 헌신의 일부는 페미니스트 운동과 그녀의 이야기 공간을 만들고자 하는 욕망에서 이루어졌다. 고전주의 페미니즘은 많은 개인적인 이야기로부터 시작되었고 많은 여성의 삶이 이러한 측면에서 이야기되어 왔다. 하지만 연구와 글쓰기는 점차적으로 민족성, 계층, 장애, 세대, 건강과 성을 포함해 차이를 강조하는 여성의 필수적인 경험에서 멀어졌다(Armitage and Gluck, 2006; Plummer, 2001).

전기적 연구자들은 다양한 그룹들과 계속 연구를 진행하여 만연한 이야기를 기록하고 도전을 제기한다. 전기작성의 결과로 선택, 평등과 개성의 특정 원칙이 더 광범위하게 퍼졌다고 시사되었다. 노동계급은 이런 면에서는 노동계급의 요구를 인지하고 자신들을 대변하여 주장할 수 있다고 생각하는 중산층의 삶의 이야기에 이의를 제기할 수 있다. 홀로코스트 생존자, 레즈비언과 게이 커밍아웃 이야기들과 원주민들의 이야기들 또한 더 큰 입지를 차지했으나(Plummer, 2001) Andrews(2007)가 우리에게 상기시키는 것과 같이 목소리의 실타래처럼 얽힌 질문과 누구의 이야기를 들어야 하는가의 문제가 남는다.

그럼에도 불구하고 다양한 목소리를 들어야 할 욕구는 계속 강하게 남아 있다. Daymond 등(2003)은 최근까지 「Women Writing Africa」를 써 왔는데, 예를 들면 북아프리카 여성들의 복잡한 삶과 경험들에 대한 종합적인 역사를 제공해 주는 것들 말이다. 이것은 「Women Writing in India」(1991)에 실린 Susie Tharu와 K.Lalita에 의해 편집된 유사 작품의 뒤를 잇는다. 폭력과 패배 그리고 고통에 대한 잔인한 경험들로 구성된 이야기의 장을 제공하는 Tanya Lyon의 「Guns and

Guerrilla Girl: 짐바브웨인들의 해방투쟁」(2003)뿐만 아니라 Fiona Ross의 「Bearing Witness: 여성과 진실 그리고 북아프리카의 투쟁에 대한 중재」(2003)도 있다.

연구자들은 명백히 '대화에서' 사람들을 '소유대상'으로 여기기보다는 '함께' 일하는 것을 추구할지도 모른다(Flecha & Gómez, 2006). 전기적 연구자들의 주장이 포함된 대화는 인생과(가족적이거나 또는 개인적 관계인 맥락에 상관없이, 또는 새롭거나 참여의 직접적인 참여방법에 대한 연구인지 아닌지와 상관없이) 인권의 구현에 대한 투쟁을 정의하는 데 도움을 줄 수 있는 중요한 요소이다. 예를 들어, 스페인에는 연구자들이 칭하는 '평등주의적인 대화와 합의'를 토대로 한 집시민족의 교육 참여에 대한 연구들이 있다. 사용된 방법은 진실과 서로 편안한 상태, 즉 경청이 소중히 여겨지는 것에 기반을 둔 상호교환적인 그룹토론을 형성할 뿐만 아니라 일상적인 이야기와 의사소통 관찰(연구자와 참여자가 해석을 공유하는 것)을 포함한다(Flecha and Gómez, 2006: 137-8). 이것은 또 다른 종합적 형태의 전기를 제공한다(Davies and Gannon, 2006).

전기와 지역공동체 개발

주변부의 전기는 많은 현대적인 형태를 가지고 있다. Hugo Slim과 Paul Thompson의 책인 「Listening for a Change」에서, 저자는 개발도상 국가와 소외된 사람들을 위한 공동체 프로젝트의 방법들의 힘과 가치를 강조한다. 그들은 그 접근은 보통 사람들의 목소리를 들을 수 있다고 확신하며, 민주적인 삶을 향상시키고 이에 힘을 실어 주는 방법을 개선하는 것이라고 주장한다. 연구자들은 북미 원주민들 또는 캐나다 원주민들 사이의 시각적 전기를 사용한다: 시각적 전기는 기근이나 곡식 또는 식단과 같은 특정 현상의 삶을 추적한다. 지도와 역사적 트란섹트(transects) 또한 활용된다(이러한 트란섹트는 시간을 통해 변화하는 조건을 나타내며 나이든 주민들과 어떤 지역을 같이 걸으면서 주요한 순간에 여러 조건에 대한 자신들의 기억(회상)을 기록하여 편집할 수 있다(Slim et al., 1993).

생애사들은 수많은 사람들에게 영향을 미칠 수 있는 가뭄, 기근, 홍수, 해고와 박탈과 같은 반복되는 재앙들에 사람들이 어떻게 대처하는지 이해하도록 도울 수 있다. 이러한 상황에서, 사람들은 종종 앞선 사례들에 근거하여 결정을 내린다. 이러한 재앙들을 빈번하게 겪는 많은 공동체들은 일종의 공유된 위기역사를 가지고 있는데, 이것은 대대로 전해졌고 의사결정의 기준이 되었다. 가뭄이나 기근에 대처하는 사람들은 과거에 효과성이 증명된 식량이나 목초지를 생산하는 전략을 사용할 것이다. 만약 프로그램들이 사람들 스스로의 대처 전략에 도움이 된다면 위기의 역사에 대한 이해는 안전과 안도라는 측면에서 매우 중요한 요인이 될 것이다. 인터뷰를 실시하는 것은 이런 역사를 세워 가는 데 중요한 한 가지 방법이다. 또 다른 자료는 구술의 예술적인 기교이다: 이것은 재앙일 때는 종합적인 기억의 일부가 되고 그것들은 노래, 이야기, 전설, 속담 등을 만들어 낸다. 이것들은 또한 전에 일어났던 사건들의 조각을 모으고 이해함으로써 그려질 수 있다(Slim et al., 1993: 27).

학제간 연구

만약에 전기적 연구가 도전적인 측면에서 발견되고 지배적인 이데올로기들에 질문을 던질 수 있다면, 그것은 또한 지나치게 엄격한 학문적인 경계를 넘어선다. 전기적 연구의 특성에서 전기는 학제간의 정신을 일깨워 준다. 왜냐하면 Andrews(2007)가 관찰한 바로는, 부분적으로 삶은 학문적인 범주들을 넘어서기 때문이다. 다양한 사회학자들은 사회적인 맥락에서 개인의 주관적인 행동에 대한 예측 불가능성을 설명하도록 도움을 주는 심리학의 형태를 포용해 왔다. Hollway와 Jefferson(2000)은 이러한 접근방법을 묘사하기 위해 심리사회적이란 명칭을 사용했다. Salling Olesen(2007a)과 Kirsten Weber(2007)는 성별이나 돌봄뿐만 아니라 의사라는 그들의 직업에서 비판적인 이론과 함께 심리분석적 생각들을 사용했다. West(2005, 2007)는 소외된 사람들 가운데서 매개를 구축하기 위한 장치로서의 성인 학습에 대한 아이디어는 진부하지만, 내적 주관성과 상호주관적 역동성에서 외부와 내부세계의 상호작용이 최근에 출현했다고 했다. 전기적 연구는 새로운 종류의 학제간 연구를 만들어 내고 있다.

분석의 형태를 더 사회적이고 문화적으로 인식하는 몇몇 심리학자들 사이에서도 학제간 연구의 움직임이 있다. Stephen Frosh와 동료들(2005)은 11~14세 소년들에 대한 최근의 연구에서 남자다움의 경험을 기록했고 다양한 학문적 관점에서 이것들을 해석했다. 그들은 사회심리학이 '의미'를 다루고 어떻게 주제들이 강력한 문화적, 그리고 해석상의 목록에 의해 배치되는지를 탐구하고자 하는 의지와 함께 정신분석학적 이론 제시에서 더 커진 사회적 의식에 주목한다. 하지만 그들의 위치에 대한 개개인의 반응은 깊이 있는 심리학적 이해를 필요로 한다고 주장한다. 예를 들어 몇몇 소년들은 그들의 위치에 대해 질문할지도 모르지만 그렇지 않을 수도 있다. 연구자들은 '임상 방식(clinical style)'의 전기적 인터뷰를 사용하는데, 이는 개방성, 모순, 그리고 감정적으로 표시된 자료에 대한 탐구를 장려하기 위함이다. 그들은 동성애 공포증에 굴복하거나 저항하는 소년들에 관련된 과정들을 실험했다: 저항(반감)이 중요한 타인들과의 공감을 통해 없어질 수 있는 곳에서 말이다. 한 젊은 남자의 이야기에서, 폭력적인 아버지를 둔 상황에서 어머니와의 강한 공감이 있다. 어떤 남성에 의해 수행된 인터뷰에서 공감과 분열의 과정은 분간되는데, 실제로 나쁜 아버지는 좋은 성품을 가진 면접관과 대조가 된다. 연구자들은 게이로서 좋은 아버지를 구성하는 사회적 담론은 단순히 수동적으로 의지하는 원형으로 보아서는 안 된다고 결론을 내렸다. 오히려, 남성성의 특정 양식을 만들고 단속하고 다른 사람을 억제하는 보다 역동적인 내부세력이 있다(Frosh et al., 2005, p. 53). 행위와 성찰의 능력은 담론이 절대적인 영향력을 갖는 것이 아니라 저항을 받고 논평을 받게 될 수 있음을 의미한다. 자아의 발달은 잠재적으로 다양한 이야깃거리를 사용하여 강제적인 사상적 구조와 혼란 가운데 진실된 정체성과 자기 이야기를 만들기 위한 노력을 포함하고 있다. 다음 장에서 우리는 여성주의와 정신분석을 포함한 이러한 종류의 전기적 연구에서 사용된 중요한 몇몇 이론적 관점에 대해 고려해 보려고 한다. 우리는 우리의 작업에 영감을 주고 구체화한 이론들에 특히 주의를 기울인다.

요점

- 전기적 방법은 다른 학문적 규율들을 얻기 위해 다양한 연구자들에 의해 사용된다.

- 전기적 방법들은 미시적 변화와 이주과정, 그리고 정치적 격변을 다루는 연구에 적용된다. 전기적 이해는 문화적 지식뿐만 아니라 피실험자들이 그들의 문화 세계를 어떻게 구상하는지 그리고 어떻게 만들어지는지에 대한 이해까지 요구한다.

- 전기적 방법들은 연구자들에게 사람들이 변화하는 현재를 고려하여 어떻게 그들의 과거를 새로운 방식으로 개념화하는지에 대한 변화를 연대기 순으로 기록할 수 있도록 한다.

- 사람들이 말하는 이야기들은 이데올로기적 영향을 겨루는 장소이다.

- 배타적이지 않다면, 전기적 연구에서 소외된 집단에 대한 그리고 힘을 부여하는 헌신은 중요한 열망으로 남아 있다.

- 학제간의 긴밀함은 현재 강력하다.

추가 읽을거리

Chamberlayne, P., Bornat, J. and Apitzsch, U. (eds) (2004) *Biographical Methods and Professional Practice: An International Perspective.* Bristol: Policy Press.

Chamberlayne, P., Bornat, J. and Wengrat, T. (eds) (2000) *The Turn to Biographical Methods in the Social Sciences.* London: Routledge.

Hollway, W. and Jefferson, T. (2000) *Doing Qualitative Research Differently: Free Association, Narrative and the Interview Method.* London: Sage.

Plummer, K. (2001) *Documents of Life 2.* London: Sage.

West, L., Alheit, P., Andersen, A. S. and Merrill, B. (eds) (2007) *Using Biographical and Life History Approaches in the Study of Adult and Lifelong Learning: European Perspectives.* Frankfurt: Peter Lang.

1. 자신의 전기를 생각해 보라: 학제간 관점을 요구하는 해석의 방식은 무엇인가? 자신이 태어났던 때를 생각해 보라. 그리고 일에서 당신의 삶을 만드는 데 어떤 역사적, 사회적, 문화적, 가족의 영향력이 미쳤는지 생각해 보라.

2. 더 열려 있거나 닫혀 있거나 그들의 삶이나 그들 자신에 대해서 이야기를 하고 알고 기억하는 사람들의 능력에 대해 당신은 어떻게 생각하는가?

3. 전기적 방법들이 당신의 공동체, 지역 혹은 나라에 지역사회 발전의 수단으로서 어떻게 사용될 수 있을까?

이론적인 이슈 확인하기

이론들은 다양한 형태로 존재하며 설명, 인지, 연결하기 등 많은 목적을 가지고 있지만 세계를 하나로 조합하는 간단한 방법이다. 그러나 그것들은 항상 매우 구체적인 것과 특별한 것, 그리고 더욱 추상적인 것과 일반적인 것 사이의 연결을 제공한다. 삶의 이야기들은 거의 항상 더 구체적이고 특별한 것에 맞춰지며, 이론은 이것들에 더 넓은 관심으로의 다리를 제공한다. 이것은 더 넓은 세계에서 이야기가 자리를 찾는 데 도움을 줄 수 있다(Ken Plummer, 2001, p. 159).

개요

● 우리는 전기적 연구를 뒷받침하는 몇 가지 다른 관점들을 조사한다.

● 우리는 페미니즘과 정신분석을 포함하여, 우리에게 영향을 준 이론적 관점에 대해 설명한다.

● 우리는 전기적 연구자들이 다양한 수준의 이론을 어떻게 사용했으며 삶의 경험 안에서 자신의 이론적 이해를 어떻게 수립하려고 노력했는지 고려해 본다.

● 우리는 후자가 중요한 만큼 이론이 서술을 넘어서는 필수적인 것이라는 점에 주목한다.

● 우리는 다른 이론적 관점들을 분류하고 배치하기 위한 개요를 개발한다.

도입

이론과 방법이 서로 얽혀 있고 관련되어 있는 것처럼 몇 가지 이론적 관점은 모든 연구를 뒷받침한다: 우리는 세상이 어떻게 작동하는지 혹은 인간 됨이 무엇인지에 관한 생각 없이는 세상을 이해할 수 없다. 또한 맞춰진 틀을 가지지 않고서 우리의 연구에서 생성된 세부내용들을 해석할 수 없다. 하지만 잠정적으로 이야기의 조각들은 그것들이 세상 안에서 자리를 찾을 수 있도록 한다. 비록 많은 사회 연구자들이 전기적 방법을 사용하지만, 그들의 이론(또는 방법론)의 선택은 같지 않으며 다양성하에 생각의 범위가 넓어진다. 종종 정신분석학, 페미니즘, 해석주의, 해석학, 상징적 상호주의, 비판이론, 후기구조주의와 포스트모더니즘의 사조들이 중복된다. 이 장에서, 우리는 더 넓은 세계로 이어 주는 이러한 이론적 관점들에 각별한 주의를 기울일 것이다.

언급한 바와 같이, 페미니즘 영향이 공유된 동안 Barbara는 대체로 사회학적 이론들을 이끌었고, Linden은 심리사회적 관점에 더 주목했다. 우리는 이러한 이론적 방향들이 어떻게 그리고 왜 우리로 하여금 개별 주체와 더 큰 그림 사이의 연결을 짜도록 돕는지 설명한다. 우리는 전기/생애사 연구(본토 유럽 안에서의 차이의 의식, 프랑스어와 앵글로 색슨의 세계(West et al., 2007))와 관련된 모든 가능한 이론적 관점을 포함할 수는 없지만, 그럼에도 불구하고 다양한 이론적 방향을 분류하는 임시 스키마를 소개한다. 우리는 이것이 당신의 위치를 스스로 생각해 보는 데 도움이 되기를 희망한다.

이론은 또한 전기적 연구자들에 의해서 강조점의 변화와 함께 단계를 나누는 데 사용된다. 몇몇은 이론에 큰 우위성을 주고 특별한 가설을 검증하기 위한 수단으로써 이야기를 사용하는 경향이 있다. 다른 몇몇은 자신의 자료로부터 더 귀납적이며 실용적인 이론을 생성하는 것을 추구한다―'근거이론'과 같이(7장 참고). 많은 전기적 연구자들은 무엇보다 중요한 설명을 생산하는 가능성에 대해 신중하다. 대신에 그들은 설명의 상황적이고 맥락적이며 국한된 본질을 강조한다.

사회이론은 인간의 문제와 그들의 규칙 및 특성들을 설명하는 사회세계에 대해 상호 추상적인 명제들의 집합이다. 이론적 진술은 기술적 진술과 다르다. 그것들은 사회의 일부 기능들을 설명하는 것을 시도함으로써 기술을 뛰어넘는 추상적인 명제이다. 이론적 진술은 제 몫을 하는 사회이론의 부분을 형성하거나 또는 형성하지 않을지 모른다. 이론은 일반성의 수준에 따라 구별될 수 있다. 일반 이론은 사회적 행동 또는 사회 전반에 대한 추상적인 명제들을 제공한다. 반면에 중간 범위의 이론들은 인간문제와 사회문제의 더욱 제한된 양상에 관해 명제를 만들고 덜 추상적이다(Brewer, 2002, p. 148).

전기적 연구의 많은 이론적 뿌리들은 2장에서 기술되었듯이 상징적 상호작용주의 안에 놓여 있다. 요즘, 전기적 연구에서 사용되는 넓은 범위의 이론이 있다. 반면에 우리와 마찬가지로 연구자의 가치, 태도 그리고 전기들이 이론적 틀의 선택을 형성할 수 있다. 우리는 지적일 뿐 아니라 전기적으로 우리에게 합리적인 것이라고 생각하는 경향이 있다. 하나의 이론을 선택하는 것은 마치 실증주의 유지와 같은 중립 과정이 아니라, 주관적이고 사회적인 것이며 연구자의 주관성은—문화와 지적 구조, 힘, 언어, 경험 그리고 무의식적 과정의 상호작용 안에서—중요한 역할을 가진다.

예를 들어 이야기의 상태에서 우리는 전기적 연구 가족에 중요한 이론적 차이들이 있다는 것을 강조한다. 일부는 이들을 인생의 '현실'을 나타내는 것으로 보며(현실주의자의 입장), 다른 사람들은 이들이 연구자와 피연구자 간의 언어, 권력과 상호 영향의 작용에 의한 형성된 더 제한적이고 부분적인 '진실'을 제공할 뿐이라고 믿는다(비판적 현실주의자의 입장). 인간의 주관성의 성질과 이야기의 상태와 투명성에 대한 대조되는 가정으로부터 발생되는 차이가 있다. 이야기들은 우리의 정체성의 주춧돌로 간주될 수 있으며, 반면 다른 사람들은 이들을 더 깊고 때때로 충격적인 심리적 과정에 대한 잠재적인 가림막으로 간주한다. 이러한 견해에서는 이야기들은 때때로 무의식적으로 우리가 청중과 연구자에게 어떻게 보이기를 원하는 것을 나타내는 방어적인 역할을 맡는다(Sclater, 2004). 목소리의 개념과 특정한 사람들─특히 소외되고 억압된 이들─에 대해 순진하다고 생각하는 사람들이 자신들을 대변하여 말하도록 허용하는 것 간에도 갈등이 있다. 이야기는 단순히 액면 그대로 받아들여서는 안 된다.

Barbara의 접근

Barbara는 그녀의 연구에서 세 가지 이론적 관점, 즉 상징적 상호작용주의, 페미니즘, 그리고 비판이론을 취한다. Linden과 마찬가지로, Barbara는 인간적이고 주관적인 문제를 포함하는 이론들을 고수한다. 처음에 보는 페미니즘적인 상징적 상호작용주의와 비판이론이라는 Barbara의 선택은 반대되는 것으로 보일 수 있다. 상징적 상호작용주의가 개인에게 초점을 맞추는 반면에 페미니즘과 비판이론은 억압적인 사회 규범을 포함하고 있는 사람들의 삶 속에서의 집단의 영향력을 더욱 강조한다. 그러나 이 세 가지 이론적 관점들은 유사하며 상호보완적이다.

Barbara에 의하면, 상징적 상호작용주의는 자신에게 흥미를 가진다. 이것이 인간적 이해와 사람들의 잠재적인 행위자(agent)로서 정확하게 근거하고 있기 때문이다. 시카고 학파의 주요 목적은 지배적인 실증주의 또는 결정론적 관점에 근거한 연구의 다른 방법으로 정의되었다. 상징적 상호작용주의는 사회 현실을 사회적 행위자의 관점으로 본다. 사회적 세계의 지식은 구체적인 상황과 사람들 간 상호작용 방식에 기반하고, 상징적으로 그들이 마주한 문제를 이해한다. 이론은 실용적 철학 위치로 칭해진 것에 기초하여 일상생활의 복잡한 세부사항을 인식하는 것에 기반을 두고 있다. 피험자 및 연구자 등에게 있어 세계를 구성하는 것은 추상적인 활동이라기보다는 실질적이고 상황에 따른 활동이다.

자신과 사회는 다른 사람과 상호작용함으로써 협상과 해석의 과정을 통해 만들어진다. 의미라는 것은 상징적으로 언어를 통해서 다른 사람과의 상호작용 속에서 발전되고 만들어진다. 상징적 상호작용주의의 발판은 이러한 아이디어들과 형식주의로부터 파생되었다. 후자의 관점에서, 사회는 사회 세계의 재생산 및 일관성을 위한 상호작용의 패턴 반복이나 형태의 정규화된 구조를 수반한다. 그러나 시카고 학파는 인간을 동적인 삶의 존재 및 그들이 직면한 상황에서 무엇을 할지 구성하는 존재로 생각한다(Barley, 1989). 다음의 Bernard Meltzer 등에 의한 상징적 상호작용주의의 설명은 유용하다.

> **정의**
>
> [상징적 상호작용주의] … 사회적 상호작용은 자신(자기 객관화)과 다른 사람(상대방의 역할을 수행)의 설명에 달려 있다는 사실을 의미한다.
>
> 사회는 그것을 구성하는 개인의 관점에서 이해되어야 하며, 개인은 그들이 속한 사회의 관점에서 이해되어야 한다(Meltzer et al., 1975, pp. 1-2).

상징적 상호작용주의 또한 자기 개발에 초점을 맞추고 내면세계와 인간 행동의 자기-반영 특성을 강조한다. Herbert Blumer는 상징적 상호작용주의에 대해 어느 누구도 정의를 내릴 수 없지만 세 가지 토대가 있음에 주목한다.

1. 인간의 행동은 그들을 위하는 것들의 의미에 기초한다. 그러한 것들은 인간이 자신의 세계에서 주목할 만한 모든 것을 포함한다―물리적 객체, 나무와 의자와 같은, 다른 인간 … 기관 … 이상들을 안내 … 다른 사람들의 활동들 … 그리고 이러한 자신의 일상생활에서 마주하는 개인적 상황들.
2. 이러한 것들의 의미는 어떤 사람, 그리고 그 사람의 동료와 함께 사회적 상

호작용으로부터 파생되거나 발생한다.

3. 그러한 의미들은 그가 발견한 것들을 다루는 사람에 의하여 사용되는 해석과정 안에서 수정되거나 처리된다(1986, p. 2).

개인에 초점을 맞추고 있지만, 상징적 상호작용주의자들은 개인들의 행동이 상호작용의 맥락 안에서 이해되어야만 한다고 강조한다. 또한 흥미로운 것은 시카고 학파가 그들 자신을 George Herbert Mead와 같은 사회 심리학자로 인식해 왔을 사람들을 포함해 다양한 그룹의 사람들을 포괄한다는 점이다.

George Herbert Mead

Mead는 시카고 학파 및 우리 모두에게 중요한 영향을 미쳤다. 그의 작품은 내부 및 외부의 생활 속에서 역동적인 것들에 관해 생각하는 데 유용했다. Mead는 인간이 그들의 자연 환경 안에서 연구되어야 한다고 생각했다. 그리고 개인들은 고정된 것이 아니라 그 자신이고, 사회이므로 연속적일 뿐만 아니라 발전과 변화의 과정으로 인간을 생각했다. 그의 인간 행동에 대한 자연주의적 접근은 그의 신념인 실용주의 철학으로부터 나왔다. 자신에 대한 그의 이론은 그의 잘 알려진 작품 「마음, 자기 자신 그리고 사회」(1934/1972)에 설명되어 있다. Mead는 사회적 행동들과 일반화된 다른 사람들(전체 사회를 포함할 수 있는 자신과의 상호작용을 하는 사람들)이 사회적 상호작용의 상황에서 자신을 향해 가지고 있는 태도들에 대한 참여를 통해서 자기 자신이 개발된다고 주장한다. Mead는 '개인이란 항상 자신의 자아를 위한 그룹에 달려 있다'고 보았다(1982, p. 163). 그러므로 자아는 그 역할과 다른 사람들의 태도를 취한다. 이러한 자아는 어떻게 그/그녀가 보여 왔는지 그리고 의미의 공유 속에서 어떻게 응답했는지 이해해야만 한다. 이 과정에서 개인은 그/그녀 자체로 객체가 된다:

개인은 직간접적으로 같은 사회 집단의 다른 개별 구성원의 특정 관점으로부터 혹은 그가 속한 전체 사회집단의 일반화된 관점에서 자신을 경험한다. 그는 자기 자신 또는 개인으로서, 직접적이거나 즉각적이지 않으며 동시에 자신을 객관화시키지 않은 자신의 경험을 마주한다. 하지만 다른 개인들이 그 또는 그의 경험을 객체화함으로써 자신이 처음으로 객체화된다; 그리고 그는 그와 그들이 포함된 행동들의 사회 환경이나 경험의 맥락 안에 있는 다른 개인들이 자기에게 가지는 태도들을 취함으로써 자신을 객체화하게 된다(Mead, 1934/1972, p. 138).

자기 자신이란, Mead에 따르면, '나(I)'와 '나를(me)'이 포함된 것이다. '나(I)'는 유기적인 나 자체인 반면에 '나를(me)'은 일반화된 다른 사람들과 함께 상호작용을 통해서 구성된 것이다: 그것은 자신이 외부적으로 규정된 것이다:

'나(I)'는 다른 사람들의 태도에 대한 유기적 반응이다; '나를(me)'은 그를 가정하는 다른 사람들의 태도의 집합이다. 다른 사람들의 태도는 '나를(me)'을 구성하고, 그 다음에 '나(I)'는 그 방향으로 반응한다(Mead, 1934/1972, p. 175).

Mead의 자기 자신은 주관적이고 반사적인 것이다. 그의 작업은 전기적 연구에 도움이 된다. 그 이유는 어떤 방식으로 '우리가 상호작용과 언어학습을 통해서 자기 자신들을 구성하고 재구성하는지 혹은 만들거나 다시 만드는지뿐만 아니라 문화에 대한 조정과 재조정, 그들의 상징들과 하위문화들 그리고 제도의 범위 안에서 사회 작용의 모든 과정들을 다루는지'에 대해 생각할 수 있도록 하기 때문이다(Bron, 2007, pp. 218-219). Agnieszka Bron(2002, 2007)은 스웨덴 성인 이민자가 전환 그리고 학습과 정체성을 어떻게 대처하는지를 이해하기 위해 Mead의 주관성과 언어의 이론을 끌어온다. Mead의 작업은 노동계층의 성인 학생들이 대학에서 어떻게 살아남는지와 다른 사람들이 그들을 어떻게 바라보는지에 대한 질문, 그리고 그들이 자기 자신을 어떻게 바라보는지에 대한 Barbara의 생각에 도움을 주었다.

더 나아감

Barbara는 후에 특별히 관련된 상징적 상호작용들—1960년대와 1970년대—의 연구를 발견했다. 그들은 참여 관찰뿐만 아니라 생애사를 사용했고, 삶의 주체성과 사사로운 부분에 초점을 맞춘다. 과거 및 현재의 삶은 그룹과 사회 관계 안의 개인을 이해하기 위해 연구되었다. 2장에서 설명된 대로, 대부분의 연구는 Clifford Shaw(1966)의 「the Jack Roller」, David Matza(1969)의 「Becoming Deviant」, 그리고 Howard Becker(1963)의 「Outsiders: Studies in the Sociology of Deviance」와 같이, 범죄와 일탈을 중심으로 한다. 범죄와 일탈에 대한 실증주의적 관점(이것은 매우 일반적인 수준에서 원인을 이론화하고 범죄병리학에 초점을 맞추는 경향이 있으며, 치료의 행동을 유도하기 위해 통계적으로 빈곤이나 계층과 같은 특정 '변수'의 힘을 측정한다)과는 대조적으로, 상징적 상호작용주의자들은 한 개인이 어떻게 사회적 구성, 꼬리표 붙이기와 그룹을 통해 범죄자 또는 일탈자가 되는지의 과정을 조사하며 이는 언뜻 보기에는 놀라운 내용으로 보일 수 있는 '생애(career)'의 개념으로 이어진다.

Mead(와 사회적 상호작용주의자)는 삶을 형성하는 데 있어서 나(I)와 행위(agency)의 역할에 관심이 있다. 그들에 대한 설명 또는 제약이 어떠한지 급진적 질문을 하자면, 작인적(agentic) 자아의 구축은 뭔가를 조절하고, 자원을 찾는 개인과 관련이 있다. Babara가 인터뷰한 몇몇 노동 계층에 속해 있는 성인 학생들은 교육적 자원을 발견하며—따라서 행위자는—자신의 삶에서 구조적 불평등을 극복한다. 이것은 중요한 사건에서 기원하는 경우가 많다. 평생 교육의 참여와 불참에 대한 스코틀랜드의 연구에서, 'Mary'라고 불리는 한 여성은 조부의 사망 후 초기단계를 배움의 과정(그리고 나중에 학위를 이수함)으로 삼았으며, 이는 그녀의 인생에 공백을 갖게 했다. 초기에는 행위의 개념은 거의 없었다:

나는 너무 바빴고 정말 그것에 대해 생각조차 하지 않았다. 나의 날들은 매우 혼란스러웠다. 나는 단순히 할아버지가 돌아가신 것이라고 여겼지만, 내 삶에는 큰 구멍이 남겨졌고 나는 무언가를 해야 한다는 생각을 했다. 나는 집이 매우 고립되어 있음을 깨달았고, 당신이 말할 것을 가정했다. 내 남편이 출근을 하고 집에 돌아왔지만 나는 내 일들에 대해 말할 것이 없었다. 다른 어떤 누구도 그때까지 내가 아이를 가진 것을 알지 못했다. … 나는 종이에 적힌 요리수업 광고를 보았고 거기에 갈 것이라고 생각했다. 거기에는 아이를 위한 탁아소가 있다고 적혀 있었다. 그래서 나는 그를 위해서도 역시 좋은 것이라고 생각했다. 나는 처음에 그것을 발견할 수 없었다. 나는 모든 것에 꽤 초조했다. 나는 그 당시에 내가 매우 자신감이 없다고 생각했었다. 하지만 그것은 그와 내 주변에 모두 좋을 거라 생각했다. 내가 수업에 도착했을 때 수강생은 모두 노령의 연금 수급자들이었다. 그들이 싫은 것은 아니었지만, 나는 내 나이의 사람들과 대화하고 만날 수 있기를 기대했었다. 그리고 탁아소에는 유일하게 한 아이(그녀의 아들)만 있음이 밝혀졌다. 그러나 우리는 계속 요리수업에 갔다. 나는 내가 생각했던 대로 그곳을 좋아할 것이다.

행위(agency)의 개념은 성인 학습자들이 어떻게 학습의 정체성과 경력 개발 여부를 이해하는지 중요하다. 상징적 상호작용주의자들은 고용과 관련해 경력을 전통적인 의미에서 점진적인 직선형 진행 방식으로 사용하지 않았다. 오히려 '마약 중독자'에 관한 글(Becker, 1963), 정신적 환자들(Goffman, 1961/1968), 일탈자들(Parker, 1974; Shaw, 1966) 그리고 나체주의자(Weinberg, 1966)에서, 그들은 과거와 현재의 삶의 역사와 행동뿐만 아니라 문화적, 사회적 과정과 다양한 상황 속에서 경력 개발이 형성되는 방법을 탐구한다.

폴 암스트롱은 인생 경력의 의미에 대해 얘기한다

한 사람의 삶의 기록이나 전기는 상호관련적인 경력의 네트워크로 볼 수 있다. 그러나 이것은 우리가 Everitt Hughes의 '삶의 경력'이라는 생각

> 으로 이동하지 않는다면 여전히 부족하다. 이것은 동적인 관점으로써
> 사람들이 그들의 삶 전면을 전체적으로 보고 그들에게 일어난 행동들
> 과 사건들의 의미를 해석한다. 개인 상황, 결정, 사건, 일치성의 넓은 범
> 위의 개념을 사용하고 이것은 가능한 문화적 다양성들이 제한된 고도로
> 구조화된 상황을 일으킨다. 직업과 마찬가지로 전기는 순차적이다: 누
> 구도 이전에 무슨 일이 있었는지 보지 않고서는 어느 시점을 이해할 수
> 없다(Armstrong, 1982, p. 7).

　　Barbara는 대학에서 노동자 계급 여성 학생의 경험을 연구하면서 처음으
로 그녀의 박사 학위에서 경력의 개념을 사용했다. 그 당시에 그녀는 Howard
Becker와 Erving Goffman의 경력 접근 방식의 영향을 받았었다. Goffman의 방
식은 상징적 상호작용주의 분야의 민속지방법론에 속했다. 민속지방법론자들
(ethnomethodologist)은 행동과, 공유된 의미, 문화적 정착 안에서, 표준적으로, 발
생되어 온 사회적 질서 방법들에 초점을 맞춘다. 이것은 자연주의적이고 인본주
의적인 접근이다. Martyn Hammersley와 Paul Atkinson에 의하면, 이것은 "가능한,
사회적 세계는 '자연' 상태에서 연구되어야 하며, 연구자에 의해 방해되지 않아
야 함을 의미한다"(1992, p. 6).

　　사회질서는 일상적인 사회적 상호작용과 어떻게 사회활동이 발생하는지 설
명을 통해서 유지되어야 한다. 민속지방법론자들은 평범하고 일상적인 당연한
활동의 이해의 중요성을 강조한다. 또한 민속지방법론자들은 사회학자는 사회
현실에 대한 자신의 인식을 가진 사회적 행위자임을 강조한다. 행동가 및 수행자
그리고 사회학자들은 모두 그들 사회 세계의 '이론가들'이다. 간략히 말하면, 모
든 사람들은 어느 정도까지 사회학자이고 이론가이다. 민속지방법론자들은 어
떻게 사람들이 연구자들의 단독적인 '이론'으로 연구를 보는지보다 그들 자신의
삶을 이론화시키는지를 이해하는 것이 더 중요함을 강조한다.

Goffman의 경력에 대한 정의는 여성 학생들에 대한 Barbara의 연구에 도움이 되어 왔다. Goffman의 경력에 대한 정의는 그가 '총괄적' 기관이라 칭한 보호시설 즉 일상생활의 합리화와 폐쇄 그리고 훈육적인 통제의 구별에 의한 보호시설 하의 연구에서 사용했다. 매우 다른 사회적 맥락을 나타냄에도 불구하고, 그녀는 그의 연구 「Asylums」(1961/1968)과 대학의 노동자 계급 여성, Goffman의 수감자 사이의 유사성을 이끌어 냈다. Goffman과 같이 그녀는 어떻게 그 여성들이 '엘리트' 대학의 환경에 대처했는지, 그리고 그들이 어떻게 스스로 발전하고 변해 왔는지에 흥미를 가졌다:

수감자들과 같이, 성인 학생들은 알려지지 않은 사회적 환경에서 새로운 기관에 들어간다. 총체적 기관보다는 덜 극단적이고 덜 범죄를 저질러도, 대학생활은 학생들의 삶에 큰 영향을 미치고 있다. 그들은 변화된 사람이 되어 떠난다. 자아의 굴욕에 대한 Goffman의 개념은 수정되고 덜 극단적인 형태에 적용가능하다. 성인 학생들의 자아는 대학 진학 때, 부분적으로 형성되며 그들의 정체성은 자신들의 학생 경력을 통해 진보함에 따라 재구축된다(Merrill, 1999, p. 128).

Barbara는 스코틀랜드인 연구에서 성인 학생들의 전기를 이용해 많은 동료들과 함께 경력 학습에 대한 개념을 더욱 발전시킨다. 경력 학습이란 '성인 학습자가 학습으로 복귀해 한 시대를 넘어 계속적인 학습 참여로 경험한 전기적 과정의 이해를 촉진시키는 개념'이다(Merrill, 2001, p. 1). 이후 Rennie Johnston의 연구에서, 그녀는 보다 심층적으로 비선형 차원에서 고려하기 시작했다.

우리는 학습과 정체성의 불규칙적이고 복잡한 상호관계, 그리고 특히 비전통적인 성인 학생들에게 있어 학습 정체성이 영향과 공존하고 결국 다른 성인 정체성에 영향을 받는다는 사실을 인정하는 방법으로서 '학습 정체성'이라는 용어를 사용한다(Johnston and Merrill, 2004, p. 154).

David Matza의 '표류' 개념은, 원래 근무태만에 적용되었던 개념인데 스코틀랜드인 연구에서 이용되었다. 맥락은 달랐으나 이론적인 접근은 추가교육에서 소외

된 학생들의 배치 및 학습 커리어를 설명하는 데 도움이 되었다. Matza에게 있어:

> 표류는 행위자에 의해 지각되지 않는 점진적인 움직임 과정이며, 그것의 첫 번째 단계는 어떤 이론적 틀의 관점에서 볼 때 예측할 수 없으며 우연적일 수 있다. 또한 마찬가지로 비행(delinquency)경로에서의 편향은 유사하게 우연적이거나 예측 불가능하다(1964, p. 29).

Barbara와 동료들은 예를 들어, 일부 참여자들의 이야기에서 삶의 과정 중 특정 순간에, 표류감과 학습에서 멀어진 느낌을 발견했다고 한다. 참여기간은 전기에서 행위의 경험을 강화하고 반영할 수 있으며, 비참여기간은 여러 가지 이유로 구조적 요인이 지배적이었던 시기를 반영한다. 스코틀랜드인 연구에서, Lisa는 젊은 실업자들을 위한 정부지원 기금으로 설립된 청소년 훈련기관의 미용과정을 선택했다. 그녀는 미용과정을 완전히 마치지 못했는데, 그녀가 열일곱 살의 나이에 임신을 했기 때문이다; 28세까지 그녀는 두 아이를 가진 한 부모였다. 이것은 그녀가 후회하는 일이었다:

> 나는 어떠한 아이도 갖고 싶지 않았다. 나는 미용사 혹은 댄서가 되고 싶었지만, 내가 좋아하는 것 중에서 하나를 유지했고, 아이는 갖지 않았다. 나는 내 삶에서 내 자리를 지켰고, 알다시피, 그것은 매우 힘들기 때문이다.

Lisa는 후에 무형식 학습과 공동체 활동들에 참여했다. 청년 프로젝트를 통해서, 그녀는 개방대학의 양육 과정에 등록했다. 그녀는 학교에서의 실패를 보상하기 위해 청년 프로젝트를 이용하고 경험했다. '왜냐하면 나는 학교에서 매우 영리하지 않았지만 나는 내가 마음만 먹으면 할 수 있다는 것을 안다. 이것이 나의 장점이다'. 그녀는 미용 과정에도 등록했지만, 개인적, 구조적 그리고 기관의 장벽들 때문에, 과정을 마치지는 못했다. 그것은 부분적으로 재정적인 이유도 있었지만 그녀는 폭력 속에서 살았고, 그녀가 학교에 가도록 지원해 줄 파트너도 없

었다. 남편은 그녀에게 공격적이었다:

> 그는 내가 밖에서 사람들을 만나는 것을 질투했다. '내가 누구를 만났었는지,
> 누구와 대화했는지?'의 식이었다. … 모든 것들이 다 그러했다. … 그러나 나는
> 그의 생각을 신경 쓰지 않았다. … 마지막 날 나는 나를 위해 밖으로 나갔고
> 학교에 갔다. 나는 항상 밖으로 나가길 시도했지만 결국은 계속 갈 수 없었다.

이 시간 동안, 두 아이들은 돌봄을 받고 있었다. 부분적인 문제는 학습자로서
의 그녀 자신에 대한 불확실성이었다. 학습 정체성에 관한 완전한 정의는 없다:

> 그것은 훌륭했고 나는 그것을 좋아했고 많이 배웠다. … 그러나 나는 내가 그것
> 을 따라갈 수 없을 거 같다는 약간의 걱정을 했다. 그것은 다른 문제였다. 나는
> 혹시라도 충분히 잘하지 못할까 봐 걱정했다.

페미니즘

상징적 상호주의자들의 작업이 개념적인 삼각형의 한 선을 제공했다면, 페미니
즘은 또 다른 것을 제공했다. 2장에서 살펴보았듯이, 페미니즘의 2차 물결은 학
계에서 페미니스트 이론과 방법론의 개발을 활성화시켰다. Maria Mies(1991)는
전통적인 연구의 페미니스트 비평이 대학뿐만 아니라 페미니스트 사회 운동에
서 비롯되었다고 주장했다. Dorothy Smith는 "여성들의 운동은 남성들이 형성한
사회학에서 전통적으로 나타나는 이해를 권위적으로 받는 것이 아니라 여성의
이해를 사회학에 대표할 수 있는 권리를 우리들에게 부여했다"고 강조했다. 흑
인 페미니스트인 bell hooks(1984)도 마찬가지로 학문적 지식이 '백인 남성의 규
범'에 의해 지배되었다는 것을 인식했다. 페미니스트들은 지식을 구성하는 힘을
가진 사람의 문제를 제기하고, 여성의 삶과 역할을 무시하고, 남성의 대중세계에

대한 연구에 집중하는 '남성주류', '남성사회'를 비판했다. 페미니스트 연구자들은 여성의 가정에서의 평범한 삶, 일터 및 다른 곳에서의 대중적인 삶에 대한 연구를 강조했다. 그들은 여성의 일상생활과 사생활을 연구하면서, 감정적 노동의 성별 배치처럼 얼마나 '개인이 정치적인지'를 강조했다.

페미니스트의 연구는 이념적이고 인식론적인 견해의 범위를 반영하는 다양한 페미니즘(예를 들면, 진보적, 급진적 페미니스트, 사회주의 페미니스트(마르크스주의자), 후기구조주의자, 포스트모더니스트)이 있음에도 불구하고, 사회적으로 비판적이고, 매우 정치적일 수 있다. 하지만 모든 페미니스트 연구자들은 여성의 삶을 바꾸고 사회에서 성 불평등에 도전하는 공통의 목표를 공유한다. Maggie Humm에게 있어:

> 페미니즘은 사회적 힘이다… 그리고 페미니즘은 다른 문화, 경제, 또는 정치 분야에서 모두 성으로 나누어진 사회에서, 여성은 남성보다 덜 가치 있다고 여겨지는 것을 이해하는 데 달려 있다. 또한 의식적으로 페미니즘은 집단적으로 성차별주의자가 지배하는 것을 뿌리 뽑고, 사회를 바꾸기 위해 헌신하는 것과 결합하여, 성적 평등에 대한 믿음으로, 그들의 사회적 지위를 바꿀 수 있다는 전제에 달려 있다(1992, p. 1).

Babara는 사회주의적 페미니스트가 시대에 뒤처지고 유행이 지난 것으로 보일지라도 자신을 여전히 사회주의적 페미니스트로 생각한다. 사회주의적 페미니즘은 여성의 억압이 자본주의 시스템과, 그것의 사적 재산의 내재된 관습에 뿌리내린다고 주장한다. 이것은 남성을 여성의 억압자로 보는 급진적 페미니즘과 반대된다. 오히려, 성별 관계는 자본주의 사회를 만든 권력 관계와 계층 구조를 통해 구성된다. 이 관점에서, 여성과 남성은 둘 다 억압받았고, 남성과 여성은 이 상태에서 해방되고 싶은 욕구와 그들의 역할에 의해 서로 멀어졌다.

페미니스트 연구방식은 주관적 참여 및 연구자와 연구 사이의 강력한 결합에 도전하는 관계 방식의 필요성을 강조한다. 특히, 인터뷰, 전기 그리고 자서전 접근방식은 사람들이 선호하는 연구의 수행수단이 되었다. Natalee Popadiuk에게 있어, "페미니즘 전기의 방식은 강력한 도구다. 이것은 참여자들이 살고 있는 더 큰 문화적 개발에 비추어서, 참여자들의 삶의 경험에 깊이 있고 의미 있는 맥락을 제공하는 독특한 관점에서의 연구를 가능하게 한다"(2004, p. 395).

Babara는 전기를 이해하기 위해 계속해서 연관된 마르크스주의자 이론의 틀을 찾았다. 마르크스주의자나 사회주의적 페미니즘은 산업예비군처럼 직장과 가정에서 착취당하고 억압받는 여성에 초점을 맞췄다. 사람들의 삶에는 언어를 뛰어넘고 이것이 우리를 어떤 위치에 놓을지 뛰어넘는 힘든 정치적이고 물질적 기초가 있다. 정치적이고 갈등적인 관점은 자기들뿐만 아니라 그들 안에서 지배적인 권력 구조를 침범하고, 전기들과 기대들을 만들도록 하는 방식에 도전하라는 요구를 받는다. 포스트모더니즘은 여성 자체의 범주를 의심하면서까지 여성의 다양한 표현들과 차이에 초점을 맞추었다. 포스트모더니즘은 계급과 물질적 억압의 현실 또는 '해석은 언어와 기호의 소용돌이 속에 해석되는' 현실의 개념으로 후퇴의 일종으로 볼 수 있다. 하지만 이것은 다양성, 차이, 그리고 방언에 대한 민감성이 증가할 수 있는 세상에서, 포스트모더니즘의 측면이 전기적 접근을 선호한다는 것을 말할 필요가 있다. 민족적, 성적, 종교적, 문화적 또는 심미적 소수자들은 관점의 복수성을 축하함에 있어 스스로를 위해 더 많이 말할 수 있으며, 지역 및 맥락적인 연구들은 하나의 위엄 있는 인간 진리의 개념이 도전을 받게 됨에 따라 더 많은 공간을 발견한다(Stones, 1996).

그럼에도 불구하고 여기에는 불리한 면이 있다, 페미니즘과 같이 최근 몇 년 동안 대학은 포스트모더니즘에 더욱 지배되어 왔다:

학계에서 마르크스주의 페미니즘의 쇠퇴와, 포스트모더니즘의 아성과 출현은 노동자계급 여성의 물리적인 현실로부터 동떨어진 담론을 형성했다. 학문적 페미니즘은 그것의 언어와 맥락을 통해 다른 여성을 제외하는 엘리트주의가 되고 있다(Merrill and Puigvert, 2001, p. 308).

Beverly Skeggs는 영국의 성인 교육 대학의 노동계급 여성 학습에 대한 그녀의 연구에서 이러한 학문적 페미니스트를 혹평한다:

학계에서 페미니스트 분석이 더욱 이론적으로 정교화될수록, 여성이 그것을 밖에서 말할 가능성이 더 적다. 포스트모더니즘과 물리적 페미니즘 간의 분개에 대한 논의는 이 연구의 대상인 여성에 의해 완전히 다른 여지를 차지한다. 페미니스트 지식은 생산되어 왔지만 단지 선택적으로 분리되었다(Skeggs, 1997, p. 141).

또한 포스트모더니즘의 최근 관심은 영국의 사회학자들 사이에서 사회계층에 대한 관심의 후퇴와 일치한다. 일단 사회학 이론의 중심에서, 계층은 사람들의 삶을 범주로 나누는 것에 있어서 무관하고 낙후된 개념으로 볼 수 있다(Pahl, 1989). 그러나 몇몇 사회학자들은 계층의 중요성을 다시 재고하고 있다(Crompton, 2008; Devine et al., 2005; Savage, 2000). Skeggs가 주장하길, "이론적인 도구로써 계층을 버리는 것은 계층이 더 이상 존재하지 않는다는 것을 의미하지는 않는다. 단지 몇몇 이론가들이 그것을 중요시하지 않는다는 것이다. 회피주의자들은 계층을 무시하거나 계층이 '점점 더 불필요한 문제'라고 주장한다"(1997, pp. 6-7).

Barbara의 연구에서 다뤄진 여성과 남성에 대한 이야기는 어떻게 사회계층이 존재하고, 자원 접근성과 물질적인 부의 불평등을 통해 사람들의 일상생활 구조가 지속되는지를 강조했다. Andrew Sayer가 우리를 일깨웠듯이 계층은 또한 다른 사람들이 어떻게 우리를 평가하고 반응하게 하는지 그리고 자기 가치에 대한 우리의 느낌에 영향을 준다(2005, p. 1).

성인 교육에서, 민주적인 방식으로 노동계층 여성과 함께 일하고 연구하는 학문적 여성의 전통은 유럽 및 그 외 지역에서 계속되었다. 대화형식의 페미니즘은 그들의 경험과 다른 여성의 목소리에 가치를 두고 주의깊게 듣는 관점이다. 이것은 대화를 통한 관계에서 변화가 일어날 수 있다는 믿음을 가진 모든 사람들이 동등한 수준에서 기여하는 진정한 대화를 촉진시키기 위한 Paulo Freire(1972a, 1972b, 1976)와 Jurgen Habermas(1972)의 생각이 반영된 것이다.

비판이론

Babara의 삼각형의 세 번째 선은 비판이론이다. 전기적 연구에 비판이론의 적용은 페미니즘(그것의 뿌리는 사회학이 그렇듯이 남성 지배에 있지만) 그리고 평생학습 및 노동생활에 대한 덴마크인의 삶의 역사와 밀접한 연관이 있다. 비판이론은 프랑크푸르트(Frankfurt) 학파 사회학에서 개발되었다. 그 학파는 마르크시즘(결정론자의 마르크시즘이 아닌 인본주의자의 마르크시즘), 철학, 정신분석, 신학, 그리고 낭만주의와 같은 원천으로부터 많은 영향을 받아 파생되었다. Craig Calhoun이 말하길:

> 비판이론은 역사적으로 그 시대의 사회적, 정치적, 문화적 문제의 인식에 근거하고, 실증적 연구와 함께 이론의 통일성을 포함한, 이론과 실제의 통일성을 얻으려고 한 그들의 시도를 상징화하기 위해, 세계 대전 사이의 시기에 Frankfurt 학파의 설립자에 의해 이름이 지어졌다(1995, p. 13).

Babara는 결정론적이고 고전적인 마르크시즘보다 인본주의적 마르크시즘을 선호한다. 인본주의적 마르크시즘은 개인으로 시작하고, 사람은 단순히 사회력과 사회구조의 생산물이 아니라는 것을 인지한다. 즉 사람은 사회에서 사람들과의 상호작용할 때 자신들의 주관성을 사용하는 능력을 가진다. 마르크스는 그의 저서 「Theses on Feuerbach」(1845)에서 이것의 개요를 명확하게 서술했다. 투쟁은 소외의 상태에서 여성과 남성이 그들 스스로 만족하고 그들의 인간 본질을 발견하는 상황으로 전환하는 것 중의 하나가 되었다. 마르크스는 남성과 여성이 '자신을 위해 스스로 선택한 조건하에서가 아니라 즉각적으로 주어진, 그들에게 대물림된 조건하에서 각자의 역사를 만들어 가는' 사회와 개인 간의 변증적 관계를 논함에 있어 구조와 행위자를 밀접하게 연관 짓는다(Marx, 1852/1973, p. 287). 사회계층은 마르크스의 자본주의 분석의 중심이며 객관적이고 주관적이다. 비록 마르크스주의자에 의해 훨씬 복잡한 방식으로 보일 수 있지만, 한 사람의 계층은 상품 수단의 소유권이나 무소유권에 의해 정의된다. 마르크시즘은 사회 이론을 정치적 행위와 관련시킨다. 계층 투쟁과 집단행동, 계층 의식의 과정을 통해 사람들은 사회 변화와 억압을 극복하기 위해 그들의 권력을 사용할 수 있다. 마르크스의 계층 정의는 이제 몇몇에 의해 포스트모던 세계에서는 너무 좁고 부적합한 용어로 보인다. 이 쟁점은 마르크스의 자본주의와 계층 이론을 재작업한 '새로운' 분석적 마르크스주의자들에 의해 다뤄지고 있다(Cohen, 1988; Postone, 1993; Wright, 1985, 1997).

비판이론은 잠재적인 반대를 억압하는 일환으로서, 당연하고 옳은 사회 질서의 존재를 나타내기 위한 시도로 지배적인 이데올로기들과 힘의 구조를 비평하고 도전하려고 노력했다. 이 접근은 사회에서 엘리트나 계층의 지배를 받음으로써 영속되는 불평등과 부당함을 드러내기 위해 분투했다. Horkheimer(1982)가 강조한 그 단어는 '전통적 사회주의'로부터 구별하려는 시도였다.

비판이론가들은 또한 연구가 기술적인(technical) 문제로 명확하게 묘사가 된 문제세트와 함께 구성이 되는 비성찰적인 도구주의라고 그들이 인지하는 것에 대해서도 도전을 했으며, 연구 목표는 사회정의 또는 인간가치에 대한 참조 없이, 주요 변수들 간의 인과관계 연결을 수립하여 측정하는 것이다. Habermas(1972)는 어떻게 사회 과학이 점차 사회 과정의 객관화와 함께 언어의 통제와 예측에 의해 다뤄지는가를 염려했다. 그는 연구자들이 지향하는 방법 중 하나로, 사회적 과정의 객관화와 함께 예측과 통제의 언어; 계몽주의는 연구자에게 방향을 제시하는 방법의 하나로 동떨어진, 중립적이라 주장되는 도구적 이성이라는 헤게모니를 낳았다. 그리고 이는 사회 현실에 대한 무시 혹은 맹목을 가져왔다. 비판적 지향은 생산과 재생산의 과정을 둘러싼 사회 질서가 '정상'이라고 설득하는 강력한 이상주의로 인해 형성된 의존 관계로부터 사람들을 해방시키기 위한 투쟁이다(Crotty, 1998).

Paulo Freire, Paul Willis, Henry Giroux의 영향으로, 비판이론은 전기적 연구와 교육적 실제에서 생생하게 나타난다. 다음은 바르셀로나의 동료들에 의한 비판이론 사용의 예다.

예시

바르셀로나 대학에서 The Centre for Research in the Education and Adults(CREA)는 대화형식 학습의 개념을 통해 성인 교육에서 그들의 연구와 실제에 비판이론적 관점을 발전시켰다. 그들은 Habermas의 의사소통 행동 이론과 Freire의 문학 그룹(성인 학습자와 튜터가 만나 소설에 대해 토론하는 것을 수반하는 학습 상황)을 통해 성인의 글을 읽고 쓸 줄 아는 능력을 개발시키는 데 도움이 되는 평등주의 대화의 개념을 이용했다. Ramon Flecha(2000)는 그의 책 「Sharing Words」에 그 원리에 대한 개요를 설명했다. 문학 그룹의 참가자들은 생애사를 대화(담화) 연구의 한 가지 형태로 이용해 참여와 비참여를 관찰하기 위한 연구 그룹을 만들었다.

비판이론은 검증되지 않았지만 억압적인 대본이 혹독한 물적 현실과 함께 사람들의 언어와 행동을 형성하는지 이해하고 설명하는 방법을 개인의 이야기를 이용해 제시한다. 비판이론은, 전기가 개인적이기는 하지만 전체를 엿볼 수 있다는 것을 이해할 수 있도록 한다. 비슷한 사회경제적 배경, 예를 들면 노동자 계급의 백인 여성은 비슷한 계급, 성불평등을 경험한다. 하지만 오히려 책의 시작 부분에서 인용한 눈송이같이, 각각은 구별된다. 이것은 우리의 초점에 달려 있다. 페미니즘과 상징적 상호작용주의와 결합한 비판이론은 그들의 억압받는 차원과

구조적 불평등(무엇이 내재되고 복제되었는지)의 작용을 설명하고 정체를 밝히는 데 도움이 될 수 있다. 하지만 지나친 결정론자이거나 단호한 획일적인 방식은 아니다.

Linden의 접근

내부 세계와 외부 세계 연결하기

Linden은 변화 과정, 동기, 학습에 대한 그의 연구에서 정신적, 사회적, 문화적 이론을 이용했다. 그는 학습자와 학습에 대한 그의 연구에서 주변인의 사회주의적 개념을 사용했다. 주변인들은 그들이 잠재적 그룹에 충분한 구성원이 될지도 모르는 상황을 언급한다. 그리고 몇몇 계층에서는 그들이 어디에 속해야 할지 몰라 상이한 사회적 공간 사이의 주변부에 선다. 주변인은 규범과 가치가 충돌할 수 있는 세상 속 과도기에 있는 것으로 보인다. 그들은 지위에 대한 혼란과 비난을 받기 쉽지만, 지배적인 사회 질서를 비판할 수 있는 능력이 있고, 혁신할 수 있는 자유 또한 있다(Hopper and Osborn, 1975; West, 1996).

이와 같은 사회적 관점은 인간 동기와 학습의 심리학에 대한 관심으로부터 발전했는데 이는 지금까지 그래 왔던 것처럼 미국 심리학자들로부터 지배되었고 충분히 반사회적이고 반역사적일 수 있다. Sean Courtney(1992)는 이것이 어디에 위치했는지는 찾지 못했지만, 학습이 어떻게 고립되고, 자리 잡지 못하며, 인지적이고, 지식과 기술 중심적인 활동 그리고 일반적으로는 더 넓은 인생의 일생과 문화적 맥락 안에서 사회적 참여의 양식으로 자주 구성되는지 명시했다. 그는 성인 학습자는 새로운 것들을 시도할 수 있고, 인생의 가능성과 도전에 열려 있는 사람, 인생에 여지를 가지는 사람이 될 수 있다고 제안했다. 그러나 이것은 다른 사람들과 상호작용의 새로운 형식으로 형성되어야 한다. Courtney는 지속적인 변화를 포함해서 더욱 넓은 사회적 맥락을 평등으로 제시했다. 또한 이것은 미국 이데올로기의 중심이었다. Courtney는 변화와 맞서는 사람으로서 학습, 그리고 자아와 행위 문제(적어도 경험의 형식이 더욱 심오한)와 싸우는 학습자의 이론을 만들어 냈다.

그의 학습 개념은 기술 습득보다 더 깊은 무언가를 포함하고 있었다: 사람들은 자주 그들 스스로뿐만 아니라 다른 사람의 삶을 바꾸고 영향을 미치는 것을 추구했다. 그러나 이것은 추가 질문을 유발한다: 왜 몇몇 사람들은 다른 사람들보다 심지어 압박받는 상황에서도, 삶의 여지자(열림자)가 되려고 할까? 왜 그들은 모든 다양성―가능성을 초월할 뿐만 아니라 아픔, 기쁨, 고통 그리고 부당함―에 경험과 연관시켜 비교적 열려 있을까? 주로 사회에 기원이 있지만, Linden은 사회적 관계에서의 변화가 내적 세계에서의 변화를 불러일으킬 수 있는지 설명하기 위해 정신분석적 아이디어들에 의지했다. 간단히 말하자면, 왜 몇몇 사람들은 다른 이들이 더욱 창의적이고 새로운 방식에 열려 있는 동안, 어려운 경험에 직면하여 다양한 종류의 근본주의와 편집증으로 퇴보하는지(Frosh, 1991). 삶의 공간 이론 정립에 있어서 Linden은 대상관계이론과 담화적 레퍼토리뿐만 아니라 유의미한 타인의 역할로 눈을 돌렸다. Melanie Klein(1998)의 저작 또한 변화를 만나는 것의 중심에 자리한 양면 가치와 불안감을 Linden이 이해하는 것에 도움을 주었다. 그녀의 관점에서 '불안'은 가장 초기의 경험과 다른 이에게 완전히 의지하는 기억을 더듬어 돌이키는 것이다. 심지어 자신 있는 사람들도 새롭고 부담이 많은 상황(더 상위 코스나 성인 교육에 진입했을 때와 같은)에서는 무력하고 압도당하는 기분을 느낄 수 있다. 과거와 현재가 겹쳐지며 무의식적으로 초기의 의존성과 부적절한 느낌을 연관 짓는다. Klein은 이것을 의식적인 사고가 아닌 육체적이고 감정적인 상태로 표현되는 '느낌의 기억'이라 부른다. 체화된 기억은 어린 시절부터 그들이 크게 중요치 않거나 부적절하다고, 혹은 권위를 믿어서는 안 된다는 '가르침을 받은' 이들에게 특히 강렬할 수 있다. 침잠, (무언가가 중요하거나 필요하다는) 욕구의 부인, 전능 혹은 전지 등을 포함해 다양한 심리적 방어기제가 발현될 수 있다.

전기적 연구는 성인 학습자들 사이에서의 이런 과정을 기록하고 이론화하는 하나의 방법을 제공했다. 이야기 속에는 끊임없는 불안과 방어적 태도가 언뜻 보이고 있다. 초기 경험은 결코 단순히 초월되지 않고, 과거와 현재가 끊임없이 뒤얽히고 있다(West, 2004b, 2007). Linden은 Donald Winnicott(1971)과 같은 분석심리학 이론가들을 이용하여 전환과정을 관리하기 위해 사람들이 사용하는 자원들을 탐구했다. 제안한 바와 같이 이들은 새로운 전기적 가능성을 상징하기 위해 상당한 타인들과 스토리텔링—예술작품 또는 페미니즘과 같은 새로운 서사—의 새롭고 창조적인 형태를 포함한다. 새로운 아이디어와 같은 사람들과 상징은 내재화되고 심리적 역학의 일부가 되는 '대상'으로 보여질 수 있다. 이러한 대상 안의 자아와 주관성은 상징적인 것을 포함한 실제의 사람들과 다양한 대상과의 관계의 절대로 완성되지 않는 산물인 역학으로써 착상되었다(Hung and West, 2009; West, 1996, 2001, 2007). 이러한 이론의 '진실'은 실용적이고 전기적 연구뿐만 아니라 임상에서의 유용성에 기반하여 시험되었다. 이는 절대로 증명될 수 없는 중범위 이론이다.

이러한 연구의 중심에 있는 자아는 그냥 주어지는 것이 아니라 의존적이며 구조적이고 발전적이다. 의존성은 타인에 대한 근본적인 의존이고; 구조적이라 한 것은 우리는 억압적인 사회적, 교육적 힘을 포함한 타인과의 상호작용과 전반적인 문화 내에서 형성되기 때문이며; 발전적이라 함은 자아는 변화할 수 있고 주관화에 맞서며 그 과정에서 창의적이고 용감한 행동을 통해 자신을 변화시킬 수 있다(Butler, 1997; Frosh, 1991). 이것은 감정적이고, 체화된, 상관된, 사회문화적이고 산만하며 동시에 작인적일 수 있는 자아이다.

또한 이것은 최소한의 어떤 중요한 종류라도 사고할 수 있는 자아이다. 이 자아는 감정에 거리를 두는 것보다는 필수적으로 감정에 새겨진다. Linden과 동료인 Celia Hunt는 이 아이디어를 탐구하기 위해 Antonio Damasio(2000)의 신경 생리학적 연구를 이용했다. 그는 감정을 통해 경험되는 육체적 중심 자아인 전 언어(pre-linguistic)가 우리 기억의 증가와 언어 중심의 자서전적인 자아를 제공한다고 주장한다. 여기에는 자아 개념을 오로지 언어, 사회, 그리고 문화의 생산물로 여기는 데 문제가 있다. 우리의 관계에 의해 형성된 신체적 경험과 신경학의 정형화는 자아 유동성과 스토리텔링, 그리고 더욱 전체론적, 학제간적 관점에서 문화의 억압과 각인 그리고 구조화 과정을 연결한다(Hunt and West, 2009).

공유된 사물들

Barbara와 Linden은 심리학에서 파생된 몇 가지 이론상의 영향을 공유한다. 예를 들어, 내 자신을 형성하는 데 Mead, 나(I), 나를(me) 사이의 구별. 잘 알다시피 '나'는 현재에 대한 즉시성, 자발성, 창의성 그리고 도전의 능력으로 특징지어진다. 반면에 '나를'은 과거, 전통, 문화와 제도의 맥락에 대한 강제성을 나타낼 수 있다. 여기에는 고전적인 정신분석학의 유형 분석체계의 반향들이 있다: 자아는 이드(감정적, 즉흥적, 리비도적)과 우리가 수립된 질서의 명령으로서 생각할 수 있는 초자아 간의 상호 갈등하는 명령의 근원이다. 자아, 또는 더 자각적인 자신은 이 갈등에서 중재자 역할을 하며 자아들의 성립은 더 작인적인(agentic) 자아가 비상하거나 만들어지는 상호 갈등하는 명령 간의 역동적인 관계로 해석될 수 있다. 그러나 대상 관계 시각에서는 사회적인 사람이 관계 매개자를 통해 내재화될 수 있는지에 대한 더 노골적인 심문이 있다. (흔히 무의식적으로 특정의 범위 내에서 차례로 타인들이 의미로 우리를 가득 채우고 우리가 그들을 가득 채우는 것인) 투영과 내적 투사의 과정을 걸친 '급진적인' 사람과 패턴이 연극의 한 캐릭터처럼 우리의 일부가 된다.

몇몇 등장인물들은 건강에 해롭거나 심지어 악담을 강요하는 것을 보여 준다. 다른 등장인물들은 합법성, 자발성, 창의성 그리고 행위의 감정들을 촉진시킨다: 좋은 선생님, 치료사, 심지어 연구자처럼 우리는 우리 안에서 그런 사람을 대상으로써 지지하고, 그들은 우리가 좀 더 우리 자신의 조건들로 삶이 구성되는 내면적 상징과 감정적 자원을 제공한다(Sayers, 1995; West, 1996, 2001).

과도기적 과정

Linden은 전통적이고 변화된 과정들에 대해 다른 정신분석의 개념을 사용했다. 예를 들면, Carl Gustav Jung(1933)은 심리학의 발달 단계에 관심이 있었고 이를 연구하기 위해 전기를 사용했다. 그는 전기 및 임상 경험에 의지하여 심리학적 개성화, 변화 및 성장에 대한 이론을 개발했다. 그는 다른 관심사 중에서도 중년의 남자가 (억눌려 있던) 반대 성 때문에 허우적대거나 혹은 억눌려 있던, 자신의 여성스러운 면을 더욱 균형 잡힌 심리적 전체, 즉 개성화에 통합하는 데에 성공하는 사례에 주목했다.

Jung은 네 가지 다양한 직업군에서 40명의 표본으로부터 깊이 있는 데이터를 얻기 위해 심층적인 전기적 인터뷰를 사용한 Daniel Levinson(1978) 연구의 영향을 받았다. 그는 대략 40세에 시작하는 중년 삶의 위기에 초점을 두었다. 그는 이 단계에서는 앞으로 살아야 할 기간과 관련한 인식의 관점에서 변화가 있다고 제안했다. 즉 성취한 것과 진정으로 원하는 것 사이에서 차이를 느낄 수 있다. 중년은 젊음―나이듦, 남성성―여성성 및 애착―분리 사이의 더 큰 평형을 구축할 시기로 여겨진다.

이러한 개념들은 문화와 하위문화뿐만 아니라 사람들까지도 성(gender) 용어로 생각될 수 있는 Linden의 의사와 관련된 성에 관한 연구에서 표현되고 있다. 의사들은 타인과 의미 있는 관계를 만들 수 있는 능력을 포함해 지금까지 억압되어 온 '여성적인' 잠재력과 같은 문화적으로 낯선 것들을 자신 안에서 찾으려 분투한다(West, 2001). 하지만 Jung과 Levinson은 남성 경험과 특정 문화의 발전을 모든 문화를 통틀어 인간의 전반적인 발전과 융합하는 데 있어 반역사적이고 반사회적인 경향을 보였다고 비판을 받았다(Gilligan, 1982; Sayers, 1995). 게다가, 근대 혹은 포스트모던 시대에 들어 전기의 궤도는 점점 더 예측하기 어려워지고 있어 발전 단계의 과도한 엄격함을 문제 삼을 수 있다.

성적 주관성

Carol Gilligan(1982)은 심리적 발달의 전기의 구성과 다른 이론을 사용했다: 남성과 여성은 분리와 애착 사이의 갈등을 조정하는 것을 같은 문제로 대할 수 있지만, 그것을 다른 방법으로 접근할 수 있다. 남성 발달이 분리와 자율성 증가의 중요성을 전제로 한다면(어머니로부터 분리와 구별을 원하기 때문에), 여성은 동성과 더 친밀하고 편한 관계로 시작하여 점차적으로 분리를 조정하고 허용하는 경향이 있다.

최근 전기적 연구는 이러한 이론적 이슈로 조명받고 있다. Kirsten Weber(2007)는 정신 분석, 페미니즘과 함께 비판이론을 이용해 성 전쟁터로서의 직장이라는 개념을 탐구한다. Weber는 참여자의 전기를 이용해 연구 대상자의 학습에 대한 기본적인 지향이 성의 관점에서 어떻게 드러나는지 연구한다. 이런 과정은 남성들의 친밀감을 향한 투쟁에 대한 전통적인 심리분석적 통찰을 참고하여 이론화된다. 하지만, 문화, 언어, 물적 조건 등을 무시하려는 것은 아니다. Weber의 관점에서 성은 역사적으로 내려오는 노동의 분배로부터 출발해 사회 구조에 내재되며 사람들의 선택하는 범위 내에서 재생산 혹은 변경된다. 그러나 재생산과 변화의 과정들을 이해하는 데 있어, Weber는 남자 아이들의 자율성의 과정이 첫 친밀성부터 분리를 포함하고 있는 반면, 여자 아이들은 그들 자신의 성 모델로부터 떨어지거나 동일시하는 경향이 있다는 것을 관찰했다. 이러한 초기의 상호작용 형태는 상징적인 표현으로서 언어에 의해 강화되며, '성적 주관성'으로 정의했다. Weber는 다른 사람들의 연구를 기반으로 성 주관성—사람이 심리적 주체가 되는 과정—과 성적 취향과 성의 문화적 개념을 의미하는 성 정체성과 구분했다. 성적 주관성은 다른 사람을 돌보는 '학습'이 요구되는 새로운 종류의 학습 기회에 대해 남성과 여성의 반응을 구별하는 표현을 찾을지도 모른다.

초기 형태를 반영하는 남성은 대부분 여성화된 문화 공간 안에서 처음으로 자율성의 정도를 보이면서 유능함을 추구한다. 여성들이 그들이 하는 것에 대해

여 더 큰 자신감과 유능함을 얻기 위해 전제조건으로 친밀함을 찾는 경향성을 보이는 반면에, 남성들은 더욱 개인적인 방법으로 진보하려고 애쓴다. 이런 연구에서 심리 역학은 일종의 체화되고 내며화된 문화를 상징한다. 마르크스주의(사회적, 역사적 요인)의 이론적인 요소들과 정신 분석(모순과 긴장으로 특징 지어지는 체화된 상징적인 의미로)의 통합이 이루어진다. 사회 갈등이 표출되는 정신적 과정은 온전히 투명하거나 의식적이지는 않다. 오히려, 무의식적이거나 전의식적이다. Henning Salling Olesen(2007b)은 무의식의 개념을 사회 과학과 전기적 연구에 대한 정신분석의 근본적인 기여로 여겼다.

　Carolyn Steedman(1986)은 유사한 방식으로 페미니즘, 마르크스주의, 정신 분석을 통합한 연구를 진행한다. 그의 출발점은 공간, 정치, 계급의 세부 사항들이며, 그녀의 주장에 따르면 이것이 분석의 중심에 있어야 한다. 하지만 욕구의 본질에 대해서는 심리학적인 이해의 틀이 필요하다고 말한다. Steedman은 상당한 양의 사회학적인 전기를 노동자 계층의 삶의 모습을 특정 짓는 심리학적 동일성을 가진 무신경한 내용(Richard Hoggart(1957)이나 Jeremy Seabrook(1982)의 연구처럼)이라 비판했다. Steedman은 절대 가질 수 없는 것에 대한 '숨겨진 갈망의 배양(subterranean culture of longing)'이라 칭하는 (예를 들면 자신의 어머니의 삶에서) 것에 대해 이야기한다. 전기 작가들이 마르크스주의의 영향 아래 노동자 계층 사람들에게 심리적인 단순성을 부여하는 방식을 문제 삼는다:

> 하지만 우리가 노동자 계급 아이들에게 무의식적인 삶을 허락한다면 우리는 아마도 첫 번째 손실, 최초의 배제(오이디푸스 콤플렉스로 잘 알려진)가 나중으로 늦춰지고 계층과 계층 관계에 대한 성인으로서의 경험을 통해 표현되는 것을 볼 수 있을 것이다(Steedman, 1986: 14).

　그녀의 어머니는 '새로운 스커트, 목재로 지은 시골의 작은 집, 왕자와 결혼'을 원했다(1986, p. 9). 왜냐하면 그녀는 그녀가 욕망하는 것으로부터 차단됐었기 때문이다. Steedman의 연구는 Linden의 전기, 그리고 욕망의 작용과 같은 계급화되고 성이 특정된 사회 질서 내에서 가족생활의 복잡성, 심리적 미묘함과 환상들을 포착해야 할 필요성에 깊게 공명한다(West, 1996).

의사들의 전기

페미니즘과 정신분석은 둘 다 Linden으로 하여금 의사들의 일과 학습의 삶에 대한 이해를 형성하게 했다. 예를 들어, '외국인'이며 레즈비언이었던 Aidene Croft 박사는 어렵고 힘들고 빈곤한 런던 극동지역에서 연구를 했다. 그녀는 자신의 성적 정체성과 이것이 어떻게 '남성'에 불안정하게 부합하는지와 의사와 훈련에 대한 압도적으로 이성애자적인 문화를 언급했다. 이 연구에서 그녀는 많은 의사들이 당연하게 여기는 이성애자이며, 이성애자 파트너와 함께 2, 4명의 자녀를 사립학교에 보내야 한다는 고정관념에 맞서 자신과 같은 여성과 남성을 대표할 수 있어 기쁘다고 말했다. Aidene의 아웃사이더로의 경험뿐 아니라 감정적으로 취약함은 그녀의 이야기의 중심축이었다. 그녀는 자신이 '남성주류'의 의학으로부터 소외되는 것을 느꼈고, 특히 기초 훈련과 전문직 종사자들 사이에 만연한 남성 문화에 비판적이었다. Aidene은 더 높은 수준의 자기 통찰, 이해와 자신감을 성취하기 위해 그리고 소외되고 감정적으로 투쟁하고 있는 자신의 많은 환자들과 더 좋은 연결을 위해 심리치료뿐만 아니라 새로운 관계들을 이용했다.

중요한 것은 정신분석 이론이 전기적 연구의 중심에 이야기와 주관성에 관해 근본적인 질문을 제시한다는 것이다. 우리가 소위 그들을 호칭하는 '심리사회적' 배우들은 자신들이 무엇을 하는지에 대해 의식이 없을 수 있다: 그들의 행동들—그리고 이야기들—은 심리학적, 사회학적 설명을 필요로 하는 욕망 혹은 그것의 좌절에 뿌리를 둘지도 모른다. Michael Roper(2003)가 관찰한 것처럼, 이것은 또한 연구의 실제 과정 안에서 적용된다. 연구는 관계이고 무의식적인 과정들은 또한 영향을 미친다. 서술자들은 중요한 지난 관계의 특성을 우리 연구자들 덕분으로 여긴다. 그들은 이야기를 하며 달래거나 기쁘게 만들어 주길 원한다(West, 1996, 2007). 심리분석 이론은 신속성과 기억, 과거와 현재, 자신과 타인 사이의 관습적인 구분에의 도전 못지않게 삶의 이해 및 전기적 연구 과정을 형성하는 데 중요한 기여를 했다.

비판 노트

이번 장의 중심에 있는 페미니즘을 포함한 일부 생각들이 주요한 비판 대상이 되어 왔다는 것을 언급하는 것은 중요하다. 예를 들어, Martyn Hammersley(1995, 2000, 2002)는 해방으로써 연구의 생각들과 문제들을 다뤘다. Molly Andrews(2007)는 또한 우리에게 단지 우리가 듣고 싶은 것만 듣는 것에 대해 혹은 우리의 이상적 선호나 선입견, 그리고 현재 필요한 것에 적합한 것만 듣는 것에 대해 경고했다. 우리의 공동연구자들은 의식적이든 의식적이지 않든 특정 방식으로 우리가 그들에게 표현하기 원하는 것에 따라 이야기를 하도록 유도했을지도 모른다. Hammersly는 또한 우리가 듣고 전하는 것에 대한 잠재적인 편견에 대해 우려한다. 그는 또한 단순한 억압개념에 맞서는 도구로서의 연구라는 생각에 의문을 제기한다. 억압의 개념은 세계의 억압받는 모델보다 더 복잡한 개념이다. 흑인 페미니스트들이 얘기한 것처럼, 백인 페미니스트들은 종종 인종차별을 무시하고 그들의 무지에 억압적일 수 있다. 세계는 억압하는 사람과 억압받는 사람, 그리고 힘있고 힘없는 사람들의 사이를 쉽게 적절하게 분리하지 않았다. Foucault 혹은 그 문제에 대해 정신분석은 이러한 이분법에 도전했다. 우리는 우리 자신이 억압되어 있는 와중에도 업압에서 적극적인 주체가 될 수 있고, 타인의 억압에 연루될 수 있다.

Hammersley는 또한 연구는 그것의 해방의 잠재성보다 다른 방식으로 판단될지도 모른다고 주장했다. 즉, 복잡성을 이해하는 것은 그 자체로 의미 있는 목표이다. 우리는 페미니즘과 관련된 일부 가치들과 이론적 영향들이 페미니스트만

이 아니라는 그의 제안에 동의한다. 그러나 우리가 이견을 보이는 것은 연구의 가능성, 그리고 연구의 절차에 대해서뿐 아니라 경험 안에서, 그리고 경험에 대한 질문과 성찰을 장려하기 위해 연구 관계에 힘을 부여하는 것과 관계가 있다. 우리는 어떻게 사회 질서—그리고 그것의 주된 담론—가 사람들이 말하는 이야기에 만연할 수 있는지와 반대로 그러한 사람들이 새로운 경험의 빛으로 그것들을 반영할 수 있다는 것을 언급해 왔다. 연구는 이러한 관점에서 특히 종적이고 대화적인 관점에서 진실로 비판적이고 성찰적인 학습을 위한 전환적인 공간을 제공할 수 있다.

범주 개발하기

전기적 연구를 구성하는 다른 이론적 틀은 중요하며 우리는 이런 차이의 일부를 분류하는 간단한 스키마를 개발했다. 이 차이들은 연속체에서 표현될 수 있다: 한쪽에서는 매우 '과학적'이고 객관주의 성향이 있다. 여기서 주안점은 매우 중요한 이론을 수립하는 것에 대한 중요성과 상호주관적인 절차 또는 더 특정한 상황에 놓여 있는 부분적인 이해보다는 연구자의 존재를 최소화시키는 것이다. 다른 한쪽에서 주안점은 당면한 관계에 초점을 맞춰 주관성과 공통주관성을 활용하는 것이다. 이는 대화와 연구에서의 상호관계 그 자체를 성립하는 것에 연관된 중요성을 포함한다.

연구자에 대한 대화적 자리매김	←——→	연구자에 대한 과학적 자리매김
주관성	←——→	객관성
경험	←——→	이론
원전주의(textualism)	←——→	실재론(담론에 대한 의문)
대화적 민주주의	←——→	과정으로부터의 과학적인 분리

표 4.1 전기적 연구 내에서의 위치

결론

전기 연구의 이론적 기반은 중복되지만 다양성도 있다. 상징적 상호작용주의는 프랑크푸르트 학파와 억압적인 사회적 규범을 밝히는 페미니즘과 이것이 자연스러워 보이게 하는 방식에서 중요한 부분을 차지한다. 포스트모더니즘은 논쟁의 여지가 있는 방식으로 기여했다. 정신분석학적 관점은 주관성의 역동적이고 관계적인 질은 물론 욕망과 저항의 작용에 대한 통찰력을 제공한다. 이것들은 사회 문화적, 역사적 이해뿐만 아니라 신경학과 통합되어 있으며 전기의 핵심인 자신에 대한 사고를 통해 구체화된다. 연구자로서, 우리는 다른 이론이나 합성을 도출할 수 있다. 거기에는, 또한 중복이 있다 하더라도, 어느 정도 뚜렷한 영-미 연구 흐름과 유럽 대륙의 주류가 있다. 페미니즘과 주관주의는 상징적 상호작용과 함께 전자에서 더욱 강하게 나타난다. 또한, 초기부터 언급한 바와 같이 전기 연구를 수행하면 우리가 삶의 다양한 차원을 이해하고 기술하기 위해 씨름하면서 우리로 하여금 학제간 연구를 지향하게 할 수 있다.

요점

- 전기적 연구는 이론적인 것과 인식론적 관점의 넓은 범위에서 다루어진다.
- 전기적 관점에서, 이론은 비록 변할 수는 있지만 지나치게 추상적이기보다는 중간 범위 혹은 실제적인 경향이 있다.
- 연구는 비록 모호하더라도 항상, 그리고 반드시 특정한 이론적 관점에 기반을 두어야 한다.
- Barbara는 그녀의 연구에서 페미니즘, 상징적 상호작용주의 그리고 비판이론을 사용했다. 반면에 Linden은 심리학, 사회학, 페미니즘 그리고 정신분석학을 제시했다.
- 이론적 및 방법론적인 관점은 보다 인도주의적, 주관적인 강조에 대한 과학적이며 보다 객관주의자적인 접근법에서부터 하나의 연속체상에서 나타낼 수 있다.

추가 읽을거리

Bulmer, H. (1983) *Symbolic Interactionism: Perspective and Method.* Berkeley: University of California Press.

Calhoun, C. (1995) *Critical Social Theory.* Cambridge, MA: Blackwell Publishers.

Crotty, M. (1998) *The Foundations of Social Research: Meaning and Perspective in the Research Process.* London: Sage.

Denzin, N. K. and Lincoln, Y. (eds) (2003) *The Lanscape of Qualitative Research.* Thousand Oaks, CA: Sage.

Hammersley, M. (1995) *The Politics of Social Research.* London: Sage.

토의 질문

1. 논의된 관점들 중 어떤 이론적 관점들이 당신에게 가장 흥미로웠는가? 그 이유는 무엇인가?

2. 당신의 삶에서 특정한 전기적 순간이 있는가 — 변화 혹은 직관 — 당신이 말할 수 있는 특정한 이론적 관점에서 그러한 순간이 있는가?

활동

1. 현장 연구 활동: 친구들과 활동을 같이 할 수 있는 사회적 상황을 선택하라. 마지막 활동으로 각각 차례대로 이 상황을 어떻게 느꼈는지 그리고 이 장에서 소개된 일부 생각들을 사용하여 그 상황을 어떻게 인식하고 해석할 수 있는지 물어보라.

2. 학습자로서의 당신의 인생 커리어를 생각해 보고 연대표로 그려 보라. 당신은 옹호된 피험자로서 여러 번 자신에 대해 생각하는 경향이 있는가?

5

좋은 실천 보여 주기
사례 연구

나는 삶이 연결들로 이루어진다는 것과 우리가 항상 삶의 과정에 있을 때는 알지 못하는 방식으로 짜여진 내러티브가 있다는 것을 알고 있다. 이것은 사람들의 전기를 함께 모으는 데 엄청나게 유용하다. 왜냐하면 이것들이 함께 짜여진 방식과 그것의 연결을 이해하는 것은 개인들에 대한 프로그램을 그려 가고 그 때에는 잘 작동되지 않았던 것에 맞서는 데 큰 도움이 될 수 있다. 이것은 하나의 대단한 과정이며 뭔가를 해내는 훌륭한 도구이다 (Teach First라 불리는 교사교육 프로그램의 참여자는 '도전적인' London 학교들에서 종사하고 있다)(Linden West, 2006, p. 1).

개요

- 보다 큰 구체성을 가지고 전기적 연구의 잠재성을 설명하기 위해 우리의 연구를 토대로 네 개의 사례 연구를 이용한다.
- 전기적 연구에서 계급, 성, 인종과 같은 것들의 구조적 과정을 확인한다.
- 전기적 연구를 통해 어떻게 복잡한 '심리사회적' 연결들을 시간과 경험에 연결할 수 있는지를 살펴본다.
- 비유들이 연구에서 이해를 구축하는 데 얼마나 중요한지 생각해 본다.
- 전기의 고통스러운 측면들을 다룰 때 제기되는 몇몇 윤리적인 문제들을 소개한다.

이 장에서는 우리의 연구를 토대로 많은 심층적인 사례 연구들을 제시한다. 이 사례들은 전기적 연구를 설명하기 위해 설계된 것들인데 구체적으로 어떻게 전기적 방법을 쓰는지와 연구의 결과와 연구 과정의 해석에서 이론의 역할이 무엇인지에 대해 다룬다. 또한 이 사례들은 이후의 장들을 위한 배경이 되며, 독자가 주제들을 선택하고, 인터뷰하고, 자료를 해석하는 것을 시작할 수 있도록 돕기 위해 설계되었다. 이와 같은 연구의 특별한 잠재력은 다른 형태의 많은 연구의 실패한 부분들을 해명하며, 어떻게 내러티브 자료들이 우리가 보기에는 삶의 절망적인 측면들을 연결시켜 줄 수 있는지를 설명한다. 사례 연구는 3장에서 소개된 소외된 공동체 내의 가족들 사이의 연구, 의사들의 학습하는 삶에서의 성과 민족성에 대한 연구, 그리고 도전적인 런던 학교들에 배치된 예비교사들에 대한 최근 연구이다. 또 하나의 사례는 삶 속에서의 계급, 성, 민족성, 정체성의 복잡성과 씨름하는 고등 교육 영역의 성인 학습자들에 대한 Barbara의 연구이다. 이 사례들은 변화 과정과 구조와 기관(agency)의 상호작용에 대한 우리의 중요한 관심을 명확하게 드러낸다.

가족들과 기관들 간의 상호작용

가족들 간의 연구는 특정 '가족 지원' 프로그램들이 지원적이었는지 강제적이었는지에 대해 집중했다(West, 2005, 2007, 2008a, 2008b; West & Carlson, 2006, 2007). 우리는 역사와 전체 생활세계의 맥락에서 가족들 본인들의 이야기를 통해서 의미와 중재의 중요성을 기록하고 해석하는 것을 원했다. 언급한 것처럼 연구 프로그램 중 하나인 '슈어 스타트(Sure Start)'는 영국에서 중요한 다중-기관(multi-agency)을 시작한 프로젝트이다. 이것은 5세 이하의 아동들과 600개 이상의 아동센터에서 확인된 매우 궁핍한 '취약한' 가족들을 지지하기 위해 협력적으로 일하는 다양한 전문가들을 포함한다. 이 프로젝트는 미국의 헤드 스타트(American Head Start) 계획을 본떠서 만들었고(이것은 또한 호주의 베스트 스타트(Best Start)와 비슷하다) 결핍의 순환을 깨는 것을 추구하고 아이들이 학교에 가서 더 잘 배울 수 있도록 한다. 반면에 부모들은 노동시장에 진입하도록 장려하거나 성인 학습이나 훈련 프로그램에 참여하도록 한다(West & Carlson, 2006).

새로운 노동

슈어 스타트(Sure Start)는 하향식 접근을 결합한, 본질적으로 새로운 노동(New Labour)으로 여겨질 수 있다—목표 설정, 높은 조건부의 단기 자금과 정기적인 회계 감사. 공익사업의 발전에 있어 지역 사람들을 참여시키려는 노력을 함께하며 공동체 권한 부여에 대한 설득력은 가난을 해결할 수단으로써 부모들을 노동시장에 참여시키는 것에 대한 강조와 더불어 공존한다. 그러한 많은 계획들처럼, 슈어 스타트는 상당한 논쟁을 유발했다: 이러한 프로젝트들은 소외된 가족들에게 지나치게 참견하거나 수혜를 베풀었다—심지어 도덕적으로 권위주의적이었다. 이러한 소외된 가족은 사람들과 공동체로부터 초래된 결핍된 모형이라고 보았다(Coffield, 1999; Ecclestone, 2004). 가난 혹은 개인화된 문화 속에서 성인의 연대 붕괴보다 부모들이 다양한 사회적 문제들에 대한 원인으로 비난을 받았다.

　슈어 스타트에 대한 국가 단위의 평가에 따르면(설문 조사와 시간이 지남에 따라 다양한 측정을 했고, 광범위하게 무작위적으로 부모들을 인터뷰했다), 프로그램은 가족들에게 단지 미미한 영향을 끼치는 것으로 나타났다. 연구자들은, 예를 들어, 슈어 스타트 지역 내외에 사는 아이들 간에 구별할 만한 발달적, 행동적 혹은 언어적 차이를 찾지 못했다. 그러나 이것이 변화하기 시작했을 수 있다는 최근 증거가 있다(NESS, 2005, 2008). 하지만 국가 단위의 샘플에 속한 가족들이 무조건적으로 프로그램에 참여한 것은 아니었다는 것을 참고해야 한다. 이는 이 조사의 주요한 방법론적인 약점일 수도 있다. 그리고 국가적 평가에 대한 설계는 시간의 흐름에 따른 아이들과 부모의 경험의 의미에 대한 역동적이고 계속적이며 깊이 있는 탐구를 허락하지 않았다.

자서전/전기적 연구를 형성하는 연구 질문들은 어떤 결손 모형이 프로그램을 수행할 수 있을지 혹은 전문가들과 부모들조차도 일어났던 일을 구체화하는, 현지의 상황이 더 복잡한지 아닌지의 영역에 집중했다. 우리는 슈어 스타트가 사회 통제와 규율의 형태를 나타내는지 물었다. 즉 사람들에게 그들 스스로 생각하도록 격려하거나 심지어 지배적인 문제에 의문을 제기하도록 하기보다, 사람들이 '올바른' 방법으로 생각하고 느끼게 하는가? 경쟁의 안건들이 슈어 스타트가 의도했던 것을 넘어 역할을 실행할 수 있는가? 특정 프로그램에서 부모들은 서비스 제공자와 공급에 대해 질문하도록 격려되고 있는지, 그리고 부모들이 과정 속에서 단순히 서비스의 '소비자'가 아니라 더 능동적인 시민이 되었는지 등을 물었다. 더구나 우리는 많은 가난한 공동체들에 대한 공공 기관, 전문가 그리고 그들의 주제들에 대한 의심과 저항의 증거들을 고려하여 취약 가정이 우선적으로 적절한 도움을 추구하고 찾도록 할 수 있는 지원을 조직하는 방식을 연구하길 원했다(Ranson & Rutledge, 2005).

방법

우리는 기회적, 목적적 샘플링을 통해 선정한 연구 참여자들과 일했다(3장과 6장 참고). '기회적 샘플링(opportunistic sampling)'이란 더도 아니고 덜도 아닌 그 말 그대로를 의미한다. 연구자들은 기꺼이 참여하길 원하거나 관심이 있거나, 관심을 가지도록 설득될 수 있는 사람들과 일한다. 우리는 프로젝트에 참관해 관계자들에게 연락처를 요청했다. 또한 사람들은 그들이 진정으로 공유하기를 원하는 특별한 경험을 갖고 있을 수 있다. '목적적' 샘플링은 특정한 이론적 중대성을 탐구하기 위해 만들어졌다. 예를 들어, 프로젝트 안에서 남성의 역할이나 가정 내의 감정 노동 안에서 남성의 역할을 연구한다. 소외된 지역 사회에서 특정한 형태의 남성 고용이 줄었듯이(West, 2008b) 우리는 7개의 연구 주기까지 5년 이상씩 각각의 가족과(관계자를 포함해서) 함께 많은 시간을 보냈다. 그리고 그 시간 동안에 우리는 공식적 및 비공식적인 강의와 회의들을 참관했다. 우리는 부모들에게 구체적인 말로 프로그램의 특정한 경험들을 나누도록 요청하는 것으로 시작했는데, 이는 특정한 서비스나 강의 혹은 개인을 접하고 이러한 것들이 지금까지 얼마나 도움이 되었는지에 관한 것이었다. 사람들은 그들 지역에서 삶의 경험만큼이나 개인사에 대해 질문을 받았다. 그리고 가족들의 관계변화, 아이와 부모와의 상호작용들을 알 수 있었다. 연구들은 그들의 관계를 개선하고 보다 더 역동적으로 만들게 되었다. 어떤 참가자들은 보다 더 자신감이 커졌고, 그들 삶에 대해 호기심이 증대했: 그들이 말하기를, 이것은 모두가 서로 공손하게 듣고 관심을 가졌다는 점에서 특별했다.

인터뷰들은 구술사 관습을 사용하여 녹화되고 완전히 기록되었다(이것들에 대한 논의는 7장 참고). 주제들은 귀납적으로 개발되었고 부모들은 기록물들을 읽고, 그들 자신의 문제들을 확인하고 과정을 반영하도록—얼마나 우리에게 말하기 쉬웠는지를 포함해서—요구되었다. 평가서는 개인적 사례들을 분석하기 위해 고안되었다(8장 참고). 이것은 연구에서 문제들의 전이와 역전이를 포함했다(전이는 어떻게 연구자들이 중요한 사람들로부터 그 사람의 과거를—부모 혹은 유사한 권위 존재—종종 무의식적으로 나타내게 하는지를 의미한다).

반면에 역전이는 이것이 연구자들 사이에서 무엇을 환기시킬지에 대한 고민이다. 각 서식자료(proforma)에는 일반적인 전기적 자료들, 떠오르는 주제와 생각들, 읽을 참고문헌들이 포함된다. 연구자로서 우리들 각자는 모든 참여자들에 대한 서식자료를 작성하고 나서 현장노트 및 일기를 비교한 후 자료들을 통합한다.

슈어 스타트: 지속 공간(sustaining space)?

다양한 주제들이 공간이라는 비유를 둘러싸고 확고해졌다(우리 모두는 연구와 글쓰기에서 비유를 사용한다. 이 예시에서 공간적 비유법은 내부의 심리학적 공간과 정신 건강의 문제를 생각하는 것으로부터 가족들과 전문가들 사이에서의 공간의 질뿐만 아니라 이 프로젝트에서 만들어진 공적 공간의 본질까지를 포함한다). 프로그램은 아마도 다음의 예를 나타낼 수도 있다. 예를 들어, 가난, 가족의 붕괴 그리고 정신 건강의 문제로 고군분투하는 큰 고통을 겪고 있는 가족을 위한 '지속 공간'에서 혹은 전이 공간에서, 사람들은 새로운 방식으로 자신에 대해 생각하고 느낄지도 모른다.

남편과 두 아이가 있는 젊은 Heidi는 '지속 공간' 찾기의 사례를 제공한다. 그녀는 부모지원 과정에 참석함으로써 슈어 스타트 프로젝트에 참여하게 되었다. 이는 아이들과 함께하는 놀이학교와 성인 교육 수업이었다. 그녀는 힘겨운 정신 건강 문제를 위한 전문가의 심리적인 지원을 받았다. 그녀의 배우자인 Joe에게 지역사회 종사자는 연구에 참여하도록 제안했다. 그들은 비록 연구동참에 동의했지만, 우리를 보는 것에 대해 염려했다. 우리는 슈어 스타트가 연구를 의뢰했다는 것을 설명했다. 왜냐하면 그들은 프로젝트를 그들과 같은 부모의 관점에서 이해하고 싶었기 때문이다. 우리는 가족과 특정 직원 및 서비스와의 상호작용을 탐구하는 바람과 평생동안 이것들의 의미와 중요성을 이해하기를 소망한다고 말했다.

첫 인터뷰 때 Joe는 이렇게 말했다:

그것은 우리가 어렸을 때 일어났던 일이고 사람들이 상처를 받는 것처럼, 이것은 지울 수 없는 것으로, 그런 고통을 느낀 사람이 다른 이들을 허용하는 데는 어려움이 있었지요. 자신감을 키우는 데 오랜 시간이 걸려요 … 난 14살 때 보육원에 들어갔고 그 후 위탁부모에게 맡겨져 베드싯(bed-sit)에서 지냈죠. 베드싯은 잘 작동되지 않았고 … 그래서 기본적으로 나는 결국엔 길거리로 나앉았지요.

Heidi는 Joe와 유사한 경험을 나누었다:

나의 아버지는 나를 원하지 않았어요. 아버지는 오직 누나와 오빠만을 원했고요. 그들은 나를 병원에 버려 두었고 나는 3살 때부터 이모와 삼촌과 함께 있었지요. 그 후 나는 또 다른 보육원에, 위탁 가정에, 대모 집에 그리고 다른 사람 집에 차례로 있었어요. 마침내 나는 '이제 그만'이라고 말했어요. 내가 나이가 들면 정착하고 나만의 아이들을 가질 것이고요. 나는 그 아이들이 같은 방식으로 내가 겪은 일들을 경험하지 않기를 바래요. … 내가 아기였을 때 나에게 어떤 일들이 일어났는지에 대해 누군가에게 설명하는 것은 어려워요. 왜냐하면 부모가 나를 왜 떠났는지에 대해 아직도 이해하지 못했기 때문이지요.

Joe와 마찬가지로 Heidi는 한 의붓 가정에서 또 다른 가정으로 옮겨지는 것을 묘사할 때 눈물이 쏟아졌다. 그녀는 울었고 우리는 그녀에게 인터뷰를 그만하기를 원하는지 물었으나 계속하기를 원했다. 그녀는 인터뷰 전에 누구에게나 자신의 인생 역사에 대해 이야기할 기회가 없었다고 했다. 설명하기는 어려웠지만, 그녀는 자신에게 일어났던 일들이 왜 일어났는지 이해하지 못했고, 어디서부터 시작을 하고 어떻게 시작을 해야 하는지 몰랐다.

그녀는 최근에 새로운 육아 강좌를 시작했다. '이 강좌는 나의 두 아이들에게 무엇을 해야 하는지 알게 해 주어 더 많은 자신감을 주었다. 강좌 마지막날, 나는 육아 자격증을 얻었다. 난 정말 행복했고 그것에 대해 만족했다. …'

그러나 그녀에게 지난 일의 문제들은 너무 '컸고' 항상 그 문제들과 싸운다고 했다:

기본적으로 우리를 도와줄 가족들은 없어요. 우리는 그냥 우리 자신뿐이고 그것이 전부이구요. 적어도 우리는 변화를 위해 무언가 좋은 일을 했어요. 결국에는 적어도 아무도 우리를 깔볼 수 없다. … 나는 아이들이 내가 겪었던 것들과 동일하게 겪는 것을 원치 않아요.

그들은 슈어 스타트가 처음에 위협적인 것처럼 보였다고 했다. 그들은 다른 사람들이 그들을 확인할지도 모른다고 두려워했고 '그 생각이 항상 머릿속에서 맴돌았다.' 그들은 보호 아래에 있는 아이들과 시간이 흘러도 반복되는 패턴이 두려웠다. Heidi는 그들이 다음과 같이 해야만 했다고 말했다:

> 우리가 적절하게 그들을 돌보고, 적절히 먹이고, 이와 같은 것들을 하고 있다는 것을 확실히 해야 해요. … 그들이 보살핌을 잘 받고 있는지, 매일 매주마다 항상 씻기며 깨끗하고 청결한 옷을 입는지 봐야 하지요. 냉장고에 음식이 있고 찬장에 음식들이 있는지 확인하고 … 기본적으로, 어릴 때 우리에게 발생했던 일들이었어요. 그것이 문제의 대부분이었고, 사람들이 상처를 받았고 그들은 상처를 지울 수가 없어요.

Heidi는 점차적으로 슈어 스타트의 다른 직원들, 지역사회 활동가, 그리고 그녀가 만난 몇몇 다른 어머니들을 신뢰하는 걸 배웠다고 말했다:

> 그들은 나에게 엄마와 같은 존재들이에요. 나의 삶에서 한 번도 가져 보지 못했듯이. 그들이 나의 친구일 뿐 아니라 가족의 일부인 것처럼 느껴져요. 그들도 또한 나를 그들의 가족의 일부로 느껴요. 왜냐하면 내가 가족 모임에 가고 … 거기서 다른 엄마들을 만나기 때문이에요.

Heidi는 슈어 스타트가 아니었다면 불가능했을 정신치료를 받기 시작했다. 그러나 우연히 그녀의 프로젝트에 대한 관계와 연구 관계 또한 바뀌었다, 이는 의심에서 대단한 믿음으로 변한 것이다. 우리는 6개월 뒤에 두 번째 인터뷰를 마련했다. Heidi는 특히 우리를 만나는 걸 즐겁게 여겼다. 지역사회 활동가들로부터 첫 번째 인터뷰에 대한 긍정적 피드백이 있었고, Heidi는 인터뷰가 얼마나 쉬웠는지 언급했다. Joe와 Heidi 둘 다 인터뷰 기록을 읽었고 '그것이 완전하여 좋아했다.' 그들은 그들의 인생 역사에 대해서 더 생각했다. Heidi는 여러 가지 중에서 요리를 하지 못하도록 막는 그녀의 '심리적 문제'들을 언급했다. '불편한 기억'들이 너무나 많이 있었고, 이로 인해 그녀의 자신감은 파괴되어 갔다. Joe가 요리를 했고 특정한 요리를 만드는 것을 돕고 있었다: '결국 나는 어느 날 해내고 말 것이다.' Joe는 슈어 스타트는 '보면 알겠지만 주로 여성들을 위한 것이었다. 그래서 내가 거기에 정말로 참여할 수 없었다. … 나는 직접 어떠한 것도 웬만하면 충분하게 대처할 수 있다. 나는 거의 모든 것을 상대할 수 있다'고 강하게 주장했다. 그는 인터뷰에 기여하기도 했지만 때때로 더 멀리하여 미심쩍어 보이기까지 했다. Heidi는 우리에게 아이들과 더 행복함을 느낀다고 말하며 끝마쳤다. 왜냐하면 그녀가 "아이들에게 더 단호한 태도를 보이기 시작했다며 '좋아, 너희들이 내 말을 들어야 해. 내가 너희 말을 듣는 게 아니라'라고 말했다. … 나는 그들이 이제 내 말을 듣기 시작해서 더 안도가 된다."

그녀는 다른 엄마들과 다른 활동가들과의 만남의 중요성에 대해 더 설명하고 몇 개의 성인 수업에서 이룬 성취감도 말했다. Joe와 Heidi만이 이렇게 말한 것이 아니었다. 슈어 스타트의 의미는 그러한 많은 부모들, 특히 여성들에게 달라졌는데, 불확실함과 심지어 위협적인 공간이 더욱 안전하고 확실한 공간으로 변화했다. 부모들은 처음에는 의심했다: '사회적 활동가들이 우리를 검사하는 것인가?' 몇몇 부모들이 계속해서 참여를 거부했지만, 대부분의 사람들이 프로젝트를 자원으로 바라보게 되었다.

전기적 인터뷰 사용과 학습의 광범위한 이익에 대한 연구에서 Tom Schuller 등(2007)은 많은 어머니들을 위한 성인 학습과 양육 프로그램의 '지속적인' 참여 효과를 주목해 왔다. 그들은 어린 아이들을 키우고 교육 프로그램들에 참여함으로써 부모가 개인 정체성의 감각을 유지하도록 해 주는지 관찰했다. 집 밖으로 나가고 그 주의 일시적인 체계와 어른 대화에 참여할 수 있는 것에 대한 신체적 안도감이 있었다. 이러한 과정들은 단순히 개인적인 수준에서 판단되면 안 된다: 종종, 부모들이 젖을 먹이거나 아이들을 통제하거나 그들 자신의 짜증과 분노에 대한 통제에 어려움이 있었다는 것을 이해해야 된다. 이는 안도감을 주고 자신감과 상호지원을 만드는 데 도움을 주었다. 작지만 중요한 사회의 기본 구조가 강해지고 특정한 가족의 삶이 향상되었다.

더욱 놀랍게도, 슈어 스타트 프로젝트(다른 특정 가족 학습 프로젝트들과 마찬가지로(West, 2007))는 우리가 칭하는 '변화하는' 그리고 '교류적인' 공간을 만들었다. '변화하는 공간'은 원래 심리분석가 Donald Winnicott에 의해 개발된 개념이다. 이는 사람들 사이의 관계 변화들을 보여 주고 이론화하기 위함이다. 그는 주요한 돌보미들로부터 분리되어 생기는 유아의 어려움과 무엇이 심리학적으로 건강한 방식을 가능하게 하는지에 관심이 있었다. 그는 또한 성인 삶에서 분리와 자기-협상의 과정에 그 생각을 적용했고, 사람들이 의존성과 방어성에서 경험에 대한 더 큰 개방성과 새로운 형태의 노력으로 변하는지 탐구했다; 상대적으로 불안정함에서 애착에 대한 더 확신 있는 형태로 변했다(Winnicott, 1971). 성인 학습 집단 혹은 치료 등과 같이 변화하는 공간들은 많고 다양한 형태들을 지닐 수도 있다. 중요한 타인들과 그들의 반응들은 자신과 가능성을 재평가하는 데 중요하게 여겨졌다. 개인은 걱정을 자제하고 격려하고 도전하는 것뿐만 아니라 위험 감수를 정당화하는 방식으로 시도된 것들에 반응하는 중요한 타인들의 능력 때문에(교사나 다른 존경받는 전문가들처럼) 자신, '현실'과 미래 가능성들에 대해 다르게 생각해 보고 느낄 수 있다.

'교류적인 공간'은 정치와 비슷한 개념으로 여겨질 수 있다: 다른 말로, 만약 부모들이 처음에 프로젝트에 초대되었다면, 그들이 얼마나 많이 질문하고 지역 공공 서비스를 포함하는 주제를 형성하도록 격려되었을까? 여기 시민권에 대한 상관관계 모델이 있다. 그리고 이 모델은 단지 교육적 환경에서의 형식적인 가르침보다, 매일의 만남과 우리가 듣는 이야기를 통해 시민으로서 우리의 입장에 대해서 배우도록 한다. 우리 자신에 대한 잠재적인 정치적 대리인으로서의 감각은 타인의 연합과 함께, 공간의 효용성이 주어질 때 바뀔 수 있다. 이는 새로운 방법으로 생각하고 느끼고 존재하는 것을 배우게 한다(Biesta, 2006).

젊은 엄마인 'Margaret'의 사례는 중요한 점을 시사한다. 마지못해, 그녀는 슈어 스타트 프로그램에서 활동가가 되었다. 그녀가 처음 프로젝트에 참여했을 때,

그녀는 폭력적인 관계에서 힘든 상태였고 우울증과 싸우고 있었다. 슈어 스타트 모임에 나가는 것이 매우 힘든 걸음이었다. 그녀는 '당신은 조언(input)이 있었고 나는 관련되어 있음을 느꼈다. 그래서 … 나는 안전하고 편안한 걸 느꼈다.'라며 발견한 것에 놀라워했다. 특정 관계자에게 커지는 그녀의 신뢰는 그녀의 이야기의 중심이다. 그리고 이것은 위험을 감수하도록 해준다. 그녀는 과정 중에 '돌봐지고 이해받고' 있다고 느꼈으며 그 과정에서 자신에 대해 더 낫게 느꼈다.

Margaret은 관리경영진에 참여했고 더 많은 부모들이 참여했다. 처음에는, 그녀가 말한 것처럼 '완전히 맞지 않았다'. 부모들은 한 구석에서 같이 모였고, 전문가들과 지역 정치인들의 의식들과 언어들을 이해하려고 노력했다. 공공 기관에서 온 대표자들은 모임 때마다 바뀌었고 신뢰와 관계를 형성하는 것을 어렵게 만들었다. 더구나, 부모들이 '정장'을 차려 입을 땐 그들이 그들 자신의 아젠다(agendas)를 실천하는 것에 목적이 있는 것처럼 보였다:

첫 몇 시간 동안은 정말로 긴장했어요. 그러나 이제 그것에 당황하지 않아요. 처음에는 나는 눈에 띄지 않는 곳에 앉곤 했어요. … 내가 무언가를 하는데 그들이 나를 믿을 수 있다는 것을 알았을 때 사실 큰 차이를 만들었어요. 그리고 나는 그것에 대해 크게 망칠 생각이 없었구요.

Margaret은 (국내 폭력과 함께 지역의 주요한 문제였던) 어린이 보호 정책과 지역 가족들의 치료에 대한 회의에서 도전의식을 북돋우는 전문적인 사항들에 대해 말했다:

나는 그것을 말하는 것에 대해 매우 긴장했어요; 나는 그것에 대해 말했고 매우 나쁘진 않았어요. … 그것은 어린이 보호와 관련된 것이었죠. … 나는 그것을 말하고 싶었다는 것을 알았고 적절하게 말해야 했어요. 그리고 나는 그렇게 말했고 기뻤지요. 이것은 나에게 있어서 매우 대단한 첫걸음이었어요. …

회의실에 있는 대부분의 사람들은 그녀의 말에서 전기적 중요성을 이해하지 못했을 것이다. Margaret에게 있어, 그녀의 삶 전체에서, 그것은 과도기적 공간에서의 진전을 나타냈으며, 단순히 '엄마로서, 집에 박혀 있는 것'으로부터 더 복잡하고 새로운 정체성을 포용하는 첫걸음이다. 그녀는 과도기적이고 교류적인 두 차원에서 자신을 위한 공간을 요구했고 적어도 잠시 동안 잠재적인 극심한 걱정을 극복했다. 그러한 과정들은 작고 좀처럼 알아보기 어렵고 쉽게 놓치지만 전기적으로는 중요하다. 자서전/전기적 연구는 다른 방법들은 놓칠 수도 있는 것을 미세한 수준과 다양한 변화, 매우 자세한 세부사항들까지 밝혀 줄 수 있다.

그러나 이와 같은 연구는 윤리적 의문들을 제기할 수 있다: 연구자의 역할, 연구와 치료 사이의 경계, 그리고 연구자로서 일할 때 노력에 대한 의무의 필요성. 연구는 일종의 매혹적인 제국주의로 표현할 수 있고, 이는 사람들에게 권한을 부여한다고 주장하지만 주로 연구자들의 경력과 이익을 위해 사람들을 이용한다(Hey, 1999). 우리는 10장에서 이러한 몇몇의 주제들로 돌아가지만 시작부터 전기적 방법(혹은 다른 형태의 연구)의 윤리를 고려하는 것은 중요하다. 또한 질문들은 전기적 자료들을 어떻게 표현할지 그리고 민감한 자료의 익명성이 무엇을 요구하는지를 제기한다. 우리는 이에 대해 9장에서 알아볼 것이다.

도심에서의 작업과 학습

두 번째 사례는 힘들고 부담이 많은 도심 지역에 위치한 의사 가족 혹은 일반의(General Practitioner: GP)의 일과 학습하는 삶에 대한 자서전/전기적 연구이다 (West, 2001, 2004a). 예를 들어, 환자들이 가난이나 어려운 가정이 원인일 수 있는 우울증이나 절망에 빠져 있는 상태를 직면했을 때 의사로서 겪는 감정적인 경험들을 반영하고 이론화하는 것에 특별한 관심이 있었다: 의학적 개입만으로는 쉽게 해결할 수 없는 것이었다.

도심의 분열과 도외시된 환경과 이런 도심의 사회적 소외의 위험 증가, 그리고 정신 건강 문제들의 증가(가족 중 3분의 1이 정신 질환으로 고통받고 있다고 추정된다(LSE, 2006))는 의사와 그녀의 작업에 영향을 줄 것이다. 소외와 증가하는 의료 불평등, 삶의 기회에 대한 불평등, 그리고 지역사회 간의 긴장감 또한 영향을 줄 수 있다. 그런 지역 내에서 국가 평균보다 더 높은 수준의 무계획적인 임신과 약물 남용 그리고 사망률이 나타난다. 잉글랜드와 웨일즈에 있는 정신 병원을 찾는 사람들과 난민들의 3분의 2는 런던에 정착했다. 런던이 국가적 HIV 전염병의 중심이었을 때, 많은 사람들이 불법 거주나 호스텔에서 힘들게 잠을 잤다(West, 2001). 이러한 상황에서 일할 때, 의사들은 그들 자신이 '벼랑 끝에 서 있는' 것을 느낄 수 있다(또 다른 비유로!). 그들의 의욕은 낮을 수 있고 스트레스, 알코올 중독, 그리고 정신 건강 문제와 자살의 발생 빈도가 증가할지도 모른다(Burton & Launer, 2003; Salinsky & Sackin, 2000; West, 2001). 또한 새로운 서비스를 제공하고 비난과 소송을 피하기 위해 목표를 수행하고 달성해야 하는 압박 아래 연구의 실패와 어려움에 관해 열린 마음과 정직성을 가지려는 의사들의 의욕을 꺾을 수 있다; 혹은 그들이 다룰 수 없거나 알지 못하는 것에 대해.

분명히, 많은 의사들의 의욕은 잠시 흔들렸던 것 같았다. 그리고 정부와 정부 기관들의 처방에 더 크게 저항했다. 개선과 의무와 게다가 '효율성'에 대한 압박은 정책 입안자의 신뢰를 낮게 한다('Dr. Harold Shipman이 대중의 상상 속에서(Smith, 2001) Dr. Kildare를 대체했다). 어디에나 있는 진료소의 계획서, 수행 감시, 강제적인 재승인, 그리고 근거-기반 실행에 표현될 수 있다. 또한 의학 문화 내에서 의사로 사는 것에 대한 감정적, 사회적 측면을 방치한 역사가 있었다(Burton & Launer, 2003; Sinclair, 1997). 전문적인 커리큘럼에서 사회적, 심리적, 이야기적 형태의 이해의 도입에도 불구하고—더 광범위하게 문화적·사회적으로 비판을 이해하는 전문적인 실천을 포함하는—비판적이고 감정적인 형태의 학습은 간단명료한, 실천적 기풍을 가진 의학 문화 내에서 계속적으로 소외될지도 모른다(Burton & Launer, 2003; Sinclair, 1997).

이 연구는 기회와 목적이 있는 25명의 일반의(GP)의 샘플을 포함하고, 심도 있는 전기적 인터뷰를 최대 6회까지 4년 동안 지속했다. 문서상의 기록과 테이프는 시간이 지남에 따라 주제를 확립하고 공동적으로 동적으로 그들의 의미와 중요성을 고려했다. 한 예시로, 특히 정신 요법 의사로서 훈련에서, Linden이 그의 인생과 전문적 실행에서 비슷한 문제로 씨름하고 있을 때, 그 연구는 심오하게 감정 노동의 본성, 남성성, 성별에 대한 언급과 함께 '자서전적/전기적'이고 대화적 과정이 되었다(West, 2001, 2004a).

위기와 출현

연구 참여자인 의사 Daniel Cohen(우리가 3장에서 만났던)은 의학 분야에서 아웃사이더인 것처럼 느꼈다:

> 나는 주류 사람들이 믿는 것을 믿지 않아요. … 나는 … 그 담론들에 종종 깜짝 놀라요. … 현실의 본질에 대한 모든 가정들 … 의사들의 권력과…성차별주의자와 인종차별주의자 … 생각들 그리고 … 그와 관련한 결탁 … 나는 완전히 소외된 것을 느끼죠. … 쓰레기 더미에서 … 의학적 사실이라 불리는 얇은 층의 금을 채굴하듯이 … 환자의 … 생명을 … 마치 환자가 없는 것처럼 환자에 대해 말하는 방식이 …

8년 전 Daniel은 경력상의 위기를 경험했다. 그는 직장에서 자신의 요구를 충족시킬 수 없는 듯한 직업 교육을 받는 동안 불행했다고 말했다. 의사가 된다는 것은 다양한 수준에서, 그가 자신에 대해서 가끔 심오한 혹은 빈번하게 질문을 하는 환자들을 만나기 시작하면서 그에게 그 자신에 대해 기본적인 질문들을 하도록 강요했다. 의사들이 만나게 되는 환자들의 질문들 사이에—'나는 누구인가?' 혹은 '나는 왜 내가 갖고 있는 것과 같은 종류의 문제를 갖고 있는가?' 심지어 '무엇이 좋고 괜찮은 것인가?'—정돈된 구분은 없었다. 그는 그의 투쟁과 그들의 투쟁을 연결하는 촘촘한(원활한) 망이 있다고 주장했다.

Daniel은 자신의 개인 및 직업 생활에서 문제를 고려할 뿐만 아니라 그의 가족의 역사를 다시 알기 위해 심리 치료 및 체험 그룹을 이용했다. 그는 나치즘의 난민 아이였다. 이는 다른 사람처럼 그를 돌봄 직업으로 이끌었다. 그는 치유하는 욕망이 주로 자신에게 향했다고 생각했다. 그는 나치즘의 경험과 박해를 받으며 자랐다. 하지만 이것의 정서적인 부분은 그의 가족에 대해 거의 얘기하지 않았다. 그는 성공을 위한 필요에 의해 주도되었고 결코 불평하지 않았다. 가족들이 겪었던 무엇인가에 대해 그는 무엇이 '옳은지' 불평할 수 있었는가? 그는 외적으로 성공했지만 내적으로 고민된 것으로 자신을 설명했다.

그는 의사의 주관적이고 감정적인 차원의 무시 또는 실질적으로 지향하는 직업에서 비판적, 사회적 관점의 문제가 무시되어 왔다고 말했다. 그러나 이러한 이해는 보다 진정한 의사 존재의 핵심에 놓여 있다: 과학은 공감적 이해, 기술적 노하우, 사회적 비판 등 다른 방법과 함께 통합되어야 했다.

Daniel은 그의 삶에서 통찰의 중심에 새로운 관계와 자기 인식을 배치했다: 중요한 변화와 이행의 순간(Denzin, 1997). 그는 의사로서 자신에 대해 더 좋게 느끼게 되었고, 일의 여러 측면들을 더 잘 관리할 수 있게 되었다. 그가 일을 실행하는 데 있어서 '학습' 하위 문화를 지원하는 두 동료, 치료사, 새로운 파트너, 그리고 그들의 어린 아이들은 그가 환자들에게 더 공개적이 되고 더 관심을 갖도록 도왔다. Daniel이 결론내린 일반 의사들의 연구 생활은, 주류의 진리 담론과 불확실성 및 모든 사람의 혼란과 모든 문제 사이에 있었다. 의료 모델로부터 꼭 필수적인 것을 취함으로써 체제 전복적인 통합이 요구되었다. 그러나 이것은 개인과 내러티브 중심의 접근뿐만 아니라 문화와 자기 인식 내에 있다.

교사가 되기 위한 학습

세 번째 경우는 교사 교육에 대한 연구에서 파생된 것으로, 이번에는 어렵고 '도전적인' London 학교에서 일하고 학습하는 전문가가 되어야 하는 집단을 포함하고 있다. 연구 참가자들은 'Teach First'라 불리는 새로운 교사 교육 프로그램의 참여자들이다. 이들은 엘리트 대학에서 가장 명석한 졸업생들 사이에서 채용되었다. 참가자들은 대학에서 제공하는 6주간의 프로그램을 받고, 첫 해에 자격을 갖춘 교사가 되기 위해 일한다. 학교 기반 멘토와 대학 교사의 지원을 받으며 표준 범위의 도달 증거로 포트폴리오를 완성한다. 참가자들은 두 번째 해에 수습을 하고 경영대학원에서 경영 관리 리더십 과정을 이수한다. 그러면 그들은 가르칠지, 다른 직업을 택할지 선택할 수 있다: 최고 회사들이 프로젝트를 지지하고 멘토를 제공하여 잠재적이며 매력적인 전망이 주어진다(Hutchings, 2007).

　교사가 되기 위해 훈련을 받는 노력과 종종 힘든 감정을 유발하는 상황에서 정확한 방법으로 일하기 위한 노력은 Daniel의 이야기에서 반복되는 측면이다. 수습생들은 그들 자신의 삶에서 중요한 변화하는 과정에 참여하고—대학교로부터 가능한 직업으로—그들의 교육적 성공에도 불구하고 감정의 취약성과 불확실성은 나타날 수 있다. 이것은 연구 환경에서 자신을 더 잘 알고자 하는 욕구 그리고 그들의 어려움과 동료들이 어떻게 잘 개입하는지와 관련된다; 혹은 다문화 공동체들에서 학교들의 역할에 대해; 혹은 적어도 Qualified Teacher Status(QTS)와 관련 지어 가끔 어떻게 냉소적인 감정을 다룰지('가끔 냉소적으로 온갖 노력을 하는', 한 참가자가 말한 것처럼)와 관련된다. 그들의 학교 내의 경험 사이에 분명하고 구조화된 관계의 결핍에 대한 우려와 훈련의 정규적인 측면이 있을 수 있다—학생들과 선생님들 혹은 인종차별과 성에 대한 문제와 함께.

　이것은 주목되어야 하는데, 이념적인 맥락에서 영재들(gifted and talented)의 리더십에 대한 담론은 프로그램에 영향을 미치고, 민간부분의 수사학이 교육에 미치는 영향이 커짐을 반영한다—이는 많은 사람들의 문제를 리더십이 감수하도록 한다. 이것은 이전 교육적 발전에 대한 담론과 대조된다. 이는 소외된 집단에서 더 많은 사람들을 모아 가르치도록 하는 것이 종종 예상되었다. Teach First는 도전, 변화, 교사 교육의 현대화를 위한 수단으로 보였다. 그리고 훈련생들은 종종 스스로를 새로운 엘리트로 여기도록 권장되었다.

Rupal

예를 들면, Rupal은 무료 급식을 받을 자격이 높은 수준의 학생들(40% 이상)이 많은 남녀공학 중등학교에 다니고 있었다. 교육적 성과는 미약했다. Rupal이 학교로 오게 된 이유 중 하나는 종종 부가적인 언어(additional language)로서 영어의 지원을 받을 필요가 있는 학생들 사이의 문화적 다양성이라고 했다. 그녀는 소수민족 집단 학생들이 역할 모델로서 활동하는 아시안 선생님의 존재로부터 혜택을 누릴 것이라고 느꼈다. 그녀는 초기에 Teach First 프로젝트를 받아들였다. 왜냐하면 그것은 열정과 '희망의 빛을 제공'할 수 있는 기회를 보여 주었기 때문이다. 그러나 리더십의 수사학은 그녀의 인생에서 반복된 주제로써 높은 기대에 부응할 수 없다는 두려움과 압박을 가져왔다. '나는 항상 내가 할 수 있는 모든 것을 하기 위해 노력했다. 나는 항상 너무 많은 것을 쌓았고 그러고 나서 모든 것에 압도되었다'

　　Rupal은 특정 학생들과 열심히 일했다:

> 나는 그들에게 줄 것이 너무 많아요. ⋯ 나는 아시아 여자이고 어딘가로 향하고 있지요. 정말 나쁜 아이들 몇 명이 있었어요. ⋯ 하지만 그들 대부분은 단지 관심받기를 원하는 정말 좋은 친구들이구요. 그들은 모두 문제를 갖고 있어요 ⋯ 그리고 그들은 그냥 그들을 도와줄 누군가를 원하구요. ⋯ 그것은 어찌할 수가 없지요. ⋯ 한 흑인 남자애는 그냥 악몽이었어요. 정말 반항적인 ⋯ 나의 10년은 ⋯ 그냥 지옥이었어요. ⋯ 계속 놀려댔고 ⋯ 그들은 할 수 있는 한 심하게 나를 밀어붙였지요. ⋯ 여러 번 나는 ⋯ 그냥 행동문제들을 구분하는 것으로 끝내버렸지요. ⋯ 논의는 ⋯ 나는 그렇게 할 수 없었어요. 왜냐하면 그들은 나를 존경하지 않았고 그것을 어떻게 하는지에 대해 배우는 것이 문제였지요.

그녀의 불안은 사생활 문제에 의해 심화되고 현장 실습이 진행됨에 따라 증가했다. 그녀는 런던과 그것의 쾌락적인 측면을 수용하는 동안 소수민족 문화의 일부가 되는 것의 도전과 이중생활을 선도하는 것에 대해 얘기했다. 그녀는 힘든 가족사를 되돌아보았다. 불치병으로 동생을 잃고, 심한 장애를 가진 부모님을 위해 앵커가 되었다. 그녀는 일찍 성장하도록 강요받아 왔고 학위를 받는 동안 돈을 벌어야만 했다. 그녀는 '나는 여전히 내 종교와 나의 나머지 문화에 가치를 둔다. 그러나 나는 여전히 다른 이들과 마찬가지로 나머지와 재미를 즐긴다.'고 말했다. 도전은 그녀의 삶의 다른 부분을 조정하고 교사로서 더 나은 느낌을 받는 것이었다. 가르침은 그녀에게 많은 것을 요구한다는 것과 '나는 열심히 일하고 열심히 논다'는 것을 알았다. 그녀는 자신의 공적인 자기가 비록 취약한 기지에 세워졌을지라도, 유능하게 보여야 한다는 것을 알았다. 그러나 외관을 유지하기는 힘들었고 그녀는 도움을 받기 위해 상담을 의지했다.

그녀는 첫 해부터 보아 온, 교사 교육의 취약점을 설명했다. 그녀는 '규준(standards)'에 대한 무의미에 대해 이야기했고, 그녀의 교실에서의 특정 맥락 안에서 규준이 무엇을 의미하는지 연구하거나 탐구할 만한 여지가 적거나 없다고 했다:

어쩌면 우리는 우리의 학습과 과정에 책임을 져야 해요. 하지만 우리가 가르치는 것에 과부하되면 훈련 내용을 잊어 버리는 경향이 있구요. … 어떤 면에서는 의미가 없지요. 모든 포토폴리오를 해내고, 자신이 각각의 규준에 부합하는지 확인하는 것은 나에게 아무것도 아니었어요.

그녀는 과제를 수행하는 것에서 환멸을 느끼게 되었고, 때로는 절실하게 교실에서 적용할 수 있을 만한 지식의 형태를 갈망했다:

몇 가지 지식을 적용하는 것이죠. 하지만 독서를 통해서만 지식을 얻는 것은 아니구요. … 당신은 교실에서 학생들이 배우는 것과 같은 방식으로 학습을 더 활동적으로 이끌어 냅니다. 나는 배우고 있구요. 모든 교훈을 배워요. 그런 학습이 가치가 있어요. 왜냐하면 나는 글을 읽고 곧 그것을 잊어 버릴 것이기 때문이지요. 나는 한주 동안 읽은 글들을 기억할 수 없어요. 이건 나에겐 아무런 의미가 없다는 말이지요.

그녀는 많은 학생들만큼 직원들 사이에서 긴장과 함께 학교를 어렵고 수수께끼처럼 인식했다. 그녀의 부서별 선임들은 도움이 되었지만 보살펴 주어야 할 다른 참가자들이 있었다. 그리고 Rupal은 이전 삶의 경험이 반복되면서 가끔 버려졌다고 느꼈다. 인종차별을 포함한 파괴적인 교실은 그녀의 가슴속에 깊이 각인되었다. 그녀는 아시아계 어린 학생들에게 동정심이 있었고 그들도 그녀에 대해 동정심이 있었다. 그러나 그녀는 특정 백인과 흑인 소년들의 인종차별적 행위에 의해 자신감이 약화되었다. 그녀는 이것에 대해 생각할 시간이나 지원이 불충분하다고 느꼈고 다문화적 환경 속에서 학교의 역할에 대해 생각할 시간과 지원 또한 불충분하다고 생각했다. 아이러니하게도 연구의 과정은 더 체계화되고 지원적인 공간을 제공했고, 그녀가 자신의 작업생활과 훈련을 고려한다고 느꼈다:

원고(기록물)들을 보게 되어서 기뻤어요. … 예전에 우리가 대화를 나누었던 적이 있었으며 내가 지난 2개월 동안 가장 중요한 점인 내가 여기서 무엇을 하고 있는지에 대하여 생각하며 꽤 많은 시간을 보냈기 때문에 대화 끝에 내가 심사숙고해서 실제로 새로운 것을 생각해 낸 적이 있는 것처럼 느끼며 나왔던 기억이 있어요. 이런 기회가 없었던 Teach Firster들은 … 만약에 내가 이렇게 하지 못했더라면 토론할 사람도 없이 학교에 그냥 틀어박혀 있었을 뻔했을 것과 마찬가지로 그냥 좋은 기회를 놓쳤을 거라고 …

전기적 연구는 현대의 교육적 담론을 특징지을 수 있는 잠재적으로 환원주의적이고 일차원적인 '리더'와 변혁의 매개자로서의 미사여구를 벗어나 학습과 과도기의 절차의 복잡성을 밝혀 줄 수 있다. 우리는 충격적인 전후 사정을 연구할 때 회복력을 지닌 이야기뿐만 아니라 어려운 감정적 경험의 이야기에 접근할 수 있다. 아이러니하게도 학계의 야심가들은 여러 상황에서 힘들어하며 여러 사안들 중에도 자신들의 제자들을 더 잘 이해하는 한 방법으로서 자신들의 취약성에 대해서 배워야 할지도 모르겠다(West, 2008a).

고등 교육에서의 계급, 성, 민족성 및 학습

정체성 관리에서 계급, 성별, 인종의 위치와 고등 교육에서 성인 학습자에 대한 마지막 연구는 분석에서 더 분명하고 명쾌한 사회적 분석의 틀을 사용했다 (Merrill, 1999, 2003, 2007). 평생 학습과 영국의 확대 참여 정책은 고등 교육에서 더 많은 노동자 계층의 성인에게 교육의 기회를 열었다. 하지만 성별, 수준, 불평등한 경쟁 때문에 고등 교육 자격을 갖추는 것은 항상 쉽지 않다. 마찬가지로 다른 문화 지역을 가로질러 운동을 협상하는 것도 쉽지 않다. 특별히 노동자 계급의 여성 학습자들의 전기는 투쟁과 교육을 통해 그들의 삶을 변화시키기 위한 여성들의 결정을 그리고 한편으론 이것이 얼마나 어려운지를 꾸준히 보여 준다 (McClaren, 1985; Merrill, 1999; Skeggs, 1997; J. Thompson, 2000).

노동자 계층의 성인 학생들은 고등 교육에 그들의 삶의 경험과 전기 및 문화의 짐을 가져오거나; Bourdieu의 작품을 묘사하기 위해 특별한 습관이나 일정 방향으로 반응하도록 그들의 주의를 기울이게 하는 일련의 기질들을 가져온다. 대학생활 동안 성인 학생들은 학습 정체성을 (재)구성하고 발전시킨다. 하지만 대학 문화 속으로 성인 학생들을 통합시키는 것은 전혀 간단하지 않다.

교육에 접근하는 현실과 추가교육과 고등 교육을 받는 것은 (특별히 여성 노동자 층이) 여전히 문화적, 구조적, 그리고 기관의 이유로 어려움을 겪는다. 이런 것들은 더 나아가 성과 계급 요인들에 의해 더욱 강화된다. 비록 지금은 추가교육 및 고등 교육 부분 모두에서 성인의 수가 많지만, 영국에서 기관들은 지속적으로 사적 공간과 공적인 공간에서 다양한 역할을 갖고 있는 여성보다는 젊은 사람들의 필요에 둘러싸여 있는 큰 구조를 갖고 있다. 교육에서 여성의 삶과 참여는 또한 정체성 형성에 있어서 성과 계급의 상호 결합관계로 드러난다 (Merrill, 2003, p. 134).

성, 계급 및 전기적 접근

우리는 어떻게 페미니스트 연구자들이 여성들의 억압에 대해 목소리를 내기 위해 전기적 방법을 사용해 왔는지 관찰해 왔다. Jane Thompson이 노동자 계급 여성 학생들의 관계에서 설명함으로써:

[전기적 방법은] 비판적 의식을 훈련하는 방법이자 개인적이고 특별하며 공유된 경험으로부터 성, 계급 그리고 교육에 대해 안에서부터 지식을 만드는 방법이다. 궁극적인 진실 추구뿐 아니라 더 나은, 더 섬세한 이해를 위한 연구를 통해서(2000, p. 6).

페미니스트 전기는 개인과 정치 사이의 상호작용과 사적 및 공적 삶 사이의 상호작용을 반복적으로 더 많이 강조해 왔다. 개인 전기는 성, 계급 그리고 인종이 모든 상황 속에서 영향을 미침으로써 미시적 수준의 개인적 경험들이 자주 공유된다. C. Wright Mills의 말에서: '개인적 문제의 환경'은 '사회적 구조의 공적인 문제'와 연결되어 있다(1973, p. 14). Barbara가 연구한 여성 학생의 전기에서 어떻게 성, 계급, 인종이 교차하는지를 보여 준다. 전기적 연구는 이런 과정들의 연대기를 위한 풍부한 도구가 되었다:

전기가 대체로 사회 세계를 이해하는 개인주의적 방식으로 분석됨으로써 전기적 연구는 처음 보면 계급(그리고 성) 그리고 성인 학습을 다루는 너무 개인주의적인 접근인 것처럼 보일지도 모른다. 그러나 전기를 구성하는 데 있어서 사람은 중요한 타인들과 다른 사회적 맥락과 연관된다: 그러므로 전기는 절대로 완전히 개인적이지는 않다(Merrill, 2007, p. 71).

다음 두 학생의 예는 '고등 교육에서의 학습'(2004~2006)이라는 제목의 일곱 개 유럽 국가를 포함하고 있는 European Commission(EC) 투자 프로젝트에서 다룬 사례이다. 연구는 Rennie Johnston 대학에서 진행되었다.

Paula

Paula는 두 아들을 둔 30대 후반 여성이다. 그녀는 Southampton 대학의 응용 사회과학 학사 마지막 해에 첫 번째로 인터뷰했다. 다음 2년 후 그녀는 노동자 계층 지역의 중등학교 교사가 되었다. Paula는 한 번은 그녀 자신의 역할에 대해 '노동자 계급의 옹호자'라고 말할 정도로 강한 노동자 계급의 정체성을 가지고 있다. 그녀는 노동자 계급의 아이들에게 우호적이지 않는 것과 부당한 가정을 했던 것을 깊이 느낀다:

나는 그들에게 말할 수 있기 때문에 내가 지금 일하고 있는 이 학교에 머물 것이라고 생각해요. 그들에게 이렇게 말합니다: '나도 너와 같았어. 그리고 네가 가질 수 없는 다른 것들을 원하는 데에는 어떤 이유도 없단다. 네가 교사가 되고 싶든, 무엇이든 상관없이 너는 할 수 있단다.'

그녀의 계급 정체성은 그녀의 학습의 정체성과 밀접하게 연결되었다. 즉, 본질적으로 그녀의 어머니의 폭넓은 지식뿐만 아니라 그녀의 학창시절 경험과 관련되었다:

'그래요. 나는 예의가 발랐고 일도 꽤 잘 했어요. 나는 많은 잠재력을 갖고 있다고 생각했었지만 나에 대한 잘못된 가정으로 그것은 완전히 낭비되었지요. 그 당시엔, 내가 제대로 알기엔 어렸지만, 나의 배경과 나의 가족 그리고 나의 출신지 때문인 것을 알았고 이런 것들이 그들이 나를 어떻게 대할지에 영향을 미쳤고 그게 바로 대학은 언급조차 할 수 없었던 이유였어요.'

Paula는 비록 학교에서 잘했지만, 빨리 사회에 나가 일할 것을 기대했다. 나중에 그녀는 몇 년 동안 은행에서 일했고, 엄마가 되었다. 그녀는 은행의 지배적인 하위-문화에 대응하여 일부 행위(agency)의 권리를 주장했다. 그녀는 그녀의 (대개) 남성 동료들과 자신을 비교하기 시작했다. '그들은 일을 같은 방식으로 여기지 않았고, 나는 오히려 그들보다 더 일했어.' 그녀는 '내가 하고 있는 일의 도덕적 문제에 대해 질문하기 시작했고 나는 이 일은 내 나머지 인생 동안 할 수 없다고 생각했다. … 나는 그저 이것보다는 더 나은 삶이 있을 거라고 생각했다.' 이 생각은 Paula가 오랫동안 가지고 있던 더 많은 공부에 대한 망설임과 부정적 감정을 극복하게 해주었다. '내가 나의 잠재력을 증명하지 못했다고 느끼기 전에, 나는 내가 더 많은 역량이 있다는 것을 알고 있었지만, 단지 지금 나의 위치보다 더 올라가는 게 조금 두려웠을 뿐이야.'

그녀는 도서관에서 사회학과 정치학에 관한 책을 빌려 보기 시작했고, 액세스(Access) 과정에 등록했다(이 과정은 성인을 대상으로 하고 그들이 고등 교육과정에서 공부할 수 있도록 적절한 기술들을 가르치는 것이다):

그리고 [액세스 과정에서] 잘렸어요. 오 이것은 단지 … 그래 나는 이게 옳다고 느꼈고 내가 이런 일이 생기게 했다고 생각했어요. 이것이 내가 알기 원했던 것이었고 이것은 내가 전혀 설명할 수 없을 만한 것이었지요. 나는 왜 내가 존재하는지 알 수 있었어요. … 나는 그냥 나인 것이지요.

사람들과 기관이 그녀에 대한 가정을 만든다는 Paula의 생각은 대학에서 성인 학습자일 때도 계속되었다. 그녀는 발전된 지식과 사려 깊은 태도, 상당하게 발

전된 지적 능력을 가지게 되었음에도 다른 프로젝트 참여자와 마찬가지로 자신 감이 부족했다:

'너는 결코 그것을 잃을 리가 없어. 나는 너가 절대 잃을 것이라고 생각하지 않아. 너는 잃지 않고 그것과 함께 사는 법을 배울 거야. 너는 항상 자신이 가치 없다고 생각하지. 나도 그렇게 느꼈어. 너는 있어선 안 될 곳에 있는 것 같은 기분이겠지. 내가 여기에 어떻게 왔는지, 곧 무너질 것 같고 나는 여기에 있으면 안 된다는 기분 말이야.'

문화적 관점에서, 그녀가 대학이 '타인(다른 것)'이라고 느끼는 중요한 요소는 특별하고, 종종 무딘, 학문적인 언어 사용이었다. Paula는 다음과 같이 생각했다:

언어는 특정한 사람들을 배척하고 그것은 학습 환경에서 진정한 장벽으로 여겨지곤 하지. … 이게 바로 대학들이나 대학교들이 종종 잊어 버리는 것이지; 학교는 그들의 학생들이 모두 같은 방식으로 그들에게 교육되고 있다고 가정하지만, 이것은 결국 비전통적인 출신을 가진 학생들에게 많은 부담을 줄 뿐이야.

그녀는 두 가지의 다른 언어를 구분하기 시작했다. 하나는 대학교를 위한, 하나는 집을 위한. 그러나 후에 그녀는 교사로 일하는 것에 있어 이것이 엄청난 이점을 가지고 있음을 알게 되었다:

'나는 그들이 이해할 수 있는 방식으로 소통할 줄 알기 때문에, 다른 선생님들에 비해서 더 효과적으로 몇몇 학부모들과 소통할 수 있어. 내가 그들과 얘기할 때면 그들은 결코 불편함을 느끼지 않았고 결과적으로 나는 좋은 관계를 만들 수 있었어.'

Paula는 자신이 가치가 없다는 생각에도 불구하고 대학교에서 성공적이었다.

그녀는 그녀의 삶과 일에서의 경험을 학업에 연결할 수 있게끔 격려해 주는 특별한 과정과 조언자들을 선택함으로써 부정적인 감정을 보상받을 수 있었다. 그녀는 또한 동료들로부터 도움을 받기도 했다. 그녀의 학습을 자극하고 새로운 독자성을 만들도록 한 중요한 포인트는 그녀의 연구에서 성인 학습자들의 삶의 경험과 감정에 대한 지식의 활용이었다:

> 나는 성인 학습자들이 가지고 있는 삶의 경험을 활용하는 것이 중요한 포인트라고 생각했어요. 더 연구할수록 제가 깨달은 것은 그것이 고등학교든, 대학교든 그들이 가르치거나 평가하기엔 그들의 지식의 폭이 너무 좁다는 것이었어요.

따라서 Paula는 그녀의 경험과 사회적 이론 사이에서 좀 더 실제적이고 의미 있는 연결고리를 만들 수 있었다. 이것은 그녀의 연구에, 특히 아동, 교실, 그리고 건강에 초점을 맞춘 그녀가 인상적이라고 생각한 마지막 논문에서 매우 생산적이었다.

Paula의 학습 정체성의 절충은 그녀의 노동자 계급 습관과 연결되어 있었다:

> 나는 스스로를 계급 사이로 움직이지 않는 것으로 본다. 나는 나 자신을 무언가를 성취하고 '그래' 나는 노동자 계급이고 '이것은 내가 성취한 거야'라고 본다. 그러나 나는 내 뿌리가 변한다고 생각하고 싶지 않다. 나는 나와 함께 일하는 사람들을 보고 '아니야 나는 그들과 같지 않고 그들처럼 되고 싶지 않아'라고 생각한다.

Paula는 고등 교육에서 좋은 효과를 낳기 위해 행위자로서 조정하고 권리를 행사할 수 있었으나 그녀의 구조적 위치는 고정되어 있었다. 그녀의 행위(권리)는 처음에는 계급 및 가정 내 가족들의 제약을 받았으며 어느 정도는 성별로 구분된 직장의 구조적 불공정에 대한 반응으로 그녀 인생의 후반에 부분적으로 출현했다. 그러나 노동자 계급의 성인 학습자로서 그녀는 주류 옆에 있는 소수집단의 어린 학생같이 느꼈다. 그러나 Paula는 그녀의 연구가 추구하는 전략적이고 조직적인 기술의 충분한 활용을 이끌어 내는 동안 그녀의 경험을 전략적인 학습 언어로 전환할 수 있었고 그녀와 같은 출신지의 아이들을 가르치고 지원하는 그녀의 궁극적인 목표를 세울 수 있었다.

Mark

Mark의 정체성의 중심은 노동자 계급과 흑인(아시아 카리브해 출신)이었다. 그는 인종과 계급 배경을 유지하면서 학습자로서 교육기관을 성공적으로 활용했다. Mark는 20대 후반에, 2 + 2년 학기제의 사회학 학위과정을 Warwick 대학교에서 공부했다(학위는 지역 성인을 돕기 위해 설립된 추가 교육 대학에서 2년간 진행되고 나머지 2년은 Warwick 대학교에서 진행된다). 그는 먼저 자신의 학위 프로그램을 끝마칠 때 쯤 첫 번째 인터뷰를 했고, 2년 뒤에 한 차례 더 인터뷰를 했다. 대학에 있는 동안, 그는 성공적인 랩 시인이 되었다. 그는 지금 현장에서 일하며, 대개 학교에서, 아이들과 시를 지으며 문화적 정체성, 인내 그리고 흑인 역사와 관련된 워크숍을 진행하고 있다. 그는 또한 지역 도시의 계관 시인(최고 시인)이 되었다. Mark는 다른 학교에 참여하면서도 학교에서 배우는 것을 즐겼다. 그에게 있어 학교와 학습은 행복하지 않은 가정생활에서의 탈출구였다. 그는 다섯 형제 중에 맏이였다(한 명의 형제가 후에 사망하여). 그의 어머니는 매우 어렸을 때 16세에 그를 임신했다. 가정폭력은 생활의 일부였고 아버지는 교도소에서 지냈다. Mark는 어린 시절의 한때를 양부모와 함께 보냈다:

나는 학교에 가는 것을 좋아했습니다. 나는 몇 군데의 초등학교를 돌아다녔습니다. 나는 테스트를 통과하여 문법학교에 가게 되었습니다. 나는 내가 학교에 가는 것이 왜 즐거운지 생각했는데, 교육을 받는 것이 나를 탐구하게 하고 가정생활에서 벗어날 수 있게 해주었기 때문입니다. 내 동생은 다른 길로 가서 끝내 범죄의 길로 들어섰습니다. 나는 학교를 가는 것에서 위안을 삼았기 때문에 즐거웠습니다. 난 나의 시간을 잘 보냈습니다. 아주 긍정적인 경험이었습니다.

Mark는 그의 학습을 지지한 주요 선생님들을 기억할 수 있었고, 이것은 여전히 그에게 영향을 끼쳤다. 스토리텔링에 과거와 현재가 결합하면서: '나와 인사 정도를 나누고 흥미를 가지며 1대1로 이야기하기 위해 1년의 기간 동안 자신들의 시간, 아마도 한 시간을 투자한 두 사람이 있었다.'

그는 문법학교를 가게 되었다(언급한 바와 같이 입학시험을 통과해야 한다). 그는 그의 가족 중에서 처음으로 문법학교를 다닌 사람이었지만, 가족생활의 결과로 볼 때는 그가 했어야 했던 만큼을 해내지는 못했다고 느꼈다:

글쎄요, 나는 도망치지 않았어요. 하지만 12, 13살인 시기에, 부모의 지도 결핍은 당신을 교실의 지도자나 우스운 사람이 되게 만든다고 생각했어요. … 나는 기본적으로 나의 시간과 기회를 낭비했어요. 나는 내가 잠재력과 능력이 있다는 것을 알았지만, 재능을 많이 가진 것은 아니고 근면함이 더 있었습니다. 나는 그저 그 당시에 빨리 어른이 된 거예요.'

그는 세 번 'O'레벨 성적(16살에 치러지는 시험에서)을 받고 문법학교를 떠났다. 그리고 그가 정말 관심 있는 미술학교를 2년 동안 다니게 되었다:

나는 미술학교에서 개인적인 나로 있을 수 있었고 나를 표현할 수 있었어요. 나는 뛰어나진 않았지만, 꽤 괜찮은 작품들을 만드는 것을 즐겼고 더 큰 행복은 자유로운 환경이었어요. … 나는 당신도 아실 만한 청년이 가질 법한 정체성을 찾아가고 있었어요, 머리도 기르고, 미술 하는 학생 아시잖아요.

그는 광란의 문화로 인해 그가 공부로부터 멀어지기 쉬운 런던에서, 광고에서 'Higher National Diploma'(고등 교육이지만 그것보다 하위 레벨)라고 불리는 과정을 들으면서 교육을 이어 갔다. 그는 그의 학업을 그만두고 수업을 빼먹기 시작했다. 그는 '어떤 것도 자신을 구속하지 않는다는 것을 느꼈다. 나도 모르는 사이 일을 하게 되었고, 이것이 진짜 나의 학업의 끝이었다.' 중부지방으로 돌아왔을 때 그는 요리사가 되었지만 호텔이 문을 닫으면서 일자리를 잃게 되었다. 그가 실업자 상태가 되고 후원을 받으면서 살게 된 것은 그의 삶과 경력을 바꾸는 긍정적인 발걸음을 내딛도록 그를 강하게 이끌었다. 그는 한 부모로서 부양할 아이들이 있었다. 이것은 그가 지역 대학의 Access 과정에 등록하게 했다. 배움은 그의 삶에 또다시 중요한 것이 되었고 이 기간에 그는 열심히 일하고 성취할 것을 결심했다. 학업으로의 귀환은 정체성을 다시 얻는 기회가 되었고 그는 그것을 '나 자신이 되는 것'이라고 표현했다. 그는 심지어 그의 레게머리를 다시 했다. Access 과정의 수료는 Mark에게 자신감을 주었고 그는 2 + 2년 학기제의 사회학 연구 과정을 시작했다:

나는 군계일학이었습니다. 왜냐하면 나는 수업들이 1년 전과 비슷한 것처럼 느껴졌고 … 나는 이미 학교와 강의를 알고 있었기 때문이죠. … 그래서 나는 항상 정답을 알고 있었기 때문에 다른 학생들에게는 좀 어려울 법한 것들을 쉽게 지나갔습니다.

많은 2 + 2년 학기제 학생들에게 대학에서 Warwick로의 전환은 어려운 기간이다. Mark는 문화와 언어가 다를 수 있다는 것을 알기에 이것을 위해 그 자신을 준비했다. '나는 이것을 수영장에 뛰어드는 비유로 생각했다. 모두는 어느 정도의 시간—처음 몇 주—을 이해하기 시작하는 데 쓸 것이다' 그는 대처 전략을 개발했다:

나는 전에 몇 번 Warwick에 왔었고, 위치를 확인했고 그것을 알아가기 시작했

으며 그리고 나 혼자만 다른 사람 같다는 감정에 익숙해지기 시작했어요. 알다
시피 많은 학생들은 어려서 나이 뭐 그런 게 있었어요. … 또 나는 내가 생각하
기에도 이상적인 학생은 아니었어요. 나는 노동자 계급의 의심스러운 남자처럼
보이고 대단히 죄송하지만 Warwick의 많은 사람들은 중간 계급이었기 때문이
에요.

그는 그의 문화적 자본이 다르다는 것을 깨달았고 그의 옷과 언어로 인해 튀
어 보였다. 그러나 학습에서는 다른 학생들처럼 Mark도 학생의 역할에 적응하고
새로운 기관에서의 '요령을 터득하고' 더욱 독립적인 학습자가 되었다:

나는 모든 강의를 듣지는 않았고 모든 말 한마디 한마디를 듣지는 않았어요. 왜
냐면 나의 머리가 감당할 수 없었기 때문이에요. … 나는 당신이 선택적이어야
만 한다는 것을 빠르게 깨달았어요. 그래서 나는 에세이 제목을 바로 요구하고
에세이 마감기일과 질문의 표시를 요구했어요.

동시에, 그는 특정한 에세이를 해봤자 아무 소용이 없음을 발견했다. Becker
등(1961/1977)의 「Boys in White」에서는 의대 학생들 사이에서 같은 패턴의 반복
을 발견했다: '학생들은 그들의 상황의 정의로부터 추론한다: 만약 가능한 시간
안에 할 수 있는 것보다 해야 할 것이 많다면 우리는 우리가 배운 대로 지름길
로 감으로써 문제를 해결할 수 있다.'(Becker et al., 1961/1977: 117) Mark에게 이
것은 도구적인 혹은 그가 '기능주의자'라고 부르는 학습에 대한 접근과 연결되
어 있었고 그가 학위를 받는 것이 그의 직업 전망을 향상시키기 위한 것임을 명
확히 했다:

나는 어느 정도 게임을 시작하는 법을 알고 있어요. 이는 매우 중요하죠. 당신
은 이걸 개인적인 것으로 여겨서는 안 돼요. 이것은 매년 사람들이 하는 과정이
고 당신은 게임을 해야 해요. 그래서 그것이 기능적인 것이죠. 나는 어떤 이유

에서 그것을 했습니다. 시간은 흘러가고 나는 마침내 부가가치를 찾았어요. 이것이 내가 계속 그것을 하는 이유였습니다.

두 인터뷰에서 그는 노동자 계급으로 사는 것에 대해 여러 번 언급했을 뿐만 아니라 그의 어린 시절부터 이어져 온 그의 정체성의 중심이 흑인이라는 것에 스트레스를 많이 받았다고 말했다:

나의 아버지는 저에게 인종차별에 대한 많은 관점을 알려 주셨고, 그것이 얼마나 나쁜 사회이고 내가 어떻게 흑인으로서 자부심을 가져야 하는지를 알려 주셨습니다. 그러나 그는 나보다 더 힘들어 하셨어요. 사람들로 하여금 특정 어휘를 사용하지 못하도록 하는 것은 정치적 정당성이므로 그렇게 도발적이었다고 생각하지는 않았어요.

그가 인종적으로 누구인가에 대한 그의 생각은 이주와 정체성에 관한 수업에서 배운 것으로부터 바뀌었다. 그는 그가 인도인 계약 노동자의 자손이라는 것을 알게 되었을 때 '그것이 어떻게 나의 삶을 변화시켰는지' 강조했다. Mark의 아버지는 항상 그들이 자메이칸, 아프리카계 카리브인이라는 것을 생각하셨다:

나는 강의 시간에 나의 가족들이라고 생각한 사진들을 봤습니다. 그것들은 카리브인 계약 노동자들의 그림들이었고 나는 정말 충격을 받았습니다…. 육체적으로 나는 "나는 아시아인이다. 나는 인도인이다"라고 생각했습니다. 나의 아버지는 아프리카계 카리브인 정체성을 가졌다고 하셨어요. 비록 그가 아시아인의 생김새를 가지고 있는데도 말이에요. 그래서 그것은 나의 정체성과 관련이 있는 개인적인 것에 엄청난 영향을 주었어요. 그리고 나서 '나는 앵글로-인도-카리브인'이라는 시를 썼고 문자 그대로 이 세 단어는 저의 정체성을 확고하게 해 주었습니다.

Mark의 구조적인 위치는 Paula에 비해 덜 고정적이고 안전했다. 그러나 그는 개인적인 자원의 영역을 활용하여, 대학문화에 생산적으로 관여함으로써 몇 개의 조직(agency)을 개발할 수 있었다. 그는 그의 노동자 계급과 흑인 인종의 정체성을 유지했고, 그 위에 학습 정체성을 덧붙였다. 그러나 그것은 아직 문제가 많을 수 있었다: '계속해서 나에게는 두 가지 입장이 있습니다. 그러나 그것은 좋다 나쁘다의 문제가 아니었고, 그들이 나의 노동자 계급에 반응하는지와 나의 학업에 반응하는지 나는 항상 선택을 해야 합니다.'

흑인이며, 노동자 계급이며 그리고 대학 졸업생이라는 정체성은 여전히 상호작용 중이고 시인으로서의 그의 역할과 학교에서 아이들과 함께인 순간을 통해 나타난다.

동시에, 그는 여러 정체성을 더 편하게 여기고 있다:

나는 나의 관점이 변하고 있다고 생각합니다—특히 자신감이 엄청, 엄청나게 변화했습니다. 나는 내가 전반적으로 나의 정체성에 대해 좀 더 자신감이 생겼다고 생각합니다. 더 수용적이고 또한 내가 수용할 수 없더라도 말이에요. 그래요 나는 내 정체성에 대해 지금 행복하고 어떻게 학습이 그것들을 이 관점 안에 넣도록 도와줬는지를 깨달았다고 생각합니다. 지금도 계속하고 있지만, 나는 많은 정체성에 관한 시를 갖고 있습니다. 나는 단어들이 나의 정체성을 형성하는 데 도움을 주었고 나의 정체성을 형성하게 된 것은 바로 학습이었다고 생각하고 그것이 학습이 나에게 가져다준 것이라고 생각합니다.

깊이 생각해 보면, Mark는 대학에 간 것을 '두 말 할 것도 없이, 내가 했던 것 중에 최고'라고 여기고 그는 언젠가 대학원에 갈 생각도 하고 있다.

이 두 가지 사례에서 학습 정체성은 교육 참여의 결과로 변화했다. Paula와 Mark는 모두 성공에 필요한 객관적 요구들에 적응했으며 또한 그 과정 안에서 포기하지 않았기에 대학에서 성공적인 생활을 했다. 학습자 정체성은 구조와 행위(agency)에 대한 변증을 통해서 형성되었고 변화됐다. Shilling이 강조한 것처럼,

자아는 계속되는 전기적 프로젝트이다: '결합된 자아의 형성은 정확하게 끝나지 않는 과정이다. 개인의 신체가 사회 문화적인 영향력에 개방되어 있고 이는 끝나지 않기 때문이다. 고등 교육에서의 공부는 구조와 행위(agency)의 상호작용을 통해, 문화와 개인의 삶을 통해, 개인의 학습 정체성과 습관을 발달시키고 변화시킨다. 그러나 몇몇 성인 학생들을 빼면 대부분의 성인 학생들은 변화돼서 떠난다. 그들은 그들 자신을 알아볼 수 있는, 전기적으로 연결된 방법으로 자신들을 확인하는 것을 지속한다. 그들은 그들의 노동자 계급의 문화 자본을 잃지 않아도 된다. 오히려 그들은 그 위에 새로운 형태의 지적, 사회적 자본을 쌓을 수 있다.

연결짓기

이 장에 소개한 두 가지 사례는 사회학자와, 심리적 해석에 더 이끌린 학자의 전기적 연구에 대한 서로 다른 접근방식을 나타낸다. 그러나 거기에는 경계선을 가로질러 대화를 위한 중첩과 공간이 있다. 사회문화는 의사들과 교생들의 경험에서처럼 자아와 가족생활의 중심에 깔려 있다. 심리적인 것 역시 정체성, 자아, 그리고 행위(agency)와의 갈등 이슈들이 있는 성인 학습자의 내러티브에 자명하게 드러난다. 전기적 연구는 끊임없이 다른 질문을 이끌어 낸다: 과거와 현재 그리고 미래 사이의 관계들에 대해 혹은 과거에 그 사람이 어땠는지, 지금은 어떻고 미래에는 어떻게 변할지에 대해, 변화가 어떻게 이론화될 수 있을지에 대해. 전기적 연구는 관습적인 연구에서 종종 무시되었던 부분들을 다루고 우리가 새로운 실증적이고 이론적인 연결을 짓도록 돕는다. 그러나 우리가 보게 되겠지만, 샘플링의 실제적 문제와 인터뷰는 다른 이들과의 관계에 있어 타당성과 질에 관련된 중요한 질문들을 불러일으킨다.

추가 읽을거리

Merrill, B. (1999) *Gender, Change and Identity: Mature Women Students in Universities.* Ashgate: Aldershot.

Merrill, B. (2007) 'Recovering Class and the Collective', in L. West, B. Merrill, P. Alheit, A. Bron and A. Siig Andersen (eds) *Using Biographical and Life History Approaches in the Study of Adult and Lifelong Learning.* Frankfurt-am-Main: Peter Lang. pp. 255-78.

West, L. (2001) *Doctors on the Edge.* London: Free Association Books.

West, L. (2007) 'An Auto/Biographical Imagination: The Radical Challege of Famillies and their Learning', in L. West, P. Alheit, A. Anderson and B. Merrill (eds) *Using Biographical and Life History Methods in the Study of Adult and Lifelong Learning: European Perspectives.* Hamburg: Peter Leang/ESREA, pp. 221-39.

West, L. and Carlson, A. (2006) 'Claiming and Sustaining Space? Sure Start and the Auto Biographical Imagination', *Auto/Biography*, 14:359-80.

토의 질문

1. 이 장의 내용을 읽을 때 당신에게 어떤 전기적 공명이 있는가?

2. 이 분야의 일들에서 치료와 연구의 경계에 대해 어떻게 생각하는가?

3. 삶을 이해할 때 사회학적 방법 아니면 심리학적 방법으로 접근하는가?

그 이유가 무엇인가?

4. 당신의 인생사의 측면들을 생각할 때 끌리는 특정한 비유들이 있는가 혹은 어쩌면 전체로서 당신의 전기에 대한 특정 비유가 있는가? 여행 혹은 인생이 '여러 조각들로 이뤄졌다'는 비유는 자주 사용되고 이 주제에 대해 생각하는 데 도움이 될 수 있다.

연구 시작하기

우리는 연구자의 존재가, 인간의 본질적 속성상 일반적으로 보완성이 있는 평범한 사람으로서, 피할 수 없는 것이라고 주장한다. 이 때문에 우리는 이것이 일어나지 않는 척하는 것보다 이런 존재를 사용할 수 있는 종류의 연구를 고안해야만 한다(Liz Stanley & Sue Wise, 1993, p. 150).

개요

● 연구 주제를 선택하는 연구자 자신과 전기의 역할을 조사한다.

● 연구를 시작하는 방법과 연구 문제를 식별하는 방법을 확인한다.

● 우리는 다른 샘플링 방법들을 소개한다.

도입

3장과 5장에서, 우리는 연구자의 '편견'이나 무의식적인 절차와 힘의 작용, 그리고 학제간 책무와 같이 진실에 대한 문제들이 제기되는 전기적 가족 안에서의 작업과 접근법의 범위를 설명했다. 우리는 또한 다른 연구자들에 의해 쉽게 무시되는 복잡한 역학(dynamics)들을 어떻게 전기적 방법이 설명해 내는지를 설명했다. 다음 세 개의 장에서, 우리는 인터뷰와 데이터 분석과 데이터 표현을 포함하여 전기적 연구를 어떻게 구체적으로 하는지에 관하여 볼 것이다. 첫 번째로 우리는 연구 주제를 어떻게 선정하는지 고려하고, 이는 분명하게 자서전적인 관점을 포함할 수 있다—또한 생각할 필요가 있다면, 우리의 삶과 가족에게 중요한 무언가를 선택하는 것은 완전히 타당하다. 우리는 연구자의 역할에 대해 더 깊이 생각하고 혼자 작업하는 것이나 팀의 일원으로서 작업하는 것과 같은 주제로 넘어간다. 우리는 연구에서 샘플을 선택하는 것을 조사하고 이것을 결정짓는 상이한 가정들과 열망들을 조사한다. 우리는 학생들이 제기한 질문들을 물어본다. '당신은 진짜로 단 한 사람과 연구할 수 있어?' 혹은 '샘플 수가 매우 적은데, 이것으로 정말로 계산(연구)이 될까?' 이 장에서는 또한 사람들과 기관들과 어떻게 최선의 접촉을 할지 고려하고 윤리적 문제에 대해 명확히 해야 할 필요성을 다룬다(특히 건강 관련 연구에서의 중요성이 증가된다). 그리고 우리는 중요한 친구(들), 협력 단체와 예비 연구, 시범연구, 현실적이 되는 것의 중요성, 연구에 대한 열정의 중요성도 소개한다.

우리의 독자인 당신은 다양한 수준의 경험을 가진 서로 다른 단계에 있다. 당신은 석사학위 수료 중인 개인 연구자일 수도 있고 교육학 박사학위나 박사 논문을 쓰고 있을지도 모른다. 혹은 학부 과제를 쓰고 있을지도 모른다. 당신은 매우 구체적인 연구 주제를 다루는 연구 팀에서 근무하는 연구원일 수도 있고 더 나은 전문적인 이해를 구축하기 위해 전기적 방법을 사용하고 싶은 공공 서비스의 실무자일 수도 있다. 만약 당신이 연구 학생이라면, 해결할 가장 어려운 문제는 '나는 무엇을 연구해야 하는가?'라는 것일 거다. 상황이 어떻든지 간에, 주제의 선택은 당신이 흥미를 가지고 있는 무언가가 될 필요가 있고, 연구하는 데 동기부여가된 것이어야 한다. 그렇지 않다면 어려운 시기를 겪을 때 계속 진행하는 것이 힘들어질 것이고 당신은 그것에서 손을 떼거나 환멸을 느낄지도 모른다.

다음 질문들은 시작하는 데 도움이 될 수 있다:

- 내가 연구하고 싶어하는 것은 무엇이고 나는 무엇에 열정을 느끼는가? 당신은 처음에 하나 이상의 생각을 가질 수도 있다.
- 내가 진짜로 이해하기를 원하는 것은 무엇인가?
- 주제에 관하여 내가 발견하기 원하는 것은 무엇인가: 나의 연구 질문들은 무엇인가?
- 나의 주제와 연구 질문들이 현실성 있고 시간과 자원 그리고—만약 투자 프로젝트라면—가지고 있는 자금으로 성취 가능한가?
- 이 주제가 왜 나에게 흥미를 주는가, 그리고 왜 이것이 연구하기에 좋은 주제라고 생각하는가?
- 어떤 이론과 학문 분야의 접근에 흥미가 있으며 내가 읽을 필요가 있는 것은 무엇인가?
- 분야에 존재하는 학문은 무엇인가?
- 나는 왜 전기적 접근을 선택했으며 이것이 가장 적절한 것인가?
- 누구와 인터뷰하기 원하는가, 왜 그러는가 그리고 몇 번 하기 원하는가?
- 윤리적인 고려사항은 무엇인가?

무엇을 연구할까?

학생들과 새로운 연구자에게 있어서, 연구의 본질에 대해 생각하는 다양한 방법과 마찬가지로 상이한 이론과 학문분야의 영향과 관련하여 당신이 어디에 서있는지 고려하는 것은 중요하다. 시작점은 매우 작은 규모의 연구에 함께하는 것일 수 있다. 친척 또는 친구와 아마 함께할 수 있을 것이다. 어떤 방법이 전기적 연구를 함에 있어 최고의 접근법인지 발견하고 학습하는 것도 부분적으로 중요하다. 심지어 당신이 온전히 이 방법으로 연구하기 원하는지도 중요하다. 한 극단으로, 당신은 몇 가지의 사전 생각과 읽은 것이 있더라도, 당신은 현장에 나가 조사를 함으로써 배울 수 있다. 또 다른 방법으로, 당신은 전기적 연구의 이론과 실제에 대한 문헌에 몰두하게 만들 수 있고 워크숍이나 학회에 참석할 수 있다(이러한 것들은 상호배타적이지 않다). 만약 당신이 연구 학생이라면, 이것이 외로운 일이라고 느낄 수 있고 중요한 동료로서 함께 일할 다른 박사학위 학생으로 이루어진 집단을 찾을 것이다. 다른 연구자들은 팀의 일원일 수 있고, 그들 중 몇몇은 전기적 연구에 대한 경험을 가지고 있을 수 있다. 팀의 일원이 되는 것은 당신이 일을 협력적으로 하고 연구, 연구의 의도, 문제들과 가능성을 동료들과 함께 토론하는 것을 가능하게 한다. 전기적 연구는 미묘한 차이들의 모음, 이해의 방법들과 강조점을 나타낸다. 이는 비록, 묘사된 것과 같이 공통된 측면들이 있다 하더라도 다른 학문 분야와 방법론적인 전통에 뿌리를 두고 있다. 그러나 당신은 명확한 이유를 가지고 결정을 해야 한다.

어떠한 접근법을 취하든 간에, 4장에서 언급했듯이, 연구는 근본적으로 학습에 대한 것이다. 단어 연구는 프랑스어로 찾기(to seek)의 뜻을 가진 연구자(rechercher)로부터 유래되었다. 우리는 연구자로서 경험을 통해 다른 사람들은 어떻게 사는지 이해를 추구하고 우리의 인생과 마찬가지로 다른 이들은 그들의 인생을 어떻게 의미 있게 만드는지 추구한다. 아마 우리는 우리의 내면에서 답을 찾고 있거나 경험이 자료의 원천이 될 수 있고 경험이 우리뿐만 아니라 다른 사람들을 이해하고 공감하는 수단일 수 있다. 그러나 명시된 것과 같이 우리가 보기를 원하는 것만 보거나 무의식적으로 현재의 필요에 맞는 것에 대해 말하는 것만 듣는 편견의 위험이 있다. 그럼에도 불구하고, 자기와 주관성은 다른 사람들의 경험을 이해하는 데 있어서 값진 자료가 될 수 있고, Linden의 가족에 대한 연구처럼, 우리의 추측에 대한 도전이 될 수 있다. 그러나 더 자전적으로 일하고 주관성과 공통주관성을 가치 있게 여기는 것은 자기 지식을 포함하여, 많은 연구자들이 필요로 하는 것일 수 있다. 우리는 신나면서 마찬가지로 헷갈리는, 자유로우면서도 번쩍 정신이 들게 하는 작업, 그리고 심오하면서도 어지러운 작업을 하는 데 옆에서 도와줄 사람이 필요하다.

주제 선택시 자신의 역할

주제 선택은 후원자의 의제에 의해 또는 개인적인 혹은 전문적인 관심에 의해 형성될 수 있다(Bertaux, 1981a, 1981b; Clough, 2004): 이것은 중립적인 과정이 아니다(Esterberg, 2002). Corrigan(1979)의 연구 「스매쉬 거리 아이들을 스쿨링하기 (Schooling the Smash Street Kids)」는 관련이 있다. 왜냐하면 그는 대부분의 사회적 연구자들과 달리 '왜 연구를 하기 위해 애쓸까?'라는 발단을 논의한다. 그는 그가 왜 노동자 계급 소년들의 학교 교육 경험을 연구로 선택했는지 설명하기 위해 그의 전기에 개요를 서술한다.

런던 남부 노동자 계급의 배경을 가진 11세 남자아이로서, 나는 11 플러스를 통과하고 중등학교에 갔을 때 운이 좋았다고 느꼈다. 첫 번째 학기에 나는 학교가 상당히 두려웠고 내가 할 수 있는 최선을 다했다. 그리고 상위권에 간신히 올라가게 됐다. 그러나 학기 동안, 우리는 학교 연극 Othello를 보는 것을 원하는지 요청을 받았다. 그리고 집에 가서 가족들에게 가도 되는지 알아보도록 했다. 엄마와 아빠는 그날 밤에 할 일이 있었다; 나는 셰익스피어에 관심이 없었고 표를 구입하지 않았다. 나는 아주 작은 소수 중 하나였다. 그리고 학기 말에 내가 잘했던 것이 아니라 내가 학교를 더 지원해야만 한다는 말을 들었다.

그때 나는 그것을 아주 잘 이해하지 못했다. 이 사건은 나를 혼란스럽게 했다. 왜냐하면 나는 학교가 학업적인 것에 대한 것이라고 생각했기 때문이다. 학교에서의 나의 나머지 시간은 내가 헤아릴 수 없을 정도의 일련의 사건에 비슷하게 영향을 받았다. 나의 부모님은 이러한 것이 문제 되지 않는다고 장담했다. 그러나 마치 내가 이해하지 못한 불문의 목표와 규칙이 있었던 것과 같았다 (Corrigan, 1979, pp. 4-5).

Corrigan의 글은 연구자들이 연구 주제를 어떻게 그리고 왜 선택하는지 거의 설명하지 않는다는 면에서 새롭다. 앞서 보인 것과 같이, 사람들이 주제에 참여하게끔 이끈, 전기에 뿌리를 둔 것에 아무런 경험이나 수수께끼가 없는 것처럼 보인다. 심지어 '그것을 어떻게 하는지'에 대한 연구서에서는, 시작하는 초기의 과정과 핵심을 구별하는 것은 전기적으로 거의 논의되지 않았다. 연구 주제 선택은 타당하고 공정한 과학의 이름으로 학문적 프로젝트에서 자아와 주관성을 멀리하기 위해 학계에서 역사적으로 강력하게 유지해 온 강령에서 유래했을지도 모른다.

도입부에서부터 우리가 추구해 온 주제들이 어떻게 우리 자신의 구조와 전기가 깊이 있게 연결되는지 명시했다.

Barbara

성별과 계급의 문제가 내 인생 전반의 중심이었고 이것이 연구 관심에 반영되어 있다는 것을 1장에서 언급하고 마지막 장에서 더 설명했다. 나의 첫 번째 책 「성, 변화와 정체성: 대학교의 성숙한 여학생(Gender, Change and Identity: Mature Women Students in Universities)」 머리말에 이렇게 썼다.

나는 성별과 계급 관계의 틀 내에서 학습자의 관점, 특히 여성성인 학생의 관점에서 성인 교육의 세계를 이해하기 원했다.

성별, 계급, 인종의 불평등은 내 삶의 전반적인 주된 고민이었다. 나는 여성 노동자 계급 출신으로서 사회에서 처음으로 계층 차별을 접하고, 나중에는 성 차별과 불평등을 경험했다. 후에, 다문화 이해 학교의 교사로서, 나는 흑인 학생들의 삶을 통하여 사회에 만연한 인종 차별주의를 빠르게 의식하게 되었다.

내가 가르쳤던 많은 학생들은 백인 중산층 학교 시스템으로부터 소외되어 왔고 자기 능력 이하의 성적 때문에 학교를 떠났다. Warwick의 성인 학생들도 비슷한 삶의 역사를 공유했는가? 만약 그렇다면, 왜 그들은 다시 학습하는 것을 선택했는가? 그리고 그들의 삶 가운데 왜 이 특정한 순간에 그렇게 했는가?

나의 발전 그리고 연구 작업은 나에게 성숙한 여성 학생과 만나게 해주었다.

성과 계층 사이의 연결고리는 무시할 수 없었지만, 나의 흥미와 생각을 촉진시켰던 것은 바로 성과 관련된 문제였다. 나는 여성들이 대학 안팎에서 직면한 문제들에도 불구하고 학습하고자 하는 열정과 의지에 놀랐다(Merrill, 1999, pp. vi-vii).

Linden

언급했듯이, 나는 사람들이 학습하는 데 무엇이 동기부여하는지에 흥미를 가지고 있었다. 그리고 어떤 수준에서 나 자신의 동기에 관하여 질문을 하고 있었다. 나의 첫 책―「Beyond Fragments」(1996)―에서 나는 새로운 학제간의 방법으로 동기부여를 이해하는 필요성에 대해 서술했다. 동기부여는 부분적으로 사회적 용어로서 이해되어야 했다. 사회적 주변인처럼―특히 역사, 문화와 계급, 현재 사회의 위치가 어떻게 교육적 참여를 향한 태도를 형성할지 이해해야 한다.

나의 부모님은 계급과 성별의 구조화 과정 그리고 그들 주위의 담론에 의해 형성되었다. 나의 어머니는 1913년에 태어났고, 그 세대에는 전반적으로 여자의 대학 진학이 장려되지 않았다(West, 1996, pp. 21-23). 나의 가족은 삶의 복잡한 심리사회학적인 관점에서, 역사적, 구조적으로 이해하는 것뿐만 아니라 심리학적 관점에서 이해하는 것은 내가 타인의 삶에 흥미를 가지고 그들의 마음속에 있는 사회문화적인 생각뿐 아니라 감정적, 심리적, 상관적인 것 등의 학제간 이해를 구축하도록 이끌었다.

　　후에, 의사들과 그들의 직무의 감정적 측면의 경험들에 관한 나의 연구에서 나는 남성으로서, 전문가이자 아버지로서, 그리고 심리치료사가 되기 위한 훈련에서 남성성의 지배적인 담론에 대해 나 스스로 질문을 하고 있다는 것을 깨달았다.

　　나는 작업 상황과 전체 문화에 있어서 성별, 가정 노동의 감정적인 분열의 개념에 관심이 있었다. 의사들에 대한 책에서, 나는 이렇게 적었다:

　　나는 사람들이 자신들의 이야기를 말하는 방식과 그것들이 해석되는 방법을 연구자들이 항상 필연적으로 형성하는 개념적인 틀뿐만 아니라 성격, 배경, 상황을 제안했다. … 나는 연구 기간 동안 나의 삶의 주된 변화들을 겪었고 나의 정체성의 측면들을 재조정했다. 이것은 대학에서의 어려운 과도기를 넘어가는 심리치료사로서의 훈련이 지속되는 것을 포함한다. 그리고 이러한 지속은 나에게 공적인 자아와 사적인 자아 사이에 상대적으로 어느 쪽에 무게를 둬야 하는가에 관한 궁금증을 가져다 줬다. 나는 더 많은 '패치워크' 생활방식을 만들기 시작했다. 그것은 정신분석 그리고 친밀한 삶에 엄청난 우선순위를 가졌다. 나는 정신분석 문학을 읽고 환자를 보는 훈련을 했다. … 성별은 이 환경에서 어렴풋이 크게 나타났다. 정신분석 역사와 글쓰기는 성별로 구분된 가정으로 연상되었다. 프로이드는 가부장 사회에서 자란 중산층이었고 그의 시대를 반영했다. 그는 여성의 시민권에 대해 글을 썼다. 예를 들면, 그는 John Stuart

Mill의 논쟁은 가정적인 현실성을 간과했다고 생각했다. 여자의 역할은 가정의 질서를 유지하고 아이들을 감독하고 교육하는 것이다. 그는 다른 교육 시스템이 남자와 여자 사이에 새로운 관계를 만드는 날이 올 수 있다는 것을 인정했다. 그러나 결국 어떤 것을 위한 '아름다움, 매력, 달콤함을 통해' 여성은 본질적으로 운명지어진다(Gay, 1988.) 그러나 프로이드가 인정한 성별을 반영한 정체성의 취약한 구조에는 또 다른 측면의 이야기가 있다(Connell, 1995). 더욱이 Joseph Schwartz(1999)는 역사적으로 심리치료의 남성 세계는 지난 20년 넘게, 페미니스트 관점에 의해 매우 흔들리고 있다고 주장했다(West, 2001, p. 35).

남자와 아버지, 심리치료사가 되는 것의 의미를 다시 생각하고 나의 감정적 경험에 대해 더 온전히 이해하며, 심리사회적인 틀을 통해 내재된 성의 특성을 심문하는 어려움들은 다른 이들과 함께 할 때 나의 마음 중심에 있었다.

Janet Miller(1997)는 연구 주제 선택은 자신의 전기를 반영할 뿐 아니라 연구 질문도 반영한다고 말한다:

연구할 때 질문과 기획은 나의 흥미가 포함된 이야기로 시작된다. 처음의 이야기로부터, 나는 관심 분야에 관한 질문들이 가져다주는 발달된 감각의 구성에서 보다 더 대중적인 관심사로 나의 지향점을 설정한다. 이것은 나 자신보다 더욱 넓은 환경에서 나의 삶과 교육적인 역사를 설명하고 역사적으로 질문을 만드는 방법이 되게 한다. 이론은 역사적으로 특정 질문을 다루거나 설명하려고 강구한 이론들이 된다. 그리고 우리는 모두 이론가들이다(Miller, 1997, p. 4).

우리가 자신에게 묻는 질문들은, 처음에는 불분명할지 모르지만, 연구 주제를 선정하고 우리와 타인들과의 관계를 맺어 가는 데 있어서 필수적인 것일 수 있다.

연구질문과 연구과정 확인하기

학사 논문이나 석사 논문 작성 시에 주로 하는 실수는 너무 크고 광범위한 주제를 선택하는 것이다. 예를 들면, 실업에 관심을 가질 수도 있지만 이것은 어떤 특정 측면을 봄으로써 좁혀야 될 필요가 있다. 예를 들면

- 여성과 남성은 실직을 다르게 경험하는가?
- 계급이 실직에 어떤 영향을 미치는가?
- 당신이 실직했을 때 고용 진입 장벽들은 무엇인가?
- 실직하는 것이 건강과 사회 문제와 관련하여 개인에게 어떤 영향을 미치는가?

학습 동기부여를 연구하는 것, '사회심리적으로'는 또 다른 예시이다. 이것은 잠재적으로 거대한 주제이고 고등 교육에 진입하는 특정한 성인 학생들이 참여하는 초점 연구를 하기 위해 방법들을 찾아야 한다(West, 1996). 초기의 초점은 아래와 같을 것이다.

- 고등 교육 과정에 들어가는 결정에 영향을 끼치는 현재 삶의 요소는 무엇인가?
- 과거와 현재의 선택에 있어 계급, 성별, 연령 및 가족의 지위는 무엇인가?
- 중요한 다른 사람이 미치는 영향은 무엇인가?
- 학교 교육과 다른 경험들을 포함하여 생애사를 배우는 것은 어떤 영향을 끼치는가?

물론 연구자들이 자신들의 발자취를 찾듯, 그것은 다른 문제를 탐구하고 이러한 것들을 엮어 인터뷰와 해석을 할 수 있다. 하지만, 이것은 오직 자신감과 많

은 독서와 다양한 경험이 있어야 가능하다.

우리는 또한 시간과 자원의 관점에서 현실적이어야 한다. 이것은 연구 주제와 질문들이 감당할 수 있는 관심사에 중점이 두어져야 할 필요가 있다는 것을 의미한다. 물론 우리는 주제에 관하여 모든 것을 연구하거나 알 수는 없다. 만약 우리 자신의 역사로부터 발생되는 관심사이기 때문에 집중을 선택하는 것이 어렵지 않다면, 힘든 것은 주제를 현실적인 연구 프로젝트로 변환시키는 것이다.

너무 많은 질문들을 만들지 않는 것은 필수적이다. 연구 질문을 파악하고 만드는 것이 항상 쉽고 깔끔하지는 않다. 지나치게 권위적이고 엄격하면 사람들이 자신의 경험과 삶에 대해 말하는 것을 연구자가 알지 못할 수도 있다. 그러나 연구자에게는 연구에서 새로운 질문들이 나타남에 따라 유연성과 함께 체계가 필요하다. 전기적 연구자는 이것에 대해 다른 입장을 가질 수 있다: 몇몇 사람들은 연구에 집중하기 위해 더 구조화된 질문을 주장한다. 반면에 다른 사람들은 초점과 질문의 과정을 만들고 수정하기 위해 자료들 자체를 귀납적으로 사용하는 열린 결말과 불확실성을 주장한다.

아래는 비전통적인 학생들의 기억과 고등 교육에 있는 학습자의 정체성 발달에 대한 프로젝트에서 가져온 연구 질문 예시들이다. 이것들은 마지막 장에 언급된다.

- 왜 그리고 어떻게 몇몇의 비전통적인 학생들은—반면에 그들과 비슷한 배경을 가진 사람들이 중퇴나 자퇴하고 후에 다시 돌아오는데—HE 공부를 끝마치고 학생의 역할과 직업을 성공적으로 사회화하는가?
- 어떤 과정이 그들을 HE의 학습자가 되게 하고, 이것이 어떻게 주관적으로 이해되는가?

- 학습자의 정체성은 어떻게 그리고 어떤 방법으로 발달되거나 되지 않는 가? 그리고 어떻게 이것이 만들어지는가?
- 사회심리적인 차원에서 학습자의 정체성과 수료와 중퇴 과정에 대해 우리의 이해를 풍부하게 하기 위해 어떻게 전기적인 방법이 기여할 수 있는가?
- 사회 계급, 성별, 민족성, 그리고 나이 같은 요소가 어떻게 수료와 중퇴비율에 영향을 끼치는가?
- 고등 교육에 있는 비전통적인 학생들의 더 효과적인 수료 비율을 달성하는 데 요구되는 문화와 관습을 위해 무엇이 발달되어야 하는가?

출판된 연구뿐만 아니라 교과서와 연구 문학에서는 요점과 질문들이 깔끔하고 정연한 방식으로 나타나고 발달되는 감명을 줄 수 있다. 현실에서 이런 경우는 드물다. 질문이 변함으로써 우리는 알기를 원하고 물어봐야 하는 것을 표현하기 위해 노력할 뿐만 아니라 혼란과 상실감을 느낄 수 있다. 부분적으로 우리가해야 하는 것은, 연구는 능숙하고 논리적으로 나타내야 하기 때문에 부적절한 부분을 제거하는 것이다. 실제로 조사가 완만히 진행되는 것은 매우 특별한 것임을 기억해야 한다. 더욱이, 이 작업은 지연과 과정이 평탄하지 않은 복잡한 일이다. 여기에 우리가 경험했던 몇 가지 문제들이 서술되어 있다.

- 우리의 질문은 변하고 우리가 알기를 원하는 것이 무엇인지에 대해 혼란이생긴다.
- 자금을 후원해 주는 집단이 승인을 늦게 함으로써 프로젝트의 시작과 연구보조원들의 임명을 지연시킨다.
- 연구 계획의 마감 기한을 지키지 못한다. 예를 들면 참여자들이 정해진 기간에 인터뷰에 참석하는 것이 어렵기 때문에 인터뷰 기간이 길어질 수 있다.

- 확인된 사례 연구 기관이 참여하지 않는 것으로 결정한다.
- 상대적으로 유럽인 연구는 계획된 것보다 오래 걸린다. 왜냐하면 서로 다른 상황을 이해하고 전기적 접근과 관련하여 의견 일치에 다다를 필요가 있기 때문이다.
- 인터뷰의 본질에 대한 논쟁과 인터뷰가 반구조화 혹은 구조화되어야 하는 정도에 대한 논쟁이 있다.
- 몇몇 참가자들은 인터뷰에 나타나지 않을 수 있다.
- 몇몇 참가자들은 연구 프로젝트에서 중도에 그만두기로 결정할 수 있다.
- 연구 조교들이 프로젝트를 하는 동안 그만둘 수 있다.
- 자신감의 문제, 과도한 초점과 과도한 질문들
- 다룰 것이 너무 많다.
- 너무 빠르게 데이터와 자료들을 순서대로 얻으려고 한다.
- 초점이 충분하지 않거나 과도한 초점을 둘 때
- 개인적인 문제들의 개입
- 예상한 것보다 윤리적인 승인이 오래 걸린다.

샘플 선택하기

일단 하나의 주제와 가능한 질문들에 대한 결정이 만들어지면, 누구와 함께, 얼마나 작업을 할 것인지 고려해야 한다. 연구의 본질에 따라 당신은 대학, 병원, 지역사회 센터 등과 같은 여러 기관에 대한 연구 사례를 선택하는 것이 필요하다. 샘플링은 많은 기관과 사람들이 어떻게 함께 일을 해야 하는지에 대한 결정 과정의 용어로 사용된다. Jennifer Mason은 샘플링을 '당신의 연구 질문과 선택 집단 혹은 선택 범주의 연관성, 당신의 이론적인 태도, 그리고 당신이 가장 중요하게 만들어 가고 있는 설명과 해설을 고려하여 연구에 있어서 샘플을 선택하거나 범주를 선택하는 것'이라고 정의하고 있다. Ken Plummer는 샘플링에 대해 '인산인해의 수백만의 세계 인구 중 누가 그런 집중적인 연구와 사회과학의 불멸을 위해 선택됩니까?'라고 보다 생생하게 말한다(2001, p. 133).

Howard Becker는 그의 「장사의 비결(Tricks of the Trade): 연구 기간 동안, 연구를 어떻게 생각해야 하는가?」라는 저서에서 '샘플링은 어떤 종류의 조사든 간에 중요한 문제이다.'라는 말로 시작한다. 우리는 우리가 관심이 있거나 원하는 것에 대한 모든 사례에 대한 연구를 할 수 없다(1998, p. 67). 그는 '우리는 모든 영역들에 관한 무언가를 알고 있다고 사람들을 설득하기 위해 샘플이 필요하다.'라고 가정하는 과학적이고 긍정적 접근을 비판했다. 양적 연구를 중요하게 생각하는 연구자들은 결과가 타당하고 믿을 수 있고 일반적이려면 주어진 인구 중 많은 사람이 연구되어야 한다고 한다(10장 참고). 질적인 연구 전문가들은 작은 단위의 샘플들을 사용하는 것, 심지어는 한두 명의 샘플을 사용하는 것에 대해 문제가 없다고 여기며 정당화해 왔다. 이러한 샘플링에는 중요한 문제에 대해 더 나은 이해를 만들 수 있는 풍부한 정보와 상당한 소재들을 직접적으로 얻어 내는 것과 같은 방안 등을 통해 연구자 자신을 다른 환경에 처하게 하고서 이것을 연구에 활용하는 것도 포함되어 있었다(Burgess, 1984; Glaser & Strauss, 1967; Steedman, 1986). Michael Erben은 주장한다:

> 인터뷰 샘플의 크기는 연구자가 수행되는 목적에 의해 구술되어야만 한다. 질적 연구에서의 어떤 크기의 샘플도 양적 방법을 통해 정확히 알아낼 수는 없다. 그 이유는 의식적으로 선택된 샘플이 연구의 종합적인 목적에 부합해야만 하는 것이 더 중요하기 때문이다(1998, p. 5).

일반화 가능성은 양적 연구가들 사이에서는 강박상태일 수 있지만 몇몇의 전기적 작가들에게는 덜 중요할 수 있다. 전기적 작가들은 연구에 잠재적으로 공유할 수 있는 풍부한 경험을 가진 사람들에게 더 큰 관심을 가질 수 있지만, 샘플들은 잠재적인 경험의 강도와 염두에 둔 가능성 있는 양질의 통찰력을 구성할 수 있다. 그러나 전기적 작가를 포함한 질적 연구가들은 다른 연구자들이 그들의 연구 샘플이 대표성이 없다고 비판할 때 방어적일 수 있다. 그들은 그들의 샘플을 Shaw의 저서인 「the Jack Roller」에서의 연구와 같이 보다 많은 모집단의 특징을 공유함으로써 조치를 취할 수 있다고 확신한다.

Linden의 의사에 관한 연구에서, 25명이라는 샘플의 크기는 부분적으로 대표성의 문제(나이, 성, 인종, 일자리의 위치 등), 의학계 저변에 자리잡은 실증주의적인 가정의 우세에 대한 자각, 그리고 이렇게 되어야 한다고 여기는 필요에 의해 만들어졌다. 이것은 엄청난 양의 서술자료(많은 양의, 사실적이고, 다룰 수 있고, 연구를 넘어선 인터뷰의 5가지 순환 구조)를 만들어 내는 것을 의미했고, 공유할 수 있는 풍부한 경험과 특별한 사례에 대한 작은 집단에 더 큰 초점을 맞추기 위한 노력이 있었다. 또한 사회적 연구가들이 사회의 종류와 범주 혹은 개인의 삶에 우선적인 관심이 있는지 없는지에 대한 더 큰 질문의 부분이 될지도 모른다. 여기에는 인문학에 의해 알려진 방향과 사회적 학문 사이의 잠재적 긴장감이 있다. 인문학에서는 특수하고 주관적인 것에 더욱 큰 중요성을 부여하고 일반적이고 구조적인 것에는 상대적으로 적은 중요성을 부여한다. 이러한 긴장감은 본 서와 전기적 질문의 중심에 존재한다. 그리고 이 주제는 10장과 책의 결론에서 다시 볼 수 있다. 우리는 C. Wright Mills의 정신을 바탕으로 사회적 형식들과 내부 세계와 그들 사이의 역학관계를 포함하고 특수성과 대표성을 지닌 무언가를 공평하게 다룰 수 있는 방법을 찾고 있는 중이다.

우리는 또한 개인의 전기나 작은 샘플에 대해 방어적이라고 느끼지 않는다고 알았으나 사실은 오랜 기간에 걸쳐 역사가들과 지식세대들의 정신분석 형태에서는 일반화되어 왔다(Plummer, 2001; Rustin, 2000). 1인(single) 생애사는 특수성과 인간 중심성이 역사적, 사회적, 심리적 상상을 다루는 학제간의 이해의 원형을 수준 높게 만드는 근거로써 사용될 수 있을 때 풍부한 자료들을 제공할 수 있다고 한다(9장 참고). Bent Flyvberg는 아래와 같이 썼다:

연구가들에게는 실제 삶의 상황과 연구 사례의 유사함이 현실과의 미묘한 차이의 발전을 위해 중요하며, 인간의 행동은 의미 있는 학습 과정의 가장 낮은 수준과 많은 이론에서 단순히 규칙의 지배 행위로 이해될 수 없다는 관점이 중요하다(2004, p. 422).

Mike Rustin(2000)은 좋은 전기적 자료는 개인의 연구 사례를 포함하고 좋은 문학과 같으며 인간 경험에서의 공통적이고 대표성이 될 수 있다는 것을 상기시킨다. 우리는 우리와 다양한 사람들이 공유하는 타인들의 삶의 요소들을 이해할 수 있고 좋은 연구는 Beckett의 소설 「Godot」과 Shakespeare의 「Hamlet」과 같이 타인들뿐만 아니라 우리 자신도 새로운 관점에서 바라볼 수 있게 한다. 대체로 좋은 전기적 연구는 그 자체의 숫자에 대한 것이 아니라 설명, 분석, 통찰력과 이론적 정교함의 힘에 관한 것이다. 하지만 우리는 대표성에 대한 질문들과 어떻게 소수의 사람들에게 나타나는 무언가를 더 많은 사람들에게 연관 지을 수 있을지에 대한 질문들 그리고 만약 이러한 것이 문학에서 많이 다루어졌더라도 인문주의적인 정신 즉 자기와 타인 이해 그리고 삶의 이해에 대한 관심들을 다뤄야 한다.

학생들에게 골칫거리인 샘플링

그럼에도 불구하고, 우리는 샘플의 크기와 본질이 학생들에게 문제가 된다고 인식한다. 언급한 것과 같이 불안감은 학계 연구의 본질에 대한 실증주의적 가정과 문학으로부터 기인할 수 있다. 우리를 포함한 몇몇의 PHD 관리자들은 학생들이 적은 샘플을 가지고 연구한 것이 외부적인 조사나 '과학적이지 않은', '대표될 수 없는' 대학조사에 의해 비판받을 수도 있기 때문에 그러한 학생들을 걱정할 수 있다. 연구팀은 여러 감독들과 연구자 패널을 포함한다. 예를 들면, Canterbury Christ Church 대학에선 의장, 제1 및 제2의 감독자를 포함한다. 그렇기 때문에 샘플링에 대한 태도는 그 그룹 안에서 다양할 수 있다. 학생이 상사나 또는 심사관 선택에 관여하고 있는 상황에서 이것은 전기 또는 이와 유사한 방법을 사용하여 문제를 이해하고 있는 사람을 선정해서 해결할 수 있다. 투자된 연구에 선정된 참가자의 수도 연구의 기관과 연구자 수, 가능한 돈에 의해 영향을 받을지도 모른다. 그러나 자금 단체는 양적 패러다임에 의해 영향을 받을 가능성이 있으며 소수에 기초한 연구에 투자할 경우가 드물다.

전기적 연구가들은 언급했다시피 샘플 크기에 대해 다양한 태도를 가진다. 이것이 돈일 수도 있고 정책 입안가를 납득시키기 위해 필요할 수도 있다. 일부 전기적 연구원은 더 큰 규모의 연구에서 사용될 범주를 대표하는 샘플을 구축해 왔고 혹은 보다 강력한 일반화 가능한 사례를 구축하기 위해 그런 연구에서 발견한 것들로 이루어진 그들의 데이터를 서로 연결시켜 왔다. 영국에서 실시된 학습 참여의 광범위한 영향에 관한 한 중요한 연구에서는 각각 전국 이동발달 연구인 NCDS과 BCS70으로 알려져 있는 1958년과 1970년 영국의 출생 코호트 연구를 포함한 '대규모 자료 세트'에서의 지식과 전기적 증거를 연관 지었다. 그 팀은 특히 33세에서 42세 사이의 성인의 삶에 연관된 NCDS 자료를 사용했다(Schuller et al., 2007). 이것과 관련해서 Hollway와 Jefferson(2000)은 영국의 범죄 조사에 의해 성별과 나이, 높은 범죄 거주지와 낮은 범죄 거주지에 대한 범죄두려움의 차이를 조사하기 위해 37명을 선별했다. 이러한 대규모의 조사는 종종무작위 샘플에서 비롯되고 전체인구로부터 가능한 대표 집단으로서 안전하게설계된다. 그러나 Hollway와 Jefferson(2000)은 대용량 데이터가 항상 필연적으로타당성 혹은 확실한 지식의 근원이 된다는 생각을 추궁하는 데 이르렀다. 하위항목의 세분화로 성별이나 계층과 같은 범주는 기존 자료의 정밀검사와 다양한반응을 드러내고 혹은 분석 및 글쓰기 과정에서 잠재적 모호성이나 미묘한 차이를 바로잡는다. 연구자들은 실제 사례에서 너무 떨어져 있을 때 큰 손실이 발생할 수 있다. 비슷한 상황에서 사람들 사이에서의 차이는 불합리와 통계 오류로인해 무시될 수 있다. 혹은 관리 가능한 방식으로 전체 인구와의 통계적 연관성을 만들기 위해 단순화하려다 보니 중요하지 않은 것으로 여겨져 유사한 상황에서 사람들 사이의 차이점이 무시될 수 있다. 전기는 이러한 핵심들에 도전할 수 있고 이 주제는 본서 10장에서 논의된다.

홀로코스트의 증인들에 대한 Gabriele Rosenthal(1995) 연구에서처럼, 다른 전기적 연구자들은 큰 샘플을 인터뷰해 왔다. 그녀의 경우 810명을 인터뷰했다. 그러나 그녀는 큰 연구팀과 상당한 보조금이 있었다. 큰 샘플이 반드시 좋은 것은 아니다. 작은 샘플도 의미 있을 수 있고, 가끔은 큰 규모보다 더 의미 있기도 하다. Janice Morse(1994)를 예로 들면, Carolyn Steedman(1986)에 의한 중대한 작업이 엄마와 딸 즉, 2명으로 이뤄졌고, Janice Morse는 6명을 넘지 않는 것이 좋다고 조언했다. Rob Evans는 독일 대학교 학생들의 학습 경험에 대한 그의 연구에서, 매우 실재적인 방식으로 몇몇의 문제를 논한다:

> 실행 가능한 업무량이 원리의(과도하게 야심적인) 목표에서 결정되면서 처음부터 목표로 한 인터뷰 수는 상당히 변경되었다. … 말뭉치(corpus)에 포함되기 위해 궁극적으로 충분히 전사되어야 하는 원고의 수는 총 7부로 유지되었다. 이것은 인터뷰를 전사하는 수를 현저하게 줄였다(원래는 최소한 20개를 전사하는 것이 목표였다). 이러한 수에 반대한 방법론적이고 실용적인 논쟁이 있다. 가장 간단한 논쟁은 순전히 전사하는 과정에 포함된 업무량에 관한 것이었다 (Evans, 2004, p. 69).

그 일의 양은 중요한 고려사항이다. 하지만 이것은 경험의 방식에 따라 실험 대상자들이 제공해야만 하는 것과 제공한 이야기들이 얼마나 풍부한가에 관한 질적 질문들 그리고 이해를 좀 더 정교화된 형식으로 나타내기 위해 우리가 무엇을 하면 그들이 그들의 삶에 대해 더 구체적으로 기술할 수 있을까에 관한 모든 질적 질문들에서도 마찬가지이다. 이제 우리가 사용하는 샘플링의 다른 종류들과 용어들을 설명하려고 한다.

기회적 샘플링

기회적 샘플링(opportunistic sampling)에서는 조사자들이 개인적인 인터뷰나, 운이나 기회, 올바른 언어 혹은 사람들이 그들 스스로 제공하는 상황에서의 기회를 활용할 것이다(Miles & Huberman, 1994). 자신들의 삶의 이야기를 자발적으로 들려주겠다고 말하는 한 사람이 마지못해 이야기하는 수많은 사람들보다 더 선호할 만하고, 열정적인 한 사람이 강요받은 수많은 사람들보다 더 선호할 만하다. Dan Goodley는 학습에 어려움이 있는 성인인 Gerry의 삶을 이야기로 풀었는데 자원봉사를 하던 중 Gerry를 만났다고 설명했다:

> 그는 나로 하여금 강한 호기심을 불러일으켰다. 여기에 풍부하고 다양한 삶에 대해 뽐낼 수 있는 한 사람이 있다. 그의 많은 동료들과 달리, Gerry는 서비스 환경, 전문적인 문화 그리고 기관의 사무실을 오갔다. 학습에 어려움을 가진 많은 사람들이 거주하는 집, 주간 보호시설, 자선단체에 상주해 있는 반면, Gerry는 그런 곳을 가끔 방문했을 뿐이다. 그의 삶은 그의 복지관에 있는 다른 동료 친구들과 다르게 존재한다는 말을 통해 드러났다. 아마도 그는 그의 많은 친구들이 기관에 살면서 경험하는 다양한 삶과 비교했을 때, 그의 가족, 친구 그리고 일에 관한 일상적인 삶이 너무나 특별해 보였기 때문에 매력을 느꼈을 것이다(Goodley, 2004a, p. 72).

사회학자들은 그들의 참가자를 종종 우연적 만남을 통해 발견해 왔다고 주장한다. 예를 들어, Clifford Shaw의 1966년도 연구에서 등장하는 Stanley의 경우와 마찬가지로, 「유럽과 미국의 폴란드 농민들」이란 연구에서 W.I Thomas는 Znaniecki와 함께 그의 연구를 위한 사람을 우연히 만났다.

준거, 이론적, 목적적/의도적 샘플링

John Creswell은 준거 샘플링은 '모든 개인들이 현상을 경험해 온 대표성을 지닌 사람들일 때 잘 적용될 수 있다'고 한다(1998, p. 118). 연구자는 런던과 메드웨이 타운(Medway Towns)의 힘든 지역에서 근무하는 다양한 의사들(예를 들면, 성과 민족성의 관점에서)처럼 그들의 경험에 근거한 연구를 위해 그와 관련 있는 사람들을 선택한다(West, 2001). 또는 Barbara의 연구(Merrill, 1999)에서는 대학에서 많은 수의 성숙한 여대학생들에 관한 연구에 관심이 있다.

　이론적 샘플링은 근거이론 접근법에 기반을 둔 관점과 연관되어 있다(근거이론은 특별한 절차를 따르거나 자료 분석으로부터 도출되는 체계적 과정을 언급한다).

　'근거이론 연구를 위해, 조사자들은 진화이론에 기여할 수 있는 그들의 능력에 기초한 참여자들을 선택해야 한다'(Creswell, 1998, p. 118). 목적의식이 있는 샘플링이란 용어는 이론적 샘플링과 함께 교환할 수 있게 사용된다. Mason은 다음과 같이 이론적 샘플링을 정의하고 있다:

> 이론적 샘플링은 당신의 연구 질문과 선택 집단 혹은 선택 범주의 연관성, 당신의 이론적인 태도, 그리고 당신이 가장 중요하게 만들어 가고 있는 설명과 해설을 고려하여 연구에 있어서 샘플을 선택하거나 범주를 선택하는 것을 의미한다. 이론적 샘플링은 샘플을 구조화하는 것과 관련이 있다. 샘플을 구조화하는 것은 이론적으로 의미가 있는데, 왜냐하면 이것이 당신의 이론과 설명을 개발하고 시험하는 데 도움을 줄 수 있는 어떠한 특징들이나 범주들을 만들어 내기 때문이다(1996, pp. 93-94).

　그러므로 의사에 관한 연구에서 성은 의학계에 대한 문화와 하위문화에 대해 생각할 수 있는 방식으로서 또한 개인들과 개인들의 전기들에 관한 문화와 하위문화에 대해 생각할 수 있는 방식으로서 개념적으로 중요한 것이 된다. 중요한 단계에서 샘플은 가정의 영역과 전문적 영역에서의 감정노동의 경험을 연대기적으로 나타내는 방식으로서 더 많은 여자 의사들을 포함하도록 확장됐다(West, 2001). Mason은 이론적인 샘플링이 엄격하지 않음을 강조하고, 연구가 진행됨에 따라 샘플이 변경될 수 있다고 강조했다. '이론적 혹은 목적의식 샘플링은 통계적 샘플링보다 더 큰 변화폭을 가지고 연구 과정 동안 연구자가 그들의 분석과 이론 그리고 샘플링 활동을 상호적으로 조작하는 일련의 과정이다'(1996: 100).

병원에서 죽어 가고 있는 말기 질환 환자에 관한 Glaser와 Strauss(1968)의 연구는 종종 이론적 샘플링의 예시로써 인용된다. 더욱 최근에는 성인 학습 분야 내에서 위에서 언급된 학습의 다양한 이점들에 관한 Tom Schuller 등(2007)의 연구와 관련해 연구자들은 커다란 '자료 세트'로부터 얻어낸 흥미로운 사람들의 범주들을 잠재적으로 확인하는 것을 근거로 연구의 전기적 부분을 확인하기 위한 목적의식이 있는 샘플링을 사용했다. 한 연구 안에 다른 샘플링 기법들이 혼합될 수 있다.

눈덩이 샘플링

눈덩이 샘플링은 연구자가 참가자들에게 그들의 친구, 직장동료, 가족 구성원들 중에 인터뷰할 수 있는 사람들을 알고 있는지 묻는 것과 연관되어 있다. 간단히 말해, 참여자 수가 눈덩이처럼 커질 수 있다. 이러한 샘플링 종류는 연구자가 노숙자들과 마약 복용자들처럼 대상이 접근하기 어려운 그룹인 경우 유용하게 사용될 수 있다. 스코틀랜드의 평생교육대학에서 Barbara와 다른 성인 참가자들이 진행한 연구에서 그 팀은 비참가자들이 포함되기를 원했다(Gallacher et al., 2000). 또한 그 팀은 대학의 일부 참가자들에게 평생교육에 참여한 적이 없는 사람들을 알고 있는지 물었고, 그들은 다양한 사람들을 추천하고 그들과 관계를 유지했다.

당신이 혼합 방법 프로젝트에 참여하는 경우에 설문지는 인터뷰를 기꺼이 하고 싶어하거나 그들이 흥미가 있을 때, 양식(설문 조사가 끝날 무렵에 주어진)을 완료하기 위해 참가자를 초대함으로써 그 인터뷰에 자원한 참가자들로부터 정보를 취득하기 위한 훌륭한 도구를 제공한다. 이러한 접근은 기꺼이 참가자를 모집하는 것을 가능하게 하지만 성별, 나이, 계급이나 인종에 있어 같은 수를 제공하지 않으며, 모두가 인터뷰에 그들의 시간을 내주는 것은 아니다. 반복하여 강조했듯이, 어떤 샘플링 접근을 선택할지는 특별한 연구와 목표로 한 것에 무엇이 적절한지에 달려 있다. 그리고 이것은 질보다 양을 믿는 정책 입안자들을 납득시키는 것을 의미한다.

인터뷰를 위해 자신을 준비시키기

일단 얼마나 많은 사람들을 어떤 조건에서 인터뷰를 할지 정했다면, 몇 가지 준비해야 할 것이 있다. 실용적인 측면에서 처음부터 참가자들이 정직하게 해야 함을 설명하고 연구가 무엇에 관한 것이고 무엇을 기대하는지에 대한 명확하고 포괄적인 설명을 참가자들에게 하는 것이 중요하다. 처음의 접촉은 편지, 전자 우편 또는 전화에 의한 것이 될지도 모른다. 사람들을 인터뷰에 초대하는 것 그리고 연구의 목적과 목표를 설명하는 것, 얼마나 오랫동안 인터뷰가 진행될지에 대해서도 이야기해야 한다. 모든 의사소통은 분명하고 이해할 수 있는 언어로 진행되어야만 한다. 인터뷰에는 기밀과 같은 고려해야 할 윤리적 문제들이 있을 수 있고 문제가 있다고 여기는 참가자들은 연구의 어떤 단계에서든 그들이 원한다면 그만둘 수 있다(우리가 계속 이야기하듯, 윤리적 문제는 매우 중요하고 우리는 이에 대해 10장에서 다시 이야기할 것이다). 참가자 모두가 좋은 이유를 가지고 적극적으로 참가하는 자원봉사자들은 아니다. 그들은 단순히 더 중요한 우선순위가 있을 수 있다. Gerson과 Horowitz(2002)는 이러한 논의 사항을 고려해 왔다.

낯선 이의 도움을 확보하는 것은 어떤 면에서는 면접관에게 가장 걱정을 유발시키는 업무이다. 이것은 누군가의 프로젝트의 가치에 관한 아주 강한 신뢰를 요구한다. 또한 다른 이유 없이 단지 지식의 진보와 개인의 인식 발전에 대한 가능성만을 위해 그들의 가장 사적이고 친숙한 이야기들을 공유해 줄 것을 물어볼 수 있는 것이기에 상당한 대담함을 요구한다. 대부분이 도움에 동의하더라도 거절 가능성은 새로운 편지를 받거나 전화를 받을 때마다 증가할 수 있다. 프로젝트에 기여하기 위해 다른 사람을 설득하기 위해서는 반드시 집단적인 노력이 필요하고 이는 연구의 가치, 따뜻한 배려 그리고 지속적인 접근에 따라 달라진다. 만약 이러한 초기 접촉들이 높은 수준의 참여로 유지될 경우에는, 비록 어쩔 수 없이 드물게 거절이 발생할지라도 면접관의 진취적 기상을 유지하기가 더욱 쉬워질 수 있다(Gerson & Horowitz, 2002, pp. 209-210).

만약 기관들이 사례 연구로서 사용된다면, 적절한 단계에서 허가를 얻어야 할 것이다. 누가 허가를 받을지 적당한 사람을 정해야 한다. 연구의 목적과 목표를 설명해야 하며 마찬가지로 기관과 개인들과 관련해서 기밀과 익명성의 문제도 설명해야 한다.

사전에 지침서와 인터뷰 대상자의 동의서를 전달하는 것이 중요할지도 모른다. 아래와 같이 설명된 것은 성인(Access) 학생들 사이에서 동기부여의 연구로부터 얻어진 것이다.

성인(Access) 학생 동기부여

이 연구는 Kent 대학교의 계속교육 연구를 위한 부서(Unit for the Study of Continuing Education at the University of Kent)에 속한 Linden West와 Mary Lea에

의해 착수되었다.

인터뷰 참가자들을 위한 지침 노트와 사용 조건

1. 이러한 특정한 연구 프로젝트는 성인(Access) 학생들의 동기를 깊이 있게 이해하는 것을 목적으로 한다. 이를 위한 방법은 사람의 인생사와 현재 상황들에 대한 전체적인 맥락 안에서 더 일반적으로 학습과 동기의 참여를 이해하기 위한 관점으로 상당 기간 동안 연속적인 인터뷰를 포함한다.

2. 우리는 몇 개의 기관에서 30명의 학생들을 대상으로 인터뷰를 수행했다. 학생들은 나이, 직업, 직장인, 비직장인, 사회적, 그리고 민족적 배경과 성비를 확보하기 위해 선택되었다.

3. 자료들의 잠재적인 민감한 특성을 고려할 때, 당신은 모든 질문에 답변을 거부할 수 있고 마찬가지로 연구의 어떠한 단계에서든지 중단할 수 있는 절대적인 권리를 가지고 있다. 당신이 원하지 않는 방향으로 우리는 밀고 가지 않을 것이며 치료사의 역할인 척하지 않을 것이다.

4. 당신은 주어지는 모든 동의를 소급하여 철회할 자격이 있고 녹음을 포함해 당신의 자료가 파괴될 것을 요구할 권리가 있다. 명백히 그것은 연구자가 기록을 읽은 후 가능한 한 곧바로 당신의 입장을 아는 것이 중요하다. 그러므로 거부 또는 동의의 철회는 일반적으로 기록의 사본을 받은 날로부터 2주 이내이다.

5. 기밀성이 가장 중요한 문제이다. 우리는 인터뷰 대상자들에게 그들이 원하면 익명성 보장을 허락하는 사용 양식에 대한 조건들을 제공할 것이다. 원칙적으로 자료는 연구 목적으로만 사용된다(사전 허락을 얻지 않은 한, 예를 들어 가르칠 때 테이프들을 사용하기). 만약 당신이 이것을 원한다면, 사례 연구 제출에서 당신의 익명성을 유지하기 위한 모든 절차를 밟을 것이다.

6. 각자에게 인터뷰에 대한 기록이 주어질 것이고, 만약에 희망한다면, 테이프의 복사본을 줄 것이다. 당신은 당신이 보기에 적절하다고 생각

하는 방식으로 글을 수정할 수 있고, 당신이 마지막 인터뷰 후에 2주가 지나면 모든 기록들의 최종 본에 우표를 붙여 제공된 주소가 적힌 봉투에 담아 돌려주길 바란다. 기록의 최종 편집 본과 모든 테이프들은 계속 교육의 연구를 위한 부서의 연구자들(Linden West and Mary Lea)이 보관할 것이다. 별도로 지정된 연구자들을 제외하고 모든 자료의 접근은 오직 당신의 허락하에 가능하다. 우리는 또한 프로젝트의 모든 참가자들에게 적어도 한 번의 초대를 마련할 것이고, 이를 통해 당신은 우리 연구의 발견을 비판하고 그것에 대한 토론과 동기부여 분석의 기회를 제공받는다.

7. 일반적인 관점에서 이러한 절차는 영국 심리학 사회의 윤리 원칙(the British Psychological Society's statement of Ethical Principles)에서 비롯된 것이다.

8. 우리의 연구를 위한 당신의 모든 도움과 기여에 감사를 표한다.

(West, 1996, pp. 219-220)

전기적 연구가 처음인 일부 학생들과 연구자들은 첫 번째 연구를 수행하는 데 매우 불안하게 된다. 이것은 다음 장의 주제이다. 인생 이야기와 그 기억을 말하는 것은 인터뷰 대상자와 면접관 둘 다에게 고통스러울 수 있고, 친밀감을 느낄 수 있으며 깊은 감정을 불러일으킬 수 있다. 우리는 사전에 이러한 가능성을 인식해야 한다. Irene Malcolm(2006)은 후원을 받으며 진행된 학습 인생사에 관한 큰 프로젝트에 연구 조수로 처음으로 참여했던 경험을 설명했다. 그녀의 경험은 매우 감정적이었고 면접관은 그녀의 경험이 마치 자신의 이야기같아 화가 나서 울었다. 그녀는 면접관이 상황에 준비되어 있지 않다고 느꼈다. 결과적으로 그녀는 훈련, 지도 및 지원이 경험이 부족한 신입 연구자에게 필요하다고 주장했다. 마찬가지로 학생들이 상사의 지원, 상담, 교육을 받는 것은 중요하다. Pierre Dominicé(2000)는 최고 관리자는—치료, 건강 및 교육 환경의 범위에서 노련한―교육적인 전기를 행하는 인물이어야 한다고 말했다. 비판적인 친구나 우리가 하는 것, 말하는 것, 쓰는 것 나아가 감정적인 영역이나 자서전적인 측면에 이르기까지 다양한 영역에 관해서 피드백을 제공해 줄 수 있는 지지 집단(이것은 동료들이 될 수도 있다)을 갖는 것은 도움이 될 수 있고 심지어는 필수적일 수도 있다. 또한 인터뷰 참가자의 허락이 구해졌다면, 경험이 많은 연구자가 진행했던 전기적 인터뷰를 관찰하는 것 또한 도움이 될 수 있다.

결론

우리는 당신이 실제 흥미가 있는 주제를 선택해야 됨을 강조해 왔다. 당신은 이 주제와 오래 씨름해야 할 것이고 잠재적으로 치열한 시간이 될 것이다. 특히 박사학위(PhD) 논문을 쓰고 있다면 그럴 것이다. 신중히 생각한 연구 제안서와 계획은 또한 연구의 발전을 촉진한다. 이와 동시에, 연구는 항상 계획한 대로 가지는 않을 것이다. 우리는 전기적 방법을 사용함에 있어 유연성과 반사적 반응을 배워야 한다. 연구는 놀랍고 엄청나게 깊은 학습의 근원이 될 수 있다.

지속적으로 진술된 것처럼, 연구자 자신은 언제나 현재에 존재한다: 연구하는 것은 연구논문(연구물)에 못지 않게 연구자를 위한 여행이다. Penny Burke가 말했다:

나는 연구의 부참가원으로서 내 이야기를 책에 썼다. 연구 과정은 복잡했다. 그리고 그녀의 학생들을 연구하는 선생님으로 인해 연구 과정이 향상되었고, 사회적 삶의 사적·공적 영역을 나누는 가부장적 경계선을 협상하려 유상급여 일과 무상급여 일을 저울질했다. 나는 분리된 독립체로 내 연구를 경험하지 못했다. 나의 삶은 엄마로서, 부인으로서, 손녀로서, 딸로서, 친구로서, 선생님으로서, 학생으로서, 외부적 조절자로서 그리고 조사자로서 모두 겹쳤고, 학문적 세계에서 이것에 대해 거의 쓰이지 않고 이론화되지 않는 방법으로 서로 강화되고 충돌되었다. 나의 연구는 나의 여성주의 정체성의 영향을 받았고, 내 주관성과 나의 관점과 정체성을 결정하는 많은 다른 동력의 영향을 받았다. 그래서 나는 나의 경험과 가치관과 믿음을 상기시키는 이론들에 이끌렸다. 나는 이것을 비판적 연구와 페미니즘에서 찾았다. 둘 다 정치적 논쟁 연구이다(Burke, 2002: 4-5).

전기적 연구를 함으로써 보람이 있을 수 있고, 즐거울 수도 있지만 또한 고통스러울 수 있다. 그리고 당황스럽거나 정치적일 수 있다. 이러한 문제들은 인터뷰를 진행하는 맥락 안에서—전기적 연구의 중심이 되며—다음 장에서 탐구된다.

요점

- 연구 주제를 선정하는 데 연구자의 가치, 태도, 흥미, 그리고 자서전이 사용될 수 있다.
- 그러나 연구 주제의 선택은 연구 후원 조직의 우선순위에 따라 제약이 있을 수 있고 사용 가능한 시간과 자원의 제약이 있을 수 있다.
- 전기적 연구에서 양적 접근 샘플링은 대체로 부적절하다. 그러나 그것들은 하위 샘플을 선택하는 데 사용될 수 있다.
- 전기적 인터뷰를 진행하는 데, 특히 처음인 경우, 준비와 지원은 중요하다.

추가 읽을거리

Becker, H. S. (1998) *Tricks of the Trade: How to Think About Your Research While You're Doing It.* Chicageo: University of Chicago Press.

Esterberg, K. G. (2002) *Qualitatitve Methods in Social Research.* Boston: McGraw Hill.

Goodley, D. Lawthom, R., Clough, P. and Moore, M. (2004) *Researching Life Stories: Method, Theory, Analyses in a Biographical Age.* London: Routledge Falmer.

1. 전기적 접근법을 사용할 때 왜 일반화 가능성이 필수적으로 고려되지 않는가?

2. 왜 과학적 샘플링 접근법이 양적 연구 방법으로 사용될 때, 적어도 어느 정도까지, 부적절하거나 심지어 도움이 되지 않는다고 여겨지는가?

3. 당신은 왜 전기적 연구를 하기로 선택했는가?

활동

1. 만약 당신이 연구를 한다면, 특정한 주제를 왜 선택했는지 성찰하고 그것이 어떤 면에서 당신의 흥미, 경험, 태도, 자서전을 반영하는지 구별하라.

2. 이 장에 소개된 각각의 샘플링 접근법을 이용해 연구 주제에 적절한 샘플링 접근법을 제시하라.

3. 만약 자신이 당신의 첫 번째 전기적/삶의 이력 인터뷰를 하려고 한다면, 당신의 걱정과 불안 그리고 당신이 기대하는 것을 적어라.

4. 만약 당신이 이미 전기적 인터뷰를 했다면, 당신이 무엇에 대해 걱정했거나 불안했는지 성찰하라.

5. 연구 주제를 알아보고 연구에 참여할 사람들에게 초대 편지를 써라.

7

경험을 인터뷰하고 기록하기

근본적인 것으로 밝혀진 창조적 과정의 또 한 측면이 있었다. … 이것은 바로 외부 세계에 대한 지각의 측면이다. 기술(묘사)하기와 관련된 문제의 관찰은 외부 세계에 대한 인지 그 자체가 대단히 복잡하고, 내부와 외부 간의 상호교환이 창조적으로 이루어지는 창의력 과정이라는 결론에 도달하게 했다(Marion Milner, 1971, p. 146).

개요

- 인터뷰 행위의 본질을 생각해 보고 여기에 대한 서로 다른 관점들을 검토한다. 그 대상으로는 여성주의적, 정신역학적 사고가 포함된다.

- 전기적 인터뷰에 대한 서로 다른 접근들을 다룬다. 여기에는 내러티브 및 상호적인 인터뷰가 포함된다.

- 우리의 작업으로부터 인터뷰의 예시를 제공하고 신뢰를 쌓는 것의 중요성에 대해 생각해 본다.

- 인터뷰 자료를 기록하는 방법과 여기에 사용될 수 있는 전통적 방법을 다룬다.

앞 장의 끝부분에서 언급한 것과 같이 인터뷰에 관해서는 생각해야 할 것이 많다. 우리는 지금부터 전기적 인터뷰에 관한 많은 이론과 실험 그리고 어떻게 하면 풍부한 묘사와 '좋은 이야기'들이라고 불리는 것들을 잘 만들 수 있는지에 대해 생각해 볼 것이다. 좋은 이야기라는 것은 세부적으로도 자세할 뿐만 아니라 캐릭터의 특성상 경험적으로도 포괄적이고 반사적인 이야기 자료들을 의미한다. 인터뷰를 할 때 우리는 전기적 연구가 처음부터 해석의 행위이며 연구자는 과정과 질적 문제 또한 구성해야 한다고 강조한다. 다른 면에서 볼 때, 우리가 참여했던 유럽 공동 프로젝트(Collaborative European project)와 같이 인터뷰할 때 다른 방향에서 접근한 예들을 제시한다. 또한 우리는 인터뷰를 기록할 때 적용될 수 있는 다른 접근 방법과 전통적 방법을 고려할 것이다.

창의적 행위

전기적 인터뷰는 단순히 좋은 기법의 문제뿐만 아니라 좋은 기법의 문제가 중요한 만큼 사람들 간의 잠재적인 창의적 공간을 제시한다. 그리고 사람들의 감정적인 질과 개념적인 통찰력의 관심을 요구한다. 이것은 어느 정도 위협적이지 않고 열린 질문을 사용하며 연구관계와 인터-뷰('~사이 ~본다')의 심리사회학적 측면과도 관련이 있다.

　물론 인터-뷰라는 용어는 관계의 의미를 내포하고 있다. 전통적으로, 적어도 주류 연구에서는 이것이 부정적인 용어로 생각되었다: 연구자, 주관성, 상호주관성 등은 '편견'이나 왜곡의 토대가 되었기 때문이다. 객관주의적이고 실증주의적인 측면에서 볼 때, 신뢰도를 쌓는 과정에 있어서 연구자의 전기와 주관성은 삭제되거나 축소될 필요가 있다: 똑같은 사람들과 연구할 때 만약 연구가 유효하다고 여겨진다면 다른 연구원들은 대체로 똑같은 대답이나 데이터를 생산해 내야 한다. 이러한 관점에서 누구를 인터뷰하느냐와 상호작용의 본질과는 상관없이 진실만을 밝히기만을 기다리는 진실이 존재한다.

순간의 이용과 묘사

서술과 인지(고로, 인터뷰도)는 매우 창의적이고 역동적인 활동이다. 전기적 인터뷰의 질은 연구자가 인터뷰 대상자에게 무엇을 준비해 가는가, 특히 순간적이고 포괄적인 맥락에서의 우리의 인지 수준에 좌우된다. 여기에는 우리가 그들을 처음 맞닥뜨렸을 때 무슨 일이 일어나는지에 관심을 기울이는 세심함이 포함된다.

Naomi Stadlen(2004)은 무엇이 관련되어야 할지 생각하게 한다. 그녀는 똑같은 상황을 목격한 두 사람의 반응을 나눠서 설명한다. 우리는 그들을 연구자로 가정하고 Stadlen이 이들 중 한 사람이라고 상상할 수 있다(당신은 이 상황에 처한 당신에 대해서, 그리고 당신이 이 상황에서 어떻게 반응할지에 대해서 생각해 볼 수 있다). 각각의 연구자/관찰자는 같은 집에 들어가고(우리는 이것을 전기적 인터뷰의 설정이라고 생각할 수 있다), 화장실 문이 열려 있는 것을 알아차린다. 마루에는 한 통의 치약이 있다:

> 어디가 위인지 모를 만큼 치약의 윗부분이 말려 있다. 치약이 발라져 있는 칫솔은 싱크대의 가장자리에 사용되지 않은 채 놓여 있다. 이를 막 닦으려 한 순간 누군가가 방해한 것이 틀림없다. 그 사람은 옆방에 있다. 그녀는 애 있는 엄마이다. 그녀는 무엇을 하고 있을까? 음, 당신이 어떻게 대답하는가는 당신 스스로와 당신이 그녀를 볼 때 무엇을 보는지에 달려 있다(Stadlen, 2004, p. 258).

Stadlen은 잠재적으로 성적 차원을 가진 한 가지 해석은 제시했다. 관찰자/연구자는 여자를 이 닦는 시간조차도 아이가 기다리지 못하고 계속 울며 힘들게 하여 불행한 존재로 인지할 수 있었다. Stadlen은 이런 사람은 아마 아이를 낳지 말았어야 했다고 느꼈을 것이라고 했다. 그리고 Stadlen은 긴 시간동안 돌봄과정들의 이해에 몰입한 여자처럼 자신의 해석을 공유한다. 그녀는 자신의 관점을 정립했다: 보살핌(그것의 중요성에도 불구하고)은 종종 남자들에게 문화적으로 평가절하되고 알려지지 않기도 한다. 이러한 관점에서 우리는 중립적이거나 수동적인 관찰자가 아니라 의식적으로든 아니든 시작부터 해석자이다. 그녀는 이 상황을 질적으로 다른 관점에서 해석했다:

> 나는 창백하고 눈 밑에 짙은 다크 서클이 있는 진이 빠져 보이는 엄마를 봤는데, 그녀는 어디서 그런 힘이 나는지 아이에게 노래를 불러 주고 흔들어 주었다. 그 아이는 진정되어 가며, 긴장되어 있던 몸은 서서히 그녀의 팔 사이로 녹아들어갔다. 아이는 더 이상 울지 않게 되었다. 아이는 자신을 편하게 해주는 엄마의 노래소리와 아름다운 리듬에만 주의를 기울였다. 아이가 잠들 때까지는 오랜 시간이 걸렸다. 아이가 잠들자, 모든 방이 평화로워 보였다. 모든 것이 바뀐 것 같았다. 그것은 여행 같았고, 고통에서 하모니로 바뀌는 순간이었다. 엄마는 따뜻한 미소를 머금었다. 그러한 기적은 그녀의 것이었지만, 아마도 너와 내가 그곳에 있어 주고 그녀가 해온 '행위'들을 쭉 지켜본 것이 그녀에게 도움이 되었을지도 모른다(Stadlen, 2004, p. 258).

당신은 언어가 비과학적이고 너무 감성적임을 알았을 테지만 중요한 점은 우리의 주관성과 넓은 문화적 이해는 우리의 반응과 해석을 형성한다는 것이다. 이것은 임신 중이거나 어린이를 키우는 싱글맘의 전기적 연구의 한 부분으로서 어린 엄마와의 첫 번째 인터뷰가 될 수 있다. 이 같은 자각은 잠재적으로 인터뷰를 시작하기 위한 풍부한 자료이지만 우리는 거의 알아차리지 못할 것이다. 혹은 우리는 나쁘고 편견을 가진 연구자가 된다는 공포감 때문에 준비된 틀에서 벗어나는 것에 대한 걱정을 할 수도 있다. 그러나 좋은 인터뷰는 상황과 순간에 신경을 쓸 필요가 있고, 감정적인 어조와 상황의 질에 대해 신경 쓰는 것도 필요하다. 그리고 어떻게 이것이 우리의 작업을 돕거나 막을 것인지에 대하여 생각하는 것도 필요하다. 우리가 행동을 할 때, 우리는 페미니스트 연구자들이 주장한 것처럼 (중요한 무엇인가가 일어나고 있는 것을 인지하는 것) 잠재적인 보다 강력한 질문형식을 만들 수 있다.

페미니스트 연구의 공헌과 연구자의 포지셔닝

페미니스트 연구자들은 인터뷰를 하는 것과 인터뷰 권한을 부여하는 행위의 잠재성에 주의를 기울였다. 이러한 연구들은 여성에 의해 그리고 여성을 위해 생각되어 왔다. 페미니즘은 연구자들이 항상 그 곳에 있다는 것을 깨닫게 해준다:

> 페미니즘의 기초는 '개인이 정치적이다'라는 것이다. 우리는 개인의 결정적인 중요성에 관한 이 주장은 또한 중요성에 대한 주장, 그리고 다른 경험뿐만 아니라 개인의 연구 경험 *내에* 있는 경험의 존재에 대한 주장을 포함해야 한다고 제안한다(Stanley & Wise, 1993, p. 157, original emphasis).

Stanley와 Wise는 강조한다:

> 모든 연구에는 그것의 기초, 상호작용, 관계, 연구자와 연구 대상자 사이의 관계가 모두 관련되어 있다. 왜냐하면 모든 연구의 기본은 관계이고, 이것은 필연적으로 *사람으로서의* 연구자의 존재와 관련이 있기 때문이다. 개인적인 특성은 뒤에 놓일 수 없고, 연구 과정 밖으로 나갈 수 없다. 우리는 모든 연구의 중심으로서 연구자 자신의 존재를 본다(1993, p. 161).

페미니스트 면접관들은 인터뷰가 더 일상적인 대화가 되도록 더 동등하고 민주적인 관계를 쌓는 데 매진할 수 있다. 페미니스트들은 이것 때문에 객관성의 개념과 연구자들은 참가자가 역으로 한 질문이 연구자의 사생활을 묻는 것일지라도 질문에 대답하는 자세를 유지해야 하는 것에 이의를 제기한다. Oakley(1992)는 "여성을 인터뷰하다"라는 제목의 에세이에서 페미니스트적 접근에서 그녀가 느꼈던 것에 대해 서술했다. Oakley에게는 질문에 대답하는 것이 그녀의 인터뷰 대상자들과의 관계 구축을 위해 매우 중요했다: 그녀는 이것을 '호혜가 없으면 친밀함도 없다'라고 표현했다(1992: 49).

그녀의 연구 중 「엄마가 되는 법」(1979)을 쓰는 과정에서, Oakley는 몇몇 여인과 연락을 하고, 그녀들의 아이의 생일파티에 참석하기도 하며, 어떤 경우에는 친구가 되는 등 연구가 끝난 후에도 그들과 관계를 유지했다고 강조했다. 이것은 인터뷰에 있어서 객관성이 불필요하다고 말하는 것이 아니라 오히려 연구 관계에 있어서 참가자들의 이해와 유연한 대처를 위해, 그리고 분석적인 객관성을 구축하기 위해 함께 적절히 어울리는 것이 중요할 수 있다는 것이다. 치료자는 또 다른 사람의 이야기를 흡수하는 능력을 개발할 필요가 있고, 따라서 역설적으로 무슨 일이 일어날지 생각할 수 있는 내적인 정신 공간을 가질 필요가 있다.

Sherana Berger Gluck, Dophne Patai 그리고 San Armitage와 같은 다양한 페미니스트 연구자들이 제시한 질문들에 대해 생각해 볼 필요가 있다(Armitage & Gluck, 2006; Gluck & Patai, 1991). 이 의문들은 면접의 권한과 [스스로를 위한 필요] 또한 문화적, 역사적 인식 등에 관한 것들이다. 우리가 들은 것은 누구의 이야기이고, 떠오르는 상황에 대한 기억이나 이해는 누구의 것인가? 그들은 권위의 한 가지 원천인 전통적인 면접관의 아이디어에 도전하고, 왜 특정한 사람들이 특정한 이야기를 특정한 시간에 이야기해야 했는지에 대한 폭넓은 상황적인 이해에 관한 중요성을 강조한다. 예를 들면, Gluck은 팔레스타인 여성과의 연구에 대해 그리고 신흥 페미니스트 의식의 가정이 어떻게 스토리텔링에 대한 좀 더 광범위한 이해에 의해 조정되어야 하는가—예를 들면, 특정 역사적 순간에 정치적 적합성에 대한 압력과 같은 것—를 다시 추궁했다(Armitage and Gluck, 2006). 가족지원 프로그램 연구에서 부모들은 그들의 상황에 대해 지배적이고 이데올로기적으로 영감을 얻은 이야기를 되풀이할 수 있다: 즉 문제는 근본적으로 그들의 문제이며, 그것을 해결해 나가는 것도 그들의 책임이다. 물론 이것은 자신의 권리에 대해 중요한 발견이 될 수 있다. 그러나 연구자는 그들이 말하는 이야기를 형성할 수 있는 요소를 고려하면서 반사적으로 사람들을 참여시키는 방법도 생각할 수 있다.

오직 여성들만?

많은 페미니스트들은 여자만이 여성으로서의 경험을 공유하고 이해할 수 있으므로 여성 피면접자의 인터뷰는 여성 면접관만이 할 수 있다고 주장한다. Oakley 는 "페미니스트의 여성 인터뷰는 문화 '안'에서 참여하는 것, 그리고 그녀(페미니스트)가 연구하는 것에 참여하는 것 모두를 의미한다"고 했다(1992: 57). Harding 과 같은 다른 사람들은 이 의견에 동의하지 않으며 '다른 해방운동의 중요한 공헌은 해방된 그룹의 구성원들이 아닌 사상가들에 의해 만들어져 왔다'고 지적했다. 여성의 경험과 성별이 신분, 인종, 성적인 것 그리고 다른 구조적인 과정 등과 어떻게 상호작용하는지에 대한 다양성과 복합성을 고려해 볼 때, 이것은 Gluck과 Patai(1991)의 중요한 화젯거리다. 이러한 상황에서 그 안에 포함되는 사람은 누구일까?

Barbara는 Jim Gallacher와 Glasgow Caledonian 대학의 평생교육연구센터와 함께 스코틀랜드에서 열리는 참여와 비참여에 관한 프로젝트에 참여했다. 스코틀랜드 교육산업부지국(Scottish Office Education and Industry Department, SOEID) 이 이 프로젝트를 후원했다. 전기적 인터뷰가 사용되었고 Barbara는 노동자 계층의 스코틀랜드 사람들이 마음을 열고 그들의 삶 이야기를 그녀에게 말해 줄 것인지 아니면 아예 그들을 상대로 남성 면접관을 사용하는 것이 더 적절한지에 대해 노심초사했다. 그러나 실제적으로 이런 것은 문제가 되지 않았다. 참가자들 만 오랜 시간 동안 가끔은 감추기도 했지만 매우 개인적인 이야기들을 했다.

Linden은 4장에서 소개됐던 레즈비언 의사, Aidene Croft를 포함해 다른 사람의 삶을 이해하기 위해 어떻게 자기 자신의 소외 경험(아웃사이더처럼 느껴졌을 때 혹은 무시당했을 때)을 이용하는지에 대해 썼다. 그녀는 성차별적인 의학 문화에 대한 경험으로 인해 소외감을 느꼈다. 그러나 시간이 지나 그녀가 무시당하고 오해받은 것이 그녀로 하여금 환자들의 소외를 이해할 수 있게 해주었다; 그리고 이것은 의학의 과학적인 측면보다도 더 중요한 경험이 되었다. 이것으로 볼 때, 이 연구에서 Linden은 특정 대학에서의 불행함과 빠른 은퇴로 인한 압박을 포함한 변화와 어려움의 시간에서 소외감이라는 감정을 그려 냈다(West, 2001). 우리 모두는 때때로 혼자 버려지고, 무시당하고, 힘을 잃거나 침묵에 잠기는 경험을 함으로써 이러한 경험을 한 누군가를 이해할 수 있게 된다. 우리의 객관성은 편견뿐만 아니라 증거와 이해의 원천이 될 수 있다. 하지만 그것들을 이용하는 것은 사고, 자아인식, 투명함을 요구하고, 이것이 만족되어야 원활히 연구를 실행하고 보고할 수 있게 된다.

정신분석 관점

전기적 인터뷰에 관한 다양한 방법들과 다양한 연구들이 정신분석 관점에서 이루어졌다(Frosh et al., 2005; Hollway & Jefferson, 2000; Roper, 2003; West, 1996, 2001). 그들이 매일 직면하고 수행하는 역할들에 대한 풍부한 증거자료에도 불구하고 연구에서 무의식 요소들은 무시받아 왔다. 그러나 지난 20년 동안 수많은 연구자들은 그들이 보다 더 심층적인 인터뷰를 할 때 이처럼 등한시했던 것들에 대해서 의문을 제기했다: 전이, 역전이 및 방어의 과정은 치료 또는 상담 상황에서만큼 연구에서도 작동하는 것으로 보인다.

Dennis Brown과 Jonathan Pedder(1991)는 정신분석 치료의 관점에서 과거의 경험으로부터 발전된 감정과 태도가 어떻게 전이되는지, 특히 어떤 특별한 단서도 없을 때 우리가 어떻게 반응할지에 주목한다. 역동적인 힘의 관계 상황에서 인터뷰의 감정적인 어조는 과거의 관계와 반응의 친밀한 패턴을 추적함으로써 구성이 가능하다. 치료사와 마찬가지로 인터뷰를 진행하는 사람도 무의식적으로 한 사람의 역사 속에 존재하는 중요한 타인으로서 나타날 수도 있고 동시에 역전이 과정으로 인해 인터뷰에 참여하는 사람에 대해서 보호하려는, 혐오감을 주는, 마음을 이끄는 혹은 심지어 화를 내는 것과 같은 감정들을 느낄 수도 있다.

Linden은 피면접자들이 어떻게 그들이 연구자가 원하는 답이나 무의식적으로 면접관이 원하는 답을 줄 수 있는지에 대해 썼다. 이것은 불안에 맞선 방어의 일종이 될 수 있다. 'Brenda'는 성인 학생이고 그녀의 인터뷰 동안(4년에 걸쳐서 진행되었고, 고등 교육으로 진전된) 그녀는 적어도 Linden이 그 자신의 역사를 공유했을때 그녀 이야기의 동기가 어떻게 변화하고 있었는지 알아차리기 시작했다. 그녀는 강력한 남성들을 누그러뜨리는 성향을 관찰했다. 그리고 그녀와 Linden은 폭력적인 아빠 밑에서 자란 어린 시절의 힘들었던 경험으로 돌아왔다. 그녀는 남편의 폭력적인 행동 때문에 과거와 현재가 뒤얽혔다(West, 1996).

첫 번째 인터뷰에서, Brenda는 성인학습자들이 대개 그렇듯이 선생님이 되고 싶다고 말했다. 왜냐하면 더 좋은 직업을 갖는다는 것은 다른 어떤 개인적인 것보다 존중할 수 있고 수용할 만한 경향이 있기 때문이다. 시간이 지나고, Brenda는 그녀의 동기를 더 깊게 성찰할 수 있게 됐고, 그녀의 이해는 상당히 바뀌어 갔다(그 당시에 상담 도움도 받았다):

지금도 여전히 두려움이 조금 남아 있는 것은 바로 혼자 있어야 하는 단순한 두려움이었다. 고립감이라는 이런 감정 … 나는 내 아이들과 있을 때 의식적으로 그런 감정을 느끼지 않으려고 매우 노력했다. 아이들이 성장하고 그들은 자유롭게 이야기를 했고 내가 그들에게 자신들의 느낌을 자유롭게 이야기하도록 격려할 때쯤 나는 다시 고립감을 느낄 것이다. 동시에, 나는 또한 그들이 자신들 삶을 위한 사적인 공간과 사생활을 필요로 한다는 것을 깨달았다; 그것은 내가 가지지 못한 것이었기 때문이다. 그래서 우리는 그곳으로 갔다; 그리고 이것이 내가 강의를 듣는 이유였다. … 엄마는 나에 대해서 매우 방어적이었고 지나치게 불안감을 가지고 있었다. 엄마가 매일 걱정에 휩싸여 있었기 때문에 나는 나의 공간, 나만의 자유를 절대 찾을 수 없었다. 왜냐하면 그곳에 엄마와 함께 있으면 서로 너무나 의존하게 되었고 나는 그러한 상호 의존성에서부터 벗어나야 할 필요가 있었기 때문이다. … 생각해 보면 어린 시절 나는, 엄마가 아팠을 때 엄마를 돌보곤 했었다. 요리하고, 그녀의 아랫도리를 닦아 주고 그러한 과정 속에서 우리 사이에는 유대감이 형성되었다. 그 유대감은 아이를 자유롭게 내버려둘 수 있는 그러한 건강한 유대감과는 다른 것이었다. 오히려 그 유대감은 '내가 너였다면 그것을 하지 않았을 거야.', '내가 그것을 하지 말았어야 했어.', '조심해, 그러다 넘어질 거야.'와 같이 상호 의존성에 기반한 것이었다. 나는 12살 때 나무를 오르다가 심하게 벌을 받았다. 올랐던 나무는 특별히 높은 나무도 아니었고 나뭇가지가 나기 시작한 줄기만을 밟으며 올라갔었다. 어쨌든 나는 나무를 올라간 죄로 강도 높은 처벌을 받았고, 그 이후 나는 위험을 감수한 모험을 해야 하는 상황에서도 자신감을 잃어 버리곤 했고, 더 의지적이게 되었다. 그래서 그 수업을 듣는 것은 나에게 큰 위험을 감수하는 도전이었고, 나는 그것을 즐겼다. 집을 조금 보수하는 것과 같이 ― 지금처럼 모래 위에 집을 짓지 않고, 돌 위에 짓는 것이 목표이다. 따라서 결국 그것들은 나를 자유롭게 하고 나는 내가 누구이고 다른 사람이 원하는 나는 누구인지 잘 발견할 수 있게 될 것이다(West, 1996, pp. 51-52).

Brenda는 그 당시에 상담을 받는 중이었고 그녀의 가족역사에 대해서 말하는데 전보다 자신감이 있었다. 그녀는 남편에 대해, 어떻게 고등 교육에 참여하게 되었는지, 그리고 더 일관적이고 응집력 있는 자아에 대한 감각과 묘사(서술)감이 생겨났는지에 대해 말했다. 이러한 자아감과 묘사감은 타인의 요구를 시중드는 객체로서보다 그녀 스스로가 인생의 주체로 느낄 수 있게 도와주었다.

다양한 연구자(Hollway & Jefferson, 2000)는 불안 및 방어적인 자세가 인터뷰에서 어떻게 흔한 표현을 찾게 되는지에 주목했다. 사회적 연구 및 우리가 생각하는 인터뷰를 지배했던 합리적이고, 인지적으로 주도되는 정보 처리 주체의 원시 개념 그 이상으로 나아갈 필요가 있는 것처럼, 방어되어야 하며 고려되어야 하는 사회적 주체가 있다. 통상적으로, 말하기에서 ― 사람이 말하는 것에 객관적인 증거가 일치하지 않은 경우 ― 비합리적인 것으로 간주되었다(Hollway and Jefferson, 2000). 전기적 관점은 그러한 비합리성을 좀 더 다르게 합리적 관점에서 볼 수 있게 해준다.

인터뷰에 대한 다른 접근법

전기를 연구하는 사람들은 상대적으로 열려 있고, 깊이 있는 인터뷰를 선호하고, 단지 연구 대상자들에게 그들 자신의 문화적, 심리적 세계를 구조화하고, 탐험하는 것을 가능하게 해주는 가장 일반적인 지침을 사용하게 한다(Plummer, 2001). 그러나 전기를 연구하는 사람들이 상대적으로 열린(개방) 방식으로 인터뷰를 한다면, 여기에는 다른 접근 방식들이 존재한다. 몇몇 연구자들은 처음부터 한 사람에게 그들의 삶의 이야기를 말해 달라고 요청하는 반면, 다른 연구자들은 응답자들을 쉽게 분류할 수 있도록 질문이 적혀 있는 체크리스트를 제공한다. 정신요법의 통찰력에서 파생된 자유연상기법이 권장될지도 모른다. 자유연상기법에서 열린 표현은 심지어 해당 주제와 응답자들의 답변 사이에 논리적이고 합리적인 관계가 없을 때에도 가치가 있다. 사람들은 갑자기 생각나는 것을 말하라고 요청받을 수도 있다. 갑자기 생각나는 것은 조사 분야를 다양하게 할 수 있고, 삶을 이해하기 위한 새로운 가능성을 열 수 있다(Hollway & Jefferson, 2000). 그러나 판도라의 상자를 여는 것과 같은 윤리적인 위험들이 있고 그것은 다뤄질 필요가 있다(10장 참고).

전기적 인터뷰를 수행하는 방법에 대한 토론은 새로운 비전통적인 학습자들의 유럽 횡단 연구와 고등 교육의 성립으로 시작되었다. 이것은 유럽 전역의 8개 대학들의 연구자들, 그리고 우리 자신도 포함한다. 이 논쟁은 어느 정도 연구자들의 역할과 인터뷰의 구조에 초점을 맞춰 왔다. 한 관점은 독일의 전기적 해석 방법의 영향을 받았다(Alheit, 1982, 1995; Apitzsch & Inowlocki, 2000; Chamberlayne et al., 2004; Rosenthal, 2004; Schutze, 1992; Wengraf, 2000). 이러한 관점의 인터뷰들은 정보 제공자들이 인터뷰를 진행하는 사람의 개입이 최소화된 상태에서 피면접자들이 이야기를 자연스럽고 광범위하게 할 수 있도록 격려하는 목적을 갖고 각각의 단계들로 나눠질 것이다. 이 연구의 목적을 설명해 온 면접자들은 '저에게 당신의 학습 생활 역사에 대해 말해 주세요'와 같은 하나의,

개방형 질문으로 시작한다. 인터뷰는 소위 방법론적으로 통제된 방식이라고 불리는 방식, 즉 인터뷰 참여자들이 인터뷰의 모든 자료들이 기밀로 취급될 것이고 인터뷰 참여자들이 인터뷰 상황을 조절 및 통제할 수 있다는 사실을 믿고 이해한 상태에서 실시되는 방식으로 진행된다(Alheit, 1982). 두 번째 단계는 더 구조적인 질문들을 포함한다. 그 질문들은 연구자의 이론적인 관심들에 의해 형성된다. 한 인터뷰의 개요를 아래에 제시했다.

첫 번째 단계. '당신의 교육 생활사에 대해 말해 주세요.'
두 번째 단계. 아래의 보기에 관련된 질문을 한다.

- 가족
- 사회적인 배경(계층, 성별, 민족)
- 멘토: 그들을 학습자로서 지지해 주는 사람
- 구조적인 장벽/지지
- 접근과 대학 경험

다음 이야기들은 심층 인터뷰를 통해 얻게 된 고강도 집단 분석에 관한 것들이다. 이 특별한 접근과 이런 열린 질문을 하는 것이 특히 그런 상황에 익숙하지 않은 취약한 사람들에게 얼마나 위협적일 수 있는지에 대한 열렬한 토론이 있었다. 또 다른 접근법은 피면접자에게 주제들에 대한 체크리스트를 제공하는 것이다. 이것은 면접 참여자들이 더 좋은 감각을 가지고 체크리스트에 답하도록 도울 수 있다.

Paul Thompson(2000)은 전기적 인터뷰하기에 대한 유용한 지침을 제공한다. 그의 경우, 피면접자로부터 신뢰성을 확보하고 사과할 만한 상황을 피하기 위해 사전에 질문들을 점검해 보는 것이 중요하다. 피면접자들은 당황, 혼란 그리고 불안을 느낄 수 있기 때문에 우리는 적절한 방법으로 인터뷰를 하고, 인터뷰하는 것에 대해 자신감을 가질 필요가 있다. 몇몇 전기적 연구자들은 사람들에게 그들의 인생사를 말해 달라고 요청하는 반면, 다른 연구자들은 더 상호적인 인터뷰를 선호한다. Paul Thompson(2000)의 관찰에 따르면, '저에게 당신의 삶의 이야기를 말해 주세요'와 같은 요청을 하는 것은 실망스럽고, 간결하고 심지어 퉁명스러운 결과를 낳을 수 있다. 이야기들은 종종 질문들에 대한 답을 요구하는 방식일 때 더 자유롭게 진행될 수 있다: 이야기 인터뷰는 사실 설문조사 도구만큼 면접관에게 압박감을 줄 수 있다. 일부 취약계층 사람들은 한 연구의 목적(혹시 감시인가?)에 대해 그리고 그들에게 무엇이 포함될 것인지에 대해 확신을 느끼기까지 오랜 시간이 걸릴 수 있다. 슈어 스타트 연구에서, 우리는 우리가 누구였는지, 연구의 특징이 무엇이었는지, 누구를 그리고 무엇을 위한 것이었는지를 설명하는 데 상당한 시간이 걸렸고 우리가 더 알기를 원했던 주제를 확인했다. 이것은 사람들을 더 편하게 해주었다. 아래 예시에서, 가족과의 연락은 전화기와 편지로 이루어졌다. 그들은 이미 이 연구에 대해 어느 정도 이해하고 있었다. 첫 번째 만남에서, 우리는 넉 장의 종이를 제공했다: 이 프로젝트를 설명한 것 한 장, 윤리 강령의 개요 작성지 하나, 서명된 동의서 하나, 마지막 종이는 다룰 주제의 종류들을 설명했다.

참여자들을 위한 참고 지침

우리는 슈어 스타트에 대한 당신의 경험과 당신의 생각과 느낌이 어떻게 변했는지 기록하기를 원하고, 이 프로젝트 기간 동안 왜 그랬는지 고려해 보기를 원한다. 우리는 당신의 인생사와 현재 상황들의 맥락에서 이것을 이해하기를 소망한다.

　　우리는 한 기간에 걸쳐 이 프로젝트와 당신의 관계를 표로 정리하기 위해 몇 가지 인터뷰들을 수행하기를 원한다.

초기 주제들

1. 당신에 대해 조금, 당신의 아이/아이들과 가족; 생활사에 대해 조금 소개하기
2. 슈어 스타트, 이것은 무엇인지 그리고 어떻게 당신이 참여하게 되었는지
3. 부모를 포함하여 당신의 가정에서 당신의 참여(도)와 영향에 대한 세부사항
4. 슈어 스타트의 지역 공동체와 인식들
5. 슈어 스타트를 운영하는 데 있어서 지역사회의 참여
6. 지역사회 노동자, 전문가 그리고 전문 기관의 경험들
7. 슈어 스타트가 성공하는 데 방해가 될 수도 있는 것에는 무엇이 있을까?
8. 당신이 제시하고 싶은 다른 문제들

이런 체크리스트를 사용하는 것은 그녀의 피면접자뿐만 아니라 연구자들에게도 중요할 수 있다. 이것은 명확함과 잘 정리된 질서정연한 느낌을 조성하는데 도움을 줄 수 있다. 이 느낌은 피면접자들에게 전달될 것이다. 무질서는 관련된 모든 사람을 불안하게 할 수 있다. 훌륭하고 검증된 문서들과 함께 이 연구와절차들을 도입하는 것은 확고한 전기적 연구를 위한 기초를 제공한다.

Peter Alheit(1982)는 인터뷰를 수행하는 데 일련의 규칙들을 제공해 왔는데 이것은 고려해 볼 만한 가치가 있다. 이 규칙들은 아래와 같다.

규칙 1: 인터뷰를 신중하게 준비하라. 사람들이 이야기를 하는 인터뷰는 텔레비전 인터뷰로 간주될 필요가 없다. … 듣는 사람인 당신은 스스로 그이야기를 말하는 사람만큼 준비해야만 한다.

규칙 2: 그들 자신과 그들의 문제가 정말로 당신의 흥미를 끄는 사람만을 인터뷰하라. … 면접자가 사람들을 인터뷰할 때 견디기 힘들어할지도 모른다. … [그러나] 당신의 피면접자를 향한 관심은 성공적인

인터뷰를 수행하는 기회를 제공할 것이다. 그래서 거짓된 관심은 위험하다.

규칙 3: 당신의 인터뷰 목적을 공개적으로 밝혀라: 피면접자들이 전문가이지 당신이 아니다. … 그들은 무슨 일이 일어날 것인지 알 권리를 가지고 있다.

규칙 4: 또한 당신 스스로에 대해 무언가를 말하라. … 당신은 듣는 사람이지만, 본격적인 인터뷰에 앞서 자신에 대해서 이야기해 주어야 한다. … 자신이 누구이고 무엇을 하는 사람인지에 대해 말이다.

규칙 5: 당신은 시간이 필요하다.

규칙 6: 인터뷰를 시작할 때 이야기를 말하는 규칙들이 실제로 '비준(ratified)' 되었는지 확인해 보라. … 만약 그녀/그가 불확실하다면('어디에서 내가 시작해야 하지?'), 설명을 제시하라: '당신의 유년기부터 시작해 주세요'

규칙 7: 가능한 한 전면에 나서지 마라. … 아마도 당신은 긴 침묵이 걱정될 것이다; 피면접자가 이것을 곰곰이 생각할 필요가 있는 것인지 아니면 더 이상 이것에 관해서 할 말이 없어 조용히 있는 것인지를 결정하도록 노력하라.

규칙 8: '왜?', '무엇 때문에?'와 같은 질문들을 피하라: '그것이 어떻게 일어났나요?' 또는 '그러고 나서 무슨 일이 일어났나요?'를 질문하라.

규칙 9: 구체적인 질문들을 다음 단계로 연기하라.

규칙 10: 실수를 두려워하지 마라: 신중히 규칙을 만들되 지나치게 규칙에 연연하지 마라. … 당신이 얻은 교훈을 기록하고 그것으로부터 배워라 (Alheit, 1982: 4-6).

이렇게 제안된 '규칙들'은 전기적 연구자들에 의해 신중하게 고려되고 토론되어야 할 가치가 있다.

전이공간으로서의 인터뷰(The interview as transitional space)

더 개념적인 수준에서, 우리는 인터뷰를 학습을 위한 공간으로 생각할 수 있다. 인터뷰를 통해 피면접자의 이해와 더 자신감 있는 스토리텔링에 변화들이 있을 수 있다. 이것은 특히 종단 연구들에서 사실일 수 있다. 때때로 일회성 인터뷰들은 수박 겉핥기식으로 이루어진다. 의사들과 함께한 연구에서(West, 2001), 초기 인터뷰들은 제공된 응답보다 훨씬 더 많은 질문을 부탁했다. 시간이 지나고, 의사들은 그들의 교육과 의료 성향들을 조사했고, 더 깊이 있게, 그들이 속해 있는 관습과 문화뿐만 아니라 생애사들(그들 자신의 질병 이야기를 포함해서)도 탐구했다. 그들은 자기 지식, 그들 자신의 심리적 역사 그리고 특별한 환자들과 감정적인 상호작용들 사이에서 문제가 있는 관계에 중점을 두기 시작했다(West, 2001).

4장에서 언급했듯이, Donald Winnicott는 전기적 인터뷰을 포함해 사람들 사이에서 일어나는 자기협상의 과정들을 분석하기 위해 전이공간의 아이디어를 개발했다(Winnicott, 1971). Winnicott는 전이공간들이 삶의 전역에서 나타난다고 말했다 — 최초의 보호자로부터 초기 분리에서뿐만 아니라 고등 교육과 연구에서도. 그리고 스토리텔링은 경험의 전이 지역을 대표한다. 그곳에서 자신은 끊임없이 다른 사람들과의 관계에서 자신의 위치를 협상하고 있다. 자기는 초기에 주된 사상을 반영하면서 예측가능한 대본(질문지)들을 사용할 수 있다. 하지만 인터뷰 과정과 새로운 경험에 비추어 볼 때, 이들에 대해 의문을 제기할 수도 있다. 연구자/저자와 행위의 질 변화는 사람들이 자유롭게 말하고, 진정으로 그들의 말을 경청하고 이해 받고 있다고 느낄 때 일어날 수 있다. 합리성과 자기 이해에 관한 새로운 감각은 중요한 다른 사람들의 시선에서 이야기의 일치성과 수용을 통해 발전되기 시작할지도 모른다(Sclater, 2004).

인간의 상호작용에서(특히 연약한 사람들을 다룰 때), 보다 강한 '행위/활동감(senses of agency)'을 만드는 방법은 상담에 종사하는 사람들과 정신요법 및 지침 설정에 주를 이루어 왔다(Egan, 1994). 공감과 진지한 경청을 통해 친밀한 관계를 구축하는 것이 강조된다; 열린 질문 사용의 중요성('~에 대해 나에게 말해 주세요'); 지금 여기(here-and-now)에 집중해야 할 요구사항; 시작점에서 구체적 경험; 그리고 침묵과 함께(침묵을 깰 의무는 없고); 소수의 격려자들이('나는 알아요', '나는 이해해요'와 같은) 중요하다. 말했던 것을 되돌아보는 것(탐구를 촉진시키기 위해 사람의 생각과 느낌들을 반영하는 것) 혹은 요약의 역할(진전하기 위해) 또한 중요하다. 이런 절차들은 전기적 인터뷰에 적용될 수 있다. 예를 들어, 상시적으로 인터뷰의 감정온도를 측정하는 것은 중요하다. 그리고 심지어 사람들이 말하는 것에 공감하고 소화 가능한 쉬운 방법들로 도전하는 것도 중요하다. 그 결과 모순들이 탐구될 수 있고 대안적인 관점들이 나타날 수 있다(Gould, 2009).

시작하기

인터뷰를 시작하는 것은 처음이든 두 번째든 분명히 중요하다. 도전적인 런던 학교의 수습교사들의 현장체험에 관한 연구에서, 목표는 학습의 감정적인 면과 전이과정을 수행하기 위해 교실의 체험과 학교 문화를 기록하는 것이었다(West, 2006, 2008a). 인터뷰들은 종종 즉각적인 경험이나 구체적인 상황을 참고하여 시작한다. 다음 예시는 5장에서 보았던 Rupal과 진행한 두 번째 인터뷰이다. 우리가 교실로 들어갔을 때 그녀는 자신의 교실에 있는 시간이 얼마나 중요했는지를 말했다. 우리는 그녀에게 계속 말하도록 격려했고 녹음기를 켰다.

Rupal: 저는 매우 먼 길을 온 것 같아요. 솔직히 저는 … 우리가 지난번에 만났던 날도 너무 오래 전 같아요. 이후로 많은 일들이 일어났고, 제가 그 시간에 많이 발전했다는 것을 알 수 있어요. 저도 잘 모르겠지만, 성장했고 단지 아마 내가 더 나은 선생님이 되었다는 것만 알 수 있어요. 제가 무엇을 하고 있는지 조금 더 알게 되었어요. 제가 하고 있는 행동에 어느 정도 통제를 할 수 있게 되었어요. 그리고 그 통제력이 더 큰 차이를 만들고 있다고 생각해요. 또한 아이들이 저에게 익숙해졌다고 생각해요. 그리고 이것 역시 큰 차이를 만들어요. 아이들은 날 믿기 시작했어요. 저는 이것이 끝났다는 사실에 정말 행복해요. 그게 다에요. 제가 그 시간을 극복했다는 것을 믿을 수 없어요.

Linden: 지난번에 우리가 이야기를 나눴을 때, 당신은 정말로 우리에게 환상적인 이야기를 해주었어요. 당신은 내가 교실에서 당신과 다른 여러 집단의 사람들과 함께 있는 것처럼 느끼게 했고 함께 규율에 대해서 살펴보았지요. … 도덕적 선의 감각으로 생각해 보는 인종차별주의와 같은 것 말이죠. … '우리가 이런 모든 것에 대해 좋은 느낌으로 해야 하나요?'와 같은 질문들에 대해서요. 제 생각에는 당신 안에는 이런 것과 관련해서 어떤 스트레스나 부담감이 있는 것 같아요. …

Rupal: 우리가 만났던 때에 저는 2주 동안 아이들을 가르치고 있었고 그것은 음… 전에 말했던 것처럼 정말 많은 일이 있었어요. 따로 쓸 방도 없어서 사람들로 북적이는 곳에서 생활하고 그랬죠. … 제 생각에는 학기 절반 정도가 지나고 나서야 여기로 이사를 온 것 같아요. 이사 가기 이전에 제가 맡고 있는 10살짜리 아이들과의 관계도 점차 자리를 잡아 가기 시작했어요. 점점 더 모든 게 나아지기 시작했죠. 문제아들이니까 강하게 관리해야 한다고 이야기를 들었던 몇몇 아이들이 있었는데 그 아이들도 제 수업에 잘 참여하기 시작했어요. 제 생각에 이건 저희가 만나고 나서 있었던 일인데 저희 반에 있는 두 아이가 저를 막 대하기 시작했어요. … 제 이름을 막 부르고, 한 번은 제가 수업 중인데 저에 관한 노래를 부르더라고요. … 그랬죠. 음. 딱 아주 버릇없는 행동으로 유명한 아이들은 이 두 명이었어요. … 그래서 그 아이들이 수업에 들어왔을 때, 그들은 이미 화가 나 있었어요. 그리고 그런 감정 상태가 수업 내내 이어지더라고요. 결국에 저는 '학생 지도실'에 연락을 했고 이 아이들을 데려가라고 했어요. 왜냐하면 더 이상 이 아이들을 제 수업에 두고 싶지 않았기 때문이었죠. 수업이 끝날 무렵에 저는 흔들리고 있었어요. … 굉장히 어려웠어요. 제가 연락한 '학생 지도실'에서 그들을 데리고 나갔거든요. 저는 그래도 계속 아이들을 가르쳐야 했어요. 결국은 제가 해야 할 수업 진도의 절반밖에 하지 못했죠. 저는 속으로 '주님 어떻게 저에게 이런 시련을'이라고 외치는 그런 심정이었어요. 그리고 제 자신을 다시 다잡으면서 생각하고 제 자신을 그 상황으로부터 떼어 내려고 노력하는 것은 진짜로 너무 힘들었어요. 제 생각에는 다른 학생들도 제가 마음이 편치 않다는 사실을 알아차렸을 거예요. 정말로 어려웠어요. …

Rupal은 더 많은 특별한 사건들의 이야기에 대해 말하기 시작했다. 학교에서 공간 부족, 훈련의 형식적인 측면에서 시간 부족에 대해 좀 더 자세히 말했다. 이 연구는 일종의 전이공간으로서 역할을 했다: Linden은 Rupal의 기록들을 읽었고, 그것은 그녀가 하고 있었던 행동의 의미, 선생님이 되기 위한 그녀의 능력 그리고 그녀의 일과 그것의 의미 등에 대한 중요한 문제들을 제기했다.

인터뷰 종결하기

인터뷰를 끝내는 것은 인터뷰를 시작하는 것만큼 중요하다. 우리는 참가자들에게 그들이 추가하기를 원했던 것이나 언급되지 않은 것들에 대해 말하고 싶은 것이 있는지 물어볼 수 있다. 참가자가 인터뷰가 끝났다는 것을 느꼈을 때, 녹음은 중단될 수 있지만 그 이후에도 대화는 계속될 수 있다. 이것은 인터뷰 참가자들의 시간과 공헌에 대해 감사하기 전에 이루어지는 '담소'일지도 모른다. 이 틈은 사람들에게 인터뷰가 끝났으니 즉시 퇴장하라고 요구하는 것이 아닌, '쉬어가는 것'을 허용하므로 중요하다. 때때로 참가자들이 그들의 생활사의 양상에 대해 다시 말할지도 모른다. 그래서 자료들을 기억하고 후에 그것을 바로 기록해 두는 것은 필수적이다. 당신은 심지어 피면접자에게 녹음을 다시 시작할 수 있는지를 물어볼 수도 있다.

실천하기, 녹음기 이용 및 전사하기

Paul Thompson(2000)이 제안한 것처럼 시험용 인터뷰를 연습하는 것은 분명히 인터뷰를 더 완벽하게 만든다. 우리는 시험용 인터뷰를 시도하고 비판적인 친구, 연구 감독자, 동료 학생들로부터 우리가 무엇을 하는지와 다른 사람들이 인터뷰를 어떻게 생각하는지에 대해 피드백을 받아야만 한다. 시험용 인터뷰를 수행하는 것은 주제를 명확하게 하는 데 도움을 주고 새롭고 예상치 못한 가능성들이 있다는 것의 중요성도 깨닫게 해준다. 이런 인터뷰는 다시 기록될 수 있고 자료들은 연구 워크숍에서 토론거리가 된다. 우리는 청각-시각 자료를 다시 듣고 보고 함으로써 우리에 대한 사람들 반응의 특징뿐만 아니라 인터뷰에서 우리의 역할을 물어볼 수 있다. 매우 실용적인 측면에서, 우리는 기술에 익숙해지고 그것을 능숙히 다룰 필요가 있다.

몇몇 전기적 연구자들은 디지털 테이프 녹음기를 사용하는 것보다 세부적으로 기록할 수 있는 노트를 사용하는 것을 선호한다(Horsdal, 2002). 우리는 더 주의깊게 듣기 위해 녹음 인터뷰 방식을 사용한다. 그러나 녹음 가능 여부는 피면접자들의 허락이 필요하다. 박사 과정 학생들의 워크숍에서, 녹음기의 사용은 토론의 주요 주제가 될 수 있다. 연구자가 되기를 원하는 한 학생은 인터뷰를 마친 후 그가 두 명의 사람들에게 말을 걸었다고 느꼈다: 면접자와 녹음기. 그는 누군가, 즉 필사자가 인터뷰 자료를 듣게 될 것을 알았고 이것 때문에 처음에는 불편했다. 그렇지만 대부분의 사람들은 녹음기의 사용을 받아들일 것이고 곧 녹음기의 존재를 잊을 것이다(비록 누군가가 그 녹음 자료에 접근할 것이 걱정되더라도). 우리는 타당하고 성찰적인 실행을 구축하기 위해 면접 참여자들에게 이러한 문제들에 대해 공개적으로 말할 필요가 있다.

우리는 일반적으로 인터뷰 전부를 전사한다. 인터뷰 참여자들은 다음 인터뷰를 하기 전, 인터뷰 내용을 '수정' 혹은 개정하기 위해 인터뷰 내용이 전사된 사본을 받는다(그들이 원한다면 테이프나 디스크의 형태로 받기도 한다). 그러나 최고의 계획도 전사가 제시간에 완성되지 않아 무산될 수 있다. 한 시간의 녹음 내용을 전사하는 데 9시간 이상 걸릴 수도 있지만, 우리는 이 과정에 투자되는 시간과 자원의 영향을 과소평가한다. 우리는 보다 정교한 언어분석 과정과 대조적으로 인터뷰의 구술녹음을 어느 정도 연구에 대한 관심뿐만 아니라 해석상의 태도 그리고 철학적인 자세를 반영하여 글로 옮긴다.

인터뷰의 내용은 기술 형식에 맞춰 옮겨 적고, 이 과정에서 말은 강제적으로 문법의 정확성을 갖춰 기록할 필요는 없다. 정지는 3개의 점으로 표시되고, 편집이나 인용의 과정에서 축약되거나 생략된 자료들은 4개의 점으로 표시된다. 추가(삽입)는 괄호를 사용하여 나타낸다. 텍스트의 휴지를 위해서 몇몇 구두점이 사용되지만 이것은 말의 리듬과 형식에 맞추어 일관성 있게 사용된다. 피면접자들은 그들의 판단에 따라 적합하게 초안기록을 수정할 권리가 있지만, 우리는 그들에게 말의 리듬을 유지할 것을 촉구한다.

그러나 의사들에 대한 연구에서 나타난 바와 같이, 사람들은 일관성이 없고 불확실한 것처럼 보이는 것이 두려워 특히 동료들이나 연구자에게까지 자신들의 자료가 좀 더 '문법적'이 되도록 요구할 수 있다. 이들은 자신들이 얼마나 혼란스럽고 모순적으로 보이는지에 대해 불안을 느낄 수 있으며 이러한 불안을 해소하고 더 '용인되는' 이야기들을 만들어 내고 싶어한다. 이것은 특별히 문제가 될 수 있는데, 누구나 다 그런 것은 아니지만 특히 의사들처럼 상대적으로 우위에 있으며, 자신감이 넘치고, 권력이 있는 사람과 일할 때 그렇다. 그러나 그러한 문제가 발생하는 경우, 그것들은 민감하고 섬세하게 다루어질 필요가 있다. (전기적 연구와 구술사에 대한 기록의 이슈에 관한 토론, Francis Good, 2006; 논문과 Humphries, 1984; Perks and Thomson, 2006; P. Thompson, 2000 논문 참고) 관습은 변할 수 있고 충분한 축어적인 설명, 즉 의미하는 바를 그대로 말하는 것을 더 강조하는 것은 중요하다. 가능하다면 음, 아(ars)와 같은 의성어와 정지 그리고 면접관의 '음, 네 그래요'와 같은 모든 것들이 표현되어야 한다. 이것은 분석하는 데 풍부한 근거가 될 수 있고, 잠재적으로 의미를 추론할 수 있는 가치가 있어 중요할 수 있다.

문학적인 영감과 대화의 분석을 위해서 무엇이든 할 수 있다. 모든 행은 번호가 매겨지고 모든 점자(휴지)는 녹음되고 시간이 측정된다. 매 분마다 대화의 특징이 기록된다(Elwyn and Gwyn, 1998). 이것은 본문에서 작은 부분을 세부적으로 분석하는 데 중요할 수 있고, 특별한 순간에 사람들 사이에서 무슨 일이 일어날지도 모르는 것을 최소한 언어적으로 조사하는 데에도 중요할 수 있다. 하지만 읽는 데 어려움과 세부적인 언어사용을 할 수 없다는 위험이 있다 (Hollway, 1989; Kleinman & Copp, 1993; West, 1996). 그럼에도 불구하고, 인터뷰의 양상은 기록과정에서 잠재적인 정보뿐만 아니라 말의 어조를 잃을 수 있다. 그리고 기록일지를 읽는 것뿐만 아니라 녹음된 것을 듣는 것도 중요하다. 예를 들어, 여행하는 동안 차 안에서 듣는 것은 인터뷰의 장소와 분위기를 한 번 더 떠오르게 할 수 있다: 어떤 경우에, 의사와의 인터뷰 녹음에서 사이렌의 소리와 도시의 격한 소음이 그가 일하면서 골치 아팠던 상황을 상기시켰다. 하지만 결국, Good은 관찰한다:

> 우리는 구두 언어를 기록한 일지가 정확한 과학이라기보다는 예술에 가깝다는 사실을 알아야 한다. … 우리가 할 수 있는 가장 최선은 어떤 주어진 목표에 가장 적합한 선택지들을 신중하게 고려한 다음, 이것에 체계적이고 일관성 있는 편집 기법을 덧붙이는 것이다(2006: 365).

훌륭한 전기적 인터뷰어 되기

지금까지 당신에게 인터뷰에 대한 걱정을 유발했을지도 모르지만, 이것은 인터뷰에 대한 자신의 권리에서 학습과 발전 과정으로 생각될 필요가 있다. 전기적 연구를 하는 것이 종종 우리 자신의 삶에 대해 생각하게 하고, 타인에게 미치는 영향이나 타인이 우리에게 미치는 영향을 배우게 하기 때문이다. 우리는 또한 몇몇 인터뷰가 원활히 진행되지 않을 수도 있고, 녹음기가 잘못될 수 있다는 가능성을 인정해야만 한다. 이 부분에 있어서 몇몇 사람들은 얘기하기를 원하지 않거나 조심스러울지 모르겠으나, 우리는 이를 받아들여야만 한다. 특정 의사들은 소송을 일삼고 비난으로 가득 찬 문화에서 그들의 '약점'을 노출하는 것이 두려워 GP(일반의) 연구에서 자주 거의 혹은 전혀 모른다고 말했다. 때때로 사람들이 쉽게 나타나지 않아 우리는 화가 나기도 하고 거절당한 느낌을 받는다. 이러한 것들은 모두에게 일어난다. 그러나 연구의 예측불가능은 우리에게 이점으로도 작용할 수 있다. 런던 동부에서 진행하는 육아 프로젝트에서 한 어린 미혼모를 인터뷰할 때, 예약을 했는데도 불구하고 청소년센터에서 이용가능한 공간이 없었다. 대신에 우리는 관리실에서 만났다 — 정말 코딱지만한 방이었고, 관리인은 허락도 없이 두 차례 들어왔었다. 이것은 인터뷰에 있어서 재앙이었을지도 모르지만 우리는 둘 다 웃었고, 웃음으로 형성된 화기애애한 분위기는 연구 관계를 강화시켰다(West, 2007).

요점

- 인터뷰는 전기적 연구에 있어서 가장 중심이 되어야 하고 우리는 이것을 더 기술적인 용어(전문용어)로 사용할 뿐만 아니라 일종의 관계로 생각할 필요가 있다.
- 전기적 연구자들은 인터뷰와 인터뷰 행위에 동의하지 않을 수 있다: 예를 들어, 이야기와 대화형식의 접근방식 사이처럼.
- 우리는 상호주관적인 과정들과 사회적인 주제뿐만 아니라 자기 방어 기제에 대해 생각해야만 하고, 이는 특정 주제를 다룰 때 우리 스스로의 장애물(어려움)들을 포함한다.
- 연습은 정말로 더 완벽함을 만든다.

추가 읽을거리

Good, F. (2006) 'Voice, Ear and Text', in R. Perks and A. Thomson (eds) *The Oral History Reader* (2nd edn). London: Routledge.

Oakley, A. (1988) 'Interviewing Women: A Contradiction in Terms', in H. Roberts (ed.) *Doing Feminist Reearch*. London: Routledge.

Stadlen, N. (2004) *What Mothers Do Esecially When it Looks Like Nothing*. London: Piatkus.

Thompson, P. (2000) *The Voice of the Past* (3rd edn). Oxford: Oxford Universiy Press.

토의 질문

1. 인터뷰를 해본 경험이 있는가? 인터뷰에서 기억에 남는 것은 무엇인가?

2. 당신의 삶에 대한 인터뷰에 응해 본 적이 있는가? 그것은 어떻게 느껴졌는가?

3. 만약 면접관이 이야기식 접근 방법으로 당신의 인생사를 말해 달라고 요청한다면 어떻게 응답할 것인가?

4. 만약 당신이 당신의 학습 전기에 대해 인터뷰 요청을 받는다면, 걱정이 될 것 같은 주제나 논점은 어떤 것인가?

활동

1. 탐구적인 시험용 인터뷰를 동료 또는 친구와 함께 해보라. 부모나 아들, 딸 등의 자식이 되는 것과 같은 하나의 주제를 선택한다. 또는 더 넓은 접근 방식을 택하고, 그들의 학습 생애사에 대해 물어본다. 탐구 노트와 주제들의 목록을 준비한다(그리고 인터뷰에 있어서 당신의 윤리 규정을 소개하라. 10장 참고). 인터뷰 장소를 찾고 당신의 녹음 장비로 연습하라. 당신의 협력자와 함께 과정들에 대해 생각할 시간을 갖자.

2. Becky Thompson은 식욕 장애를 가진 여성들에 대한 연구를 맡았고, 인터뷰 과정이 그녀들에게 끼치는 스트레스에 대해 말했다. 다음의 초록을 생각해 본다:

　　나는 가끔 그들이 말을 할 때, 그들 이야기의 고통에서 벗어나려고 노력하는 나 자신을 발견했다. 그 여자들 대부분이 가난과, 성폭력, 높은 수준의 폭력에 노출되어 있었고 감정적, 신체적 고통을 포함하여 부당한 대우를 많이 받아 왔다. 내가 그들 이야기의 고통에서 벗어나려고 노력했던 한 가지 방법은 '나는 당신이 의미하는 것을 알아' 또는 '나도 비슷한 것을 겪어 봤어'… 와 같은 말로 그들의 이야기를 방해하는 것이다. 인터뷰 후의 연구자들의 심리적 상태를 인지하는 것은 페미니스트들의 인터뷰 기술 사용에서 딜레마를 설명한 것이다. … (나는 해결했어야만 했다.) 인터뷰 동안 답변을 하는 것이 실제적인 지원인 줄 알았으나 알고 보니 제대로 된 구원이 아니었을 때 … 고통과 함께하는 것만이 아마 그들의 이야기의 힘을 떨어뜨리지 않는 하나의 답이다. 나는 또한 그들을 위로해 주고 싶은 나의 즉각적인 욕망은 내가 그들로 인해 얻게 되는 고통으로부터 벗어나기 원하고, 누군가가 나를 위로해 주길 원하는 것이라는 사실을 알게 되었다. … 나는 때때로 여성이 고통스러웠던 기억을 다시 말하는 것은 그녀가 이미 어느 정도 최악의 고통에서 벗어났기에 가능하다는 것을 스스로에게 상기시켜 줘야만 했다.

- Becky Thompson의 경험에 당신은 어떻게 반응하는가?
- 그녀가 그것을 처리하는 방법에 대해 당신은 어떻게 생각하는가?
- 당신은 괴로운 이야기를 듣는 것에 자신이 어떻게 반응할 거라고 생각하는가?

전기 이해하기
분석

내가 존경하고 신뢰하는 사람과 나를 믿어 주는 사람의 말을 받아들인다. 천천히 그녀의 문장을 정독하고, 그녀가 선택한 단어들에 숨어 있는 그녀의 의도를 이해하려고 노력한다. 또한 그녀의 마음과 감정을 깊이 이해하기 위해 나 자신이 그녀의 입장이 되어 본다. 내가 새로운 단어 혹은 나 자신의 의미로 받아들이기 전에 그리고 그녀가 말한 것에서 무엇이 중요한지 상상하기 전에, 나는 그녀의 말에 대한 의미를 찾고, 그 의미를 잊지 않도록 반드시 기억한다. 이 모든 과정을 거치고서야 나는 새로운 말들이 나의 손끝에서 술술 나오도록 만든다. 이렇게 술술 나온 언어는 나의 것이고, 동시에 그녀의 것이기도 하다 (Nancy Goldberger, 1997).

개요

- 분석을 위해 서술된 내용을 정리하는 과정을 살펴본다.
- 전기적 자료의 분석을 위한 인본주의적이며 주관적인 접근을 알아본다.
- 분석 과정을 이론적, 인식론적 관점과 연관지어 본다.
- 전체적인 수용, 삶에 대한 형태주의(gestalt of a life), 데이터 분석 중 어떤 방법이 자료에 대한 이해도에 가장 많은 영향을 미치는지를 알아본다.
- 좀 더 객관적인 방법을 포함한, 문서 자료를 분석하는 다른 방법들을 소개한다.

도입

전기 분석은 많은 시간이 소요되지만 중요한 작업이며 많은 보상이 주어진다. 분석을 통해 우리는 자료에 대한 일관성을 유지할 수 있고, 이론적 이해의 개발을 촉진한다. 분석을 통해 우리는 한 사람의 이야기를 이해할 수 있고, 좀 더 체계적이고 일관된 방법으로도 이해할 수 있도록 우리의 안목을 더 넓힐 수 있다.

서술된 자료의 특성에 대한 견해가 다양하고 분석 방법 역시 서로 달라서 연구 초보자들은 분석 과정이 매우 혼란스러울 수 있다. 이 장은 우리만의 접근 방법(사회학적, 정신분석학적 관점뿐만 아니라 인본주의적 지향에 의해 구성된)을 전반적으로 제시한다. 우리는 간단하게 다른 사람들이 어떻게 자료를 분석하는지를 다양한 분석 방법의 장단점을 고려해 재고해 본다. 그러나 우리는 면담, 분석, 평가와 같은 조사 단계들이 엄격하게 분리될 수 없고, 분리되어서도 안 된다는 사실을 재고해야 한다. 앞 장에서 논의되었듯이, 우리는 시작부터 자료의 해석과 분석에 능동적으로 관련되어 있으며, 서술과정은 지극히 해석상의 문제이다. 게다가, 특히 장기적으로, 인터뷰는 그 자체로 역학적, 반복적, 분석적 특성의 개발을 도우며, 능동적 협력자로서 조사 대상과 함께 가설을 반복적으로 검토하는 기능을 갖는다. 처음에는 서술에서 분석으로 가는 선형의 과정으로 보이던 것이 결국에는 서술, 해석, 그리고 이론화가 함께 짜여진 모양새를 갖추게 된다.

John Creswell은 자료 분석이 검증된 조사자들에게도 만만치 않은 작업이라고 주장한다(1998, p. 139). 전기적 인터뷰는 어마어마한 양의 관련 자료를 양산할 것이고, 우리는 그로 인해 '가라앉는' 느낌을 받을 수 있다. 면담 원고는 반복적으로 읽히고 검토될 것이며, 이는 많은 시간을 필요로 한다. 만약 당신이 석, 박사 논문을 작성할 생각이라면, 이 작업이 많은 시간을 필요로 한다는 사실을 간과해서는 안 되며, 인터뷰가 끝나거나 이를 문서화할 때까지 기다리는 것도 좋지 않다. 분석은 면담 중에 시작해도 되고, 인터뷰 자료와 면담 참여자들에 대해 면담이 끝나고 집으로 돌아가는 자동차나 기차 안에서도 생각해 볼 수 있다. 당신은 당신이 가지고 있는 자료를 일상으로 가져와 그것에 열중할 것이다. 또한 당신은 조사 문항들과 관련된 문단, 문장, 또는 단어에 밑줄을 긋고, 문서화된 자료를 읽기 시작할 수 있다. 이 방법은 특히 당신이 여러 개의 면담을 책임지고 있을 경우 더욱 중요하다. 면담 대본이 마련되면 곧바로 분석을 시작하라. 또한 그 이전에 녹음된 자료도 분석하라. 이는 차후의 면담에 대한 정보가 될 수 있고, 다양한 면담 주제와 질문사항을 유도해 낼 수 있다. David Silverman은 '가장 질적인 연구에서는 당신이 첫날부터 자료 분석을 시작하지 않는다면 계속해서 일정을 따라잡으려는 노력이 필요할 것이다'라고 말한다(2006, p. 150).

몇몇 연구가들이 그들의 방법이 가장 정확도가 높은 결론을 도출한다고 주장할 수는 있으나 우리는 전기적 자료를 분석하는 데에 하나만의 올바른 방법은 없다는 것을 강조하고 싶다. 당신은 당신에게 알맞은 접근 방법에 대해 읽고, 실험하고, 결정해야 할 것이다. 또한 당신이 선택한 그 방법은 당신의 연구에 대한 이론적 이해 및 집중 분야에 따라 달라질 수 있다. 책 전반에 걸쳐 언급되고 있듯이, 연구를 하는 것은 인간으로 존재하는 것, 혹은 다른 이의 인생과 스토리텔링의 역할과 신빙성을 이해하는 것 등에 대한 많은 질문들을 필요로 한다.

만약 당신이 한 연구팀의 일원이라면 당신의 분석적 접근에 대한 권한은 전무할 것이다. 왜냐하면 이러한 일에 대한 권한은 주로 프로젝트를 조정하는 인사에게 한정되어 있기 때문이다. 스토리를 분석할 때, 당신은 당신의 논문, 혹은 다른 종류의 집필 자료에 어떠한 방식으로 그 스토리를 제시할 것인지 미리 생각해 두어야 한다. 더 나아가서 아래와 같은 질문에 마주치기도 한다. 당신은 명확한 사례 연구를 위한 하나의 혹은 두세 개의 좋은 스토리를 찾고 있는가 아니면 여러 가지의 혹은 모든 스토리를 통해 주제별로 분석하고 자료를 작성하고 싶은가? 추가적으로 당신은 가능한 많은 데이터를 통해 그 자체로의 풍부한 정보를 통한 의미전달을 하고 싶은가? 아니면 그 데이터를 마치 여성 인권 운동 연구에서와 같이 발언권을 제한받은 사람들의 전달 수단으로 사용하고 싶은 것인가?(이러한 방법은 상대적으로 극미한 해석을 낳는다) 또한 당신은 사람들이 그들이 말하는 것의 중요성이나 그것이 어떠한 방식으로 이야기되었는지 정확히 전달하지 못할 수 있기 때문에 연장된 해석이 필수적이라고 생각할 수도 있다. 연구 대상의 이야기 내용은 관찰된 바와 같이, 개개인의 화자가 거의 인지하지 못하는 강력한 화법에 의해 생성될 수 있다.

분석에 대한 인본주의적, 주관주의적 접근

우리는 분석에 있어 어떤 학문적 관점보다도 인본주의적 접근을 선호한다. 부분적으로는, 페미니즘 영향으로 구성된 인본주의적 관점은 연구 대상자들을 분석과정을 포함한 전체 과정의 중심에서 벗어나지 않도록 도와준다. 연구자와 피연구자 간의 관계는 연구에서 관계의 중요성에 대한 이해속에 위치하는, 인터뷰 대상자로 추정되는 목소리 또는 목소리에 대한 투쟁이 주된 중점이자 참조가 되는 상호주관적인 것이다. 이처럼 이론들은 위에서 Goldberger(1997)가 적절히 표현한 것과 같은 맥락에서 정립된다.

우리는 사회과학이 그 자체의 인문학적 기반을 진지하게 재고해야 한다고 믿는다. 이는 인류가 스스로 그들의 세계를 능동적으로 창조하고 또한 그 세계에 의해서 창조되었다는 생각에 기인한다. 우리는 연구 설정에서—공동학습을 위한 잠재적으로 과도기적 공간—담론을 통해 어떻게 구조화되고 배치될 수 있는지를 포함하여, 인간이 반사적으로 이해할 수 있는 역량을 강조한다. 이것은 우리가 비판적 현실주의(다양한 목소리에 귀를 기울이면서 동시에 사람들이, 연구자들을 포함한 이들을 통해 어떻게 이야기되는지 관찰하는 방법)라고 명명한 방법을 만들어 가는 한 가지 요소이다. 우리는 진정으로 반사적인 연구를 쌓아 가기 위해 언어의 상호작용과 주관성, 즉흥성, 그리고 자신과 타인의 기억을 명시해야 한다.

연구 그 자체는 잠재적 권한 부여 작용으로 이해된다. 이는 비록 혼란스럽고 모순되더라도 사람들이 말하는 것을 듣고, 가치를 부여함으로써 이루어진다(이는 앞서 언급되었듯이 우리에게 한 사람의 삶이 어떻게 이해되고 이야기되는지에 대한 다량의 정보를 전달해 준다). 하지만 여전히 데이터 자체를 통한 의미 전달과 추상적인 범주를 이루어 사람들이 정말로 말하는 것에서 벗어나기 때문에 긴장상태(불안감)가 남아 있다. Joan Acker, Kate Barry, Johanna Esseveld와 같은 페미니스트 연구가들에게 이것은 기초적인 딜레마를 부여한다. '분석의 실제 단계에서 우리는 데이터 자체의 의미전달과 추상적 의미전달 사이에서 갈팡질팡하는 모습을 보이게 된다'(Acker et al., 1991, p. 143).

추상적 범주나 유형 체계는 체험을 토대로 한 복합성으로부터 멀어지게 하는 위험이 있다. 하지만 추상화와 다른 이들의 삶과의 비교는 특별한 상황들을 조명하기 위해 다양한 패턴을 탐구하고 이론을 정립하는 데 필수적이다. 페미니스트 분석은 시작부터 이러한 긴장과 주장에 연관된 의문들에 집중되어 있었다. 즉 여성들의 목소리가 전달되도록 하면서도 여성들이 관심을 두고 여성들의 억압이론에 대한 과정에 관련이 되도록 하는 필요성은 개념적으로 인식되지 못할 수도 있다.

분석에 대한 Barbara의 접근

우리는 철학적으로 중복될 수 있다면, 전기적 자료 분석의 다양한 접근법을 공유하고 싶다. Barbara가 제시하는 방법은 Linden의 방법과 일치하는 부분도 있으며, 분석을 하는 몇 가지 필수적인 단계를 보여 준다. 그 단계들은 아래와 같다.

- 녹음된 테이프를 여러 번 듣고, 문서화된 자료 또한 여러 번 읽어라.
- 인터뷰가 문서화된 직후에 이야기들을 읽어 나가며, 주요 문단, 문장, 단어에 밑줄을 그어라.
- 처음으로 읽는 경우 주요 개념, 단어, 주제를 찾고 그것들을 생각하기 시작하라.
- 데이터에서 도출될 수 있는 질문 사항들에 대해 생각해 보라.
- 데이터에 자기 자신을 몰두시켜라.

- 두 번째로 자료를 읽을 때는 노트(코딩)를 하라. 이러한 노트의 예로는 학교 교육에 대한 태도, 계층이나 성별과 같은 개념 인지 등에 대한 요약 문장이 될 수 있다.
- 만약 당신이 분석을 위한 자료 샘플을 고르고 있다면 연구 질문 사항을 고려하여 사용하고 싶은 자료를 확인하라.
- 이야기들을 이론적, 개념적 틀에 관련 지어 정리하기 위하여 자료를 반복해서 읽어라.
- 당신의 데이터가 현존하는 이론과 관련되는지, 기존의 이론에 반하거나 새로운 이론을 제시하는지 생각해 보라.
- 각각의 이야기에 대한 요약 노트를 만들어라.
- 당신이 만약 장기적인 연구를 맡고 있다면, 지원자와 함께한 모든 인터뷰를 통해 대상의 삶에서 나타난 변화를 비교하고 인지할 수 있을 것이다.
- 필드 노트와 연구 일지를 참조하라.

자료를 읽을 때 사람들은 일반적으로 그들의 이야기를 시간적 순서가 아닌, 각각의 다른 시간과 경험을 교차하며 말한다는 사실을 기억하라. 그러므로 그들의 이야기는 혼잡하게 들릴 수도 있다. 만약 당신이 연구팀에 소속되어 있거나 다른 사람과 공동연구를 하고 있다면 자료에 대한 당신의 해석을 공유하고 그것에 대해 토론해 보아야 할 것이다. 몇몇 연구팀들에서는 모든 구성원들이 모든 자료를 읽지만, 각각의 구성원들은 하나의 스토리 샘플을 깊게 분석해야 할 책임이 있다. 당신이 자료를 반복해서 읽으면 읽을수록 그 이야기에 정통해진다. 당신은 또한 아래의 사항을 결정해야 한다.

- 무엇이 중요한가?
- 연구 목표와 관련해서 무엇이 중요하지 않고 제외될 수 있는가?(하지만 제외된 데이터를 없애는 것은 추후 필요 가능성을 염두에 두었을 때 지양되

어야 한다.)

- 어떠한 주제가 떠오르는가? 아이디어가 곧바로 떠오르지 않아도 상관없다. 당신이 데이터에 더욱 집중하고 생각할수록 떠오르게 될 것이다.
- 일상생활을 하는 중에도 데이터에 관한 생각을 끊임없이 해야 한다.

어떤 자료를 남기고 어떤 자료를 버릴 것인지 걸러내는 작업은 어려운 것이다. Acker 외는 이 문제에 대한 그들의 대답을 제시한다:

페미니스트적 방침은 우리가 분석하기 어려운 자료를 모을 수 있게 해주었고, 무엇이 필수적인지 선택하기 힘들 정도로 방대한 정보를 제공해 주었다; 이와 동시에 우리는 '전체'를 제공하는 그림을 그리려고 했다. 이러한 문제들에 대한 해결 방안은 여러 개의 '생애사'를 제시하는 것이었다. 이는 여성들 본인의 언어를 통해 표현되었고, 변화에 중요하다고 생각되는 요소들을 유형화하기 위해 사용되었다(1991, p. 143).

대상자들의 이야기에 우리 자신들을 몰두시키는 것은 우리가 그들을 더욱 잘 알 수 있게끔 도와준다. 이를 통해 대상자들은 인터뷰에 대한 기억을 되살리고, 인터뷰 대상자들로서 느꼈을 아픔과 감정(Linden, 역전이)을 되돌아볼 수 있다. Becky Thompson은 인터뷰 과정에서 연구자들이 직면할 수 있는 압박감과 이것이 분석과정에서 어떻게 다시 발생하게 되는지를 말하고 있다.

나는 각각의 여성의 말들을 옮겨 적고 있는 중에 마치 내가 인터뷰 과정을 반복하고 있는 듯한 느낌을 받았다. 해당 여성의 얼굴에서 그녀의 외침과 고통을 볼 수 있었다. 인터뷰를 분석하는 과정에서 나는 생존자들이 트라우마 이후에 겪게 되는 방어적 반응과 비슷한 반응들을 경험했다. 한 예로, 면담 직후에 나는 2, 3일 내에는 대상자의 이야기를 토시 하나 안 틀리고 거의 완벽히 말할 수 있었다. 하지만 나는 여성들의 경험의 기본적 양상을 기억하는 데 어려움이 있었다. 몇몇 상황에서 나는 기억 속에 있는 대상자들의 이야기를 왜곡했고, 그로 인해 그들이 실제 겪었던 괴로움을 약화시켜 말하는 결과를 초래했다. 인터뷰를 옮겨 적는 과정에서 나는 각각의 인터뷰 내용을 문서화하기 시작하고 얼마 안 있어 잠에 빠져들곤 했다. 이것은 단순히 수면이 필요해서가 아닌, 대상자들이 겪었던 일들을 기록하는 데에서 오는 아픔과 극심한 스트레스에 대처하는 방편이었다(Thompson, 1990, pp. 30-32).

위의 글에서 Thompson은 많은 전기적 연구가들이 공유한 경험 중 하나를 보여주고 있다. 전기적 연구는 우리를 힘들고 어지러운 고통의 영역으로 인도할 수 있다.

코딩

Barbara는 인터뷰 녹음 테이프를 반복해서 듣고, 문서화된 자료를 읽은 후에 코딩과정에 돌입한다. 코딩 작업은 데이터를 이해하기 쉽게 해준다. Amanda Coffey와 Paul Atkinson은 양질의 코딩을 위해 유용한 세 가지 단계를 제시한다. 이는 '1. 관련된 현상 인지하기 2. 그 현상들의 예시 수집하기 3. 해당 현상들을 분석하여 유사점, 차이점, 패턴, 구조 파악하기'이다(1996, p. 29).

코딩이란 데이터를 세분화하여 개념화한 후 새로운 방법으로 재구성하는 작업을 말한다(Strauss & Corbin, 1990). 당신은 자신의 조사 질문에 근거하거나, 인터뷰를 주관하기에 접할 수 있는 문서화된 자료를 읽기 전에, 가능한 코드들에 대해 생각해 볼 수 있다. 코딩은 인터뷰 자료를 읽으면서 중요한 사항을 여백에 기록하며, 이들과 초안기록을 비교함에 있어 나타나는 전체적 유형의 개념 및 주제를 식별하는 것을 포함한다. 당신이 추가적인 면담자료를 읽을 때, 새로운 코딩이 나타날 수 있고 심지어 이전의 것과 충돌할 수도 있다. 근거에 철저한 이론가들에게 코딩은 엄격한 단계별 과정 사이의 중요한 절차이지만 우리가 반드시 적용해야 할 단계들은 아니다(아래에 이유가 언급되어 있다).

Barbara 연구의 대부분은 공동체에서의 성인 노동자계급의 교육 경험과 추가적 및 고등 교육에 초점이 맞추어져 있다. 그녀는 성, 계급, 인종이 어떻게 학습 과정에 영향을 미치는지 그리고 성인 학생들이 어떻게 학습의 독자성을 개발하여 정형화된 학습 환경에서 그들 자신에게 성공적인 결과를 가져다주는지(또는 그 반대의 경우)에 흥미를 가지고 있다. Barbara는 '나는 Bourdieu의 연구와 그의 아비투스의 개념에 기초하고, 나의 페미니즘/마르크시즘적인 관점으로 이를 뒷받침하고 있다'라고 말한다. Bourdieu(1997)에 의하면, 아비투스(habitus)는 개인에게 구체화된 집합적으로 생성된 변수, 조직된 정신적 육체적 표현—세계 내 존재의 형태—의 합이다. 각 개인이 이를 실행하는 방법은 경험에 따라 달라질 수 있다. 만약 사람이 아비투스에 의해 자리를 잡은 경우, 그들은 새로운 이야기와 감정의 원천을 내면화하여 새로운 방법으로 자리를 잡게 할 수 있다.

개개인의 초안을 읽을 때, 나는 공감사항 및 유형을 찾으려 하며 이것이 초안을 넘어 나를 연결시킴으로써 개인의 이야기는 총합적인 것이 된다. 또한 나는 구조와 구조적 불평등이 어떻게 전기에 영향을 미치는지를 관찰하고 있다. 동시에, 나는 대상자들이 어떻게 그들이 속한 기관을 이용해 변화를 도모하는지도 관찰한다. 성인 학생들의 삶을 연구하는 데 있어 나는 삶의 특정한 순간에서 구조적 힘이 지배하기도 하고, 다른 상황에서는 기관이 힘을 더 발휘하는 상황이 있다는 것을 발견했다. 대상자들의 전기에서 나타나는 집합성을 묘사하기 위해서 나는 고등 교육과정에 있는 성인 학생들의 면담 내용을 인용하고 싶다. 그들은 학업과 노동자계급 부모의 행동에 대한 경험을 이야기하고 있다. 주제는 다수의 면담 자료에서 동일하게 나타났다:

나는 단지 일반적인 노동자 계급 여성으로서 직업을 가질 것이라고 생각했다. 다른 일을 한다는 생각은 그때 당시의 나에게는 진지하게 다가오지 않았다. 나는 돈을 벌고 싶었다. 대학교나 그와 비슷한 것에 대해서는 생각해 보지도 않았다.

나는 1969년부터 학교를 다녔다. 그 당시 여자 아이들은 학교 졸업후 곧 결혼을 했다. 당신도 알듯이 잠깐 동안 일을 하고 결혼을 했기 때문에 나에게 보내는 주위의 격려나 축복 따위는 없다. 나는 단지 보통 사람이었다. 일반적인 여성으로 단지 결혼을 하고 아이를 가지고, 그것이 전부였다.

내가 학교에서 상당히 분개했던 경험은 얼마 있지 않아서였다. … 나는 나에 대한 사회적 억측으로 인해 내가 가지고 있던 많은 잠재력이 모두 헛되었다고 생각했다. 그 때 당시에는 그것들을 알기에는 너무 어렸지만 나는 나의 가정환경, 내가 살았던 지역, 그것들이 나를 어떻게 대우하고 영향을 끼쳤는지, 그리고 어째서 내 앞에서 대학에 관한 이야기가 절대로 나오지 않는지 느낄 수 있다. 나는 사회 시스템이 나에게 무언가 더 해줄 수 있었을 거라고 생각한다(여성)

나는 진로 상담 교사를 찾아갔다. 그는 공공 지원 주택에 사는 학생들에게 대학보다는 철강 작업에 관한 조언을 해주고 있었다. 동시에 나는 집에서 부모에게 학교에서의 좋은 영어 성적을 자랑스럽게 이야기했지만, 그들은 그것에 전혀 관심을 주지 않곤 했다. 또한 내가 대학 진학에 관하여 말을 꺼내면 그들은, "너의 할아버지, 아버지 모두 제강소에서 일을 했고, 너 또한 그렇게 할 거야"라는 말을 하곤 했다(남성).

다음은 인터뷰 자료의 코딩방법에 대한 설명이다. Mark(5장에서 소개했던)는 2 + 2년 학기제의 사회과학 학위를 이수하고 있는 노동자계급 흑인 학생이다. 여기서 Mark는 단과대학에서 종합대학으로의 전환에 관해 이야기하고 있다.

나는 이것을 수영장 물속으로 뛰어드는 것과 같다고 보고 (전환)
있다.

모든 사람들은 일정량의 시간을 허비할 수 있고 자신이 (전환에 대한
어디에 있고 Ramphal 빌딩이 어디에 있으며 시작을 위한 이해)
Ramphal이 무엇인지 알아내는 첫 주간의 경우에 해당하는
것이다.

그것은 또한 그 속에서의 모든 언어를 습득하는 것과 같다. (새로운 환경을
습득)

그것이 무언가를 시작할 때 가장 힘든 일이다. (학문적 언어)

모듈이란 무엇인가? 내가 학업을 시작하기 전 모듈(학업 (새로운 학생
단위)이 무엇인지 제대로 몰랐는데 지금 나는 4개의 모듈 언어의 습득)
을 선택해야 한다.

2 + 2년 학기제 조정 담당자와 이것과 관련된 많은 사 (불확실성)
람들이 와서 내게 모듈에 대해 말해 주었으나 나는 처음
Warwick(학교)에 왔을 때 무엇을 해야 하는지 하나도 알지
못했다. 전공, 부전공이 무엇인지도 몰랐고, 사람들이 나에
게 설명을 해주어도 이해하지 못했다. 막상 이것들을 끝내
기 이전까지는 이 개념들이 정확히 무엇을 말하는지 몰랐
다. 내가 제대로 된 선택을 한 것인가?

이와 같이 당신은 수면 아래로 가라앉고 언제 위로 떠오를 (자신감)
지는 시간의 문제다. 하지만 나는 전에 Warwick에 자주 방문
해서 혼자 특이한 사람으로 지내는 것에 익숙해져 있다.

학교에는 나이가 어린 학생이 많기 때문에 나이 문제로 인 (나이 문제,
해 내가 특이한 사람으로 낙인찍힐 수 있다. 소외현상)

또한 나의 생김새가 나를 이상적인 학생으로 보이지 않도 (계급 인식)
록 하는 것 같다. 나는 다루기 힘든 노동자 계급의 괴짜인
데 비해

Warwick에 다니는 많은 학생들은 중산층이고 나와는 배경 (친밀성)
이 다른 이들이다. 하지만 나는 학교에 익숙해져 있었고 위
와 같은 상황은 나에게 별로 위협적이지 않았다.

위와 같은 코딩 접근은 화법의 여러 방면을 인식하고 이들이 어떻게 영국 사
회에서 계급의(또는 성/인종의) 더 넓은 이론적 이해와 관련지어질 수 있는지를
탐색한다. 또한 고등 교육과정에서의 계급, 성 문제를 다루는 데에 어떤 사항
들이 연관될 수 있는지를 알아본다. 우리는 Mark의 이야기를 해석하고 전달하
는 과정에서 어떻게 자기 정체성이 절충되고 있는지를 종종 볼 수 있다. 이 단
계(풍부한 면담 자료를 가지고, 대상이 상황을 어떻게 보고 있는지를 인지하고,
이를 사회학적 이론과 연관 짓는)에 들어서는 것은 연구 과정에서 매우 중요한
단계이다.

Barbara의 분석 단계를 요약하면 다음과 같다.

- 첫 번째 단계는 각각의 인터뷰를 끝나는 즉시 재고해 보고 나의 생각과 반
  응을 적어 두는 것이다.
- 각각의 인터뷰들은 즉시 문서 자료화된다.
- 자료가 작성되어 회신되면 그 인터뷰 자료를 대상자들에게 보여 주고, 추
  가하거나 수정할 부분이 있는지 확인한다.

- 첫 번째로 면담 자료를 읽어 내려가고 흥미롭다고 생각되거나 조사 질문 사항과 관련된 부분이 있으면 밑줄을 그어 둔다. 또한 녹음 자료를 듣고 참고한다.

- 면담 자료를 몇 번 더 읽어 본다. 두 번째로 읽을 때, 성별에 따른 연관성, 학업 복귀에 대한 이유, 중요 사건 등과 같은 각주를 작성한다. 면담 자료를 읽으면 읽을수록 대상에 대해 더 잘 알게 된다.

- 각각의 대상자들에 대한 요약 자료를 작성하고 학업의 초기 경험, 학업에의 가족의 영향, 과거와 현재의 연결고리 등과 같은 주제로 설정한다. 또한 요약 자료에 인터뷰 중에 나온 중요 대화를 인용한다. 이것은 각각의 인터뷰 대상의 이야기를 기억할 수 있도록 도와준다. 나는 요약 자료를 통해 작성 단계에서 어떤 이야기를 사용할지 결정한다.

- 익명성 보장을 위해 대상자들의 이름을 바꾼다.

- 이야기들 속에서 동일하게 나타나는 주제와 문제사항들을 정리한다. 예를 들어, 몇몇 여성들은 그들이 가능한 한 빨리 학교를 떠나 가정을 이루기 전에 비서, 간호, 공장직으로 일하도록 기대되었다고 말했다.

- 인터뷰 대상자들과의 이야기들이 나에게 무엇을 말하려고 하는지, 그리고 관련 영역에서의 다른 서적과 연관 지을 수 있는지를 생각해 본다.

- 얻은 데이터를 이론에 연결 짓고, 기존의 이론에 기초하여 새로운 사실이 도출될 수 있는지 알아본다.

- 대부분의 내 연구는 유럽을 바탕으로 하고(유럽 연합 기금) 2개국 이상을 바탕으로 한다. 팀 내에서 우리는 전기적 데이터를 분석하는 데 다른 접근법을 사용한다. 우리들은 팀 미팅 때 각각의 접근법에 대해 의견을 주고받음으로써 다른 이들의 전기 분석 방법을 이해할 수 있게 된다. 바르셀로나 대학교 성인 교육 연구 센터에 소속된 내 동료들은 분석을 위해 문답법의 접근법을 사용한다(아래 참조). 이 접근법은 대상자들을 분석 과정에 포함시키는 방법이다. 이와는 대조적으로, 독일 Goettingen 대학의 Peter Alheit는

조금 더 분리된 '과학적' 접근법을 사용한다(아래 참조).

분석에 대한 Linden의 접근

Linden과 Barbara의 접근법 간에는 유사점도 있지만 차이점 또한 존재한다. 부분적으로 징계의 추정을 반영하거나 연구를 할 때 경험을 다양화하는 것 등의 면에서 차이를 보인다. Linden의 접근법(Barbara의 페미니스트 영향을 반영)에서는 전기적 방법을 학습 관계의 부분으로써 여러 이야기를 이론적으로 이해하고 해석하고 인터뷰 대상자들이 보다 활동적인 참여자로써 생각할 수 있도록 격려 된다.

Linden은 다른 전기적 연구자들(Hollway and Jefferson, 2000)과 마찬가지로, 연구를 하는 데 있어 '경험이나 이야기 자료를 어떻게 가장 잘 이해할 수 있을까'라는 근원적이고 인식론적 질문에 대한 두 가지의 입장─실제로는 겹칠 수도 있지만─을 어떻게 잘 이해할 수 있을지 고민했다. 첫 번째 입장은 수집한 정보 데이터를 세부적인 부분들로 쪼개는 것이다. 예를 들어, 근거이론가들처럼 다소 체계적으로 자료의 복잡성을 처리하고 이론적인 통찰력을 구축할 필요가 있다. 두 번째 입장은 전체 형태를 이해하기 위한 필요성이나 혹은 개인의 삶의 형태를 세심하게 보는 것이다. 확장하여, 이 관점은 정신역학과 현상학을 이끌고, Fritz Schutze(1992)와 독일의 전기해석 연구에서 증거를 발견한다. 게슈탈트는 우리의 데이터에서 찾아볼 수 있는 일종의 체계, 형식이나 정형화 혹은 삶에 숨은 의도가 있다는 전제에서 유래된다(Hollway & Jefferson, 2000). Linden은 아래에 설명해 놓았듯이 두 번째 관점을 선호한다.

Linden은 또한 자료의 분석 및 생성을 위해 대상자와 함께 시간을 충분히 투자할 것을 강조한다. 그는 적었다: 수년 동안 나는 수집한 자료를 다루기 위해 일찍이 근거이론을 이용했다(West, 1996). 근거이론은 해결책처럼 보인다. 근거이론은 과도한 추상적인 범주라기보다는 근거이론의 많은 전문용어들, 실제적이고 잠정적이며 개념적 통찰에 근거한 방식, 그리고 사람들의 풍부한 자료들을 제공하기 때문이다. Anselm Strauss와 Juliet Corbin(1990)과 같은 근거이론 학자에 따르면, 데이터는 체계적으로 유사성과 차이점이 비교되어야 한다. 관찰, 문장, 문단은 코드화되고, 코드화된 요소들은 이름이 주어지거나 코딩된다. 모든 코드화된 항목들은 일련의 범주로 분류된다. 나의 연구는 종이 더미의 형태로 집에 쌓여 있었다. 끝없는 가능성이 보이는 자료들을 끝없이 작업하고 재작업하기 위해, 구성하고 재구성하기 위해 부호화하고 분류하기 때문이다. 그때, 나는 길을 잃은 기분이었다. 단어들과 모든 기록 자료들은 다른 사람들과 연구자들에게 다른 것들을 의미할 수 있다. 나는 특별한 경험과 그것들의 의미, 그리고 텍스트에 스민 모호성과 불확실성에 대해 참여자들과 더 깊게 이야기하는 것이 필수적이라고 생각했다. 그러한 맥락에서 연구 관계 그 자체는 분석작업의 초점이 되었다.

관계는 인터뷰의 많은 반복과 시간이 흐르면 진전될 수 있다. 인터뷰는 해석과 분석이 이루어지는 역동적이고 협동적인 공간, 혹은 자신의 분석과 개발의 공간이 될 수도 있다. 하지만, 너무 이르게 개인의 이야기를 코딩하고 분해하고 이를 다른 인터뷰의 자료와 종합하는 것은 일부 맥락과 관련된 의미를 잃는 위험을 수반한다. 각각의 조각은 전체 삶과 같이 있을 때 의미화되고 구체화된다. 5장에서 언급된 젊은 어머니의 경험은 전문가와 만남에서 대화할 때, 단순히 '에이전시(agency)'로 분류되어 다른 어머니들의 자료와 유사하게 분류 파일에 배치될 수 있다. 이것은 이후 행위(agency)의 집합적인 스토리의 일부로 작성될 수 있으며 목소리가 될 수 있다. 이것은 합법적이기는 하나 개인 경험의 중요성 및 전기적 신랄함을 상실할 위험이 있다. 여기에 어릴 적 가정이나 학교에서 아무도 자신의 말을 진심으로 들어 주지 않는다고 느꼈던 한 여자가 있다. 그녀는 괴롭힘을 당했고 굴욕감을 느꼈다. 그녀는 최근까지도 그녀 스스로를 그저 집에만 틀어박힌 엄마의 모습으로 바라보았다. 그녀는 연구 동안 굴욕적 관계의 잠재적 붕괴를 경험했고, 그녀의 인생에서 스스로 주체가 될 수 있는 가능성을 보았다. 이 자료에서 형태주의(gestalt)를 찾아볼 수 있다: 남용, 침묵, 자기비난, 투쟁뿐만 아니라, 가족지원 프로그램의 전이공간에서 이것이 제공한 새로운 관계를 이해함으로써 부분적으로 회복력, 진척 등을 발견할 수 있다. 연구에서 그녀는 또한 그녀의 이야기를 들어 주고 존중받는 기분이 들었다. 특별한 경험이 통찰력으로 여겨질 수 있을는지는 그 전체 이야기를 참고함으로써 알 수 있을 것이다(West, 2007; West and Corlson, 2006, 2007).

서식 이용 및 개발하기

나는 어떻게 한 인생이 살아왔는가에 대한 단서를 제공할지도 모르는, 여기와 지금의 관계를 포함하여 전체에 대해 더 잘 이해하기 위해서 하나의 분석적 공간으로서 서식(proforma)을 개발했다. 서식의 사용은 인터뷰 기록에 몰입하고, 녹음한 것을 듣고, 특별한 이야기의 자전적/전기적 공명을 고려하는 것에 기반을 둔다. 서식은 각각의 인터뷰에서 나온 주제들을 확인하고 정제하기 위한 공간이며, 대규모의 인용구로 그것들을 묘사하기 위한 공간이다. 그리고 연대순으로 기록하기 위해서, 시간에 걸쳐 주제들이 개발되고 심지어 바뀌는 공간이다. 가능한 힘의 작용, 혹은 전이와 역전이와 같이 잠재적이고 무의식적인 요인과 같은 주제를 다루는 과정에 대한 대량의 노트도 포함되었다. 그 서식은 또한 연구자로서의 경험을 기록하고, 이것들을 반복적으로 결합하여 진화한 문서를 창조하는 연구 일기이다. 나는 이론이나 심지어 시가 자료를 이해하는 데 도움이 될 때, 넓은 범위의 문학에서 발췌나 노트들을 활용한다. 이것은 현재 사용되는 문서들의 데이터, 해석, 이론, 구조적 통찰로 통합을 도와주기 때문이다. 서식은 우리가 다른 사람과 그들의 이야기와 관계된 모든 측면에 대해 상상력을 발휘하고 생각에 잠겨 '놀 수 있는' 공간을 제공한다.

아래 자료들은 5장에 소개되었던 Teach First 프로젝트에 기반한 수습교사들의 서식(proforma)에서 발췌한 자료들로 구성되어 있다. 'Anna'는 'challenging' 런던 학교의 현장실습에 참여한 17명의 교육생 중 한 명이다(West, 2006, 2008a). 그 연구는 특별히 선생님이 되기 위한 학습의 감정적 차원에 중점을 두었다. Teach First는 교사 채용과 근속 문제에 대응하기 위해 창안되었고 비즈니스 중심의 계획과 '명문'대학의 졸업생들을 채용하여 명성을 얻었다. 노트는 그 프로그램에서 '학습을 이끄는'의 미사여구(rhetoric)로 만들어져 왔다. 프로그램의 주요 담론들은 영웅적 행위와 '천부적이고 재능 있는' 리더십의 중요성에 관한 것이었다(Hutchings, 2007).

Anna는 촉망받는 새 비즈니스 아카데미에 배치되었다. 그리고 이 아카데미는 특별한 회사가 지원하고 있었으며 실패한 학교가 될 것이라는 예상을 뒤집었다. 사적인 부분의 자원과 관리 방식에도 관여하는 이러한 아카데미들은 공교육을 변형하기 위한 최우선 수단으로 고려되어 왔다. 관찰되었다시피, 그 연구는 학교의 맥락과 더 넓은 Teach First 프로그램에서 무형식(informal)과 형식(formal) 학습의 과정에 중점을 두었다. 이것은 Anna의 인생에서 이 중요한 전이를 다루는 방식을 포함했다. 그녀의 서식은 길고, 세 개의 인터뷰 사이클과 다양한 종류의 자료를 포함한다. 이 연구는 2년 넘게 발전되었으며, 학습에 풍부한 자료를 생성했는데 ─ 평생, 일생, 전체론적 감각 ─ 불안, 취약함, 절망, 분노, 혼란, 자기부정 및 발전, 성과 등을 포함한다. 여기에는 자신과 프로그램의 문화적 환경 간의 상호작용의 증거 그리고 학교의 경험과 그녀의 가족에 관한 경험을 연결하는 과거와 현재 간의 상호작용의 증거도 있다.

전기적 인터뷰 서식

서식은 연구팀 안에서 공유될 수 있는 표준화된 포맷과 특정한 사람의 관계에서 인터뷰의 내용물과 과정과 연관이 있는 핵심 이슈를 기록하는 방식을 제공한다. 이것은 어려운 자료를 접할 때 혹은 인터뷰할 때의 우리의 감정과 차후의 반영들을 포함한 경험의 다양한 면을 포함한다. 현장 노트, 일기 자료, 발췌물, 그리고 자료를 읽는 과정에서 생기는 코멘트들 역시 통합되어 있다.

테마들. 이것들은 처음의 인상을 다룬다; 동료와 학생을 포함하는 학교에서의 상호작용; 다른 교육생들과의 상호작용; 변화하는 정체성을 다루는 과정; 개인들과 전문인들의 상호작용, 과거와 현재의 상호작용 등과 같이 말이다. 이것은 무형식 과정까지도 포함할 수 있는 가장 넓은 평생의 감각에서 중요한 학습의 순간을 아울러야 한다. 이 섹션은 연속된 인터뷰에서의 참여자를 더 탐색하기 위한 주제를 포함할 수 있다.

두 번째 방면은 권력의 이슈들과 방어 등을 포함한 상호작용의 본성에 대한 인터뷰와 관찰의 과정이 함께 수반되어야 한다.

세 번째는, 더 *민족적인* 관점에서, 방해와 환경에 대해 일반적으로 느끼는 인상들을 포함한 인터뷰의 상황들과 이것 안팎에서 발생하게 되는 상황들에 중심을 둔다.

네 번째는 시간이 지남에 따라 자료 안에 어떠한 종류의 *형태(gestalt)가 나타나는지*에 관한 감각을 시험한다. 학습에 어떠한 패턴들이 나타나는가? 그리고/혹은 변화와 전이를 관리하는 데에 이러한 패턴들이 전기적 관점에서 생각했던 것과 같이 나타나는가?

주제(theme)

첫 번째 인터뷰는 특별히 걱정스러운 몇몇 교사 사정관들의 방문 이후의 어려운 이슈로 시작했다. Anna는 이것과 투쟁했고 그녀 자신에 대해 실망감을 느꼈다:

그녀 자신을 낮추기

음, 정말로 흥미로웠어요. 왜냐하면 제가 그 순간에 완전 굳었었거든요. … 제 서류 작업은 통과했고 다른 것도 다 괜찮았는데 사정관들이 제가 한 수업에 대해서는 최저점을 줬어요. 제가 11월에 진행한 수업에서의 제 행실에 관한 것이었던 것 같은데 저에게는 이 최저점이 일종의 교훈이 되었죠. 그 때 저는 전혀 발전이 없었던 것처럼 느껴졌었고 어떤 상황들이 잘못되기 시작하면 저는 여전히 극성을 떨 뿐이었어요. 저는 정말로 이러한 제 모습이 전문가처럼 바뀌길 원했었어요. 그리고 저는 교훈을 얻은 후 저의 사정관과 함께 45분 정도를 울었어요.

··· 그리고 그 때 나는 주님께 저와 함께 있을 여자 분을 보내 주셔서 감사하다고 생각했어요. 왜냐하면 그 때 나는 굉장히 나도 잘 모르겠지만 그냥 ··· 그 이후에 한동안 울어 버렸어요.

비록 이것이 지원적이고 고무적인 상황이 되는 미사여구임에도, Anna는 학교에서의 지지받지 못한 감정에 대해 꽤 오래 얘기했다. 비슷한 주제가 두 번째 인터뷰에 등장한다:

그곳에는 긴장감이 흘렀어요. 경영진은 최신식의 교육을 하기를 바라고 있었고요. 우리가 저번에 얘기했었는지 모르겠지만 그것이 실현되도록 하는 일종의 재구성 방법이 있었어요. 그렇지만 사실은 그것을 실현할 중간 관리층이 그곳에 없었어요. 그런 것들을 다루는 사람들이 모인 부서도 없었고 그러한 사람들도 없었죠. ··· 있는 사람들이라곤 여섯 명의 관리자와 선생님들뿐이었고 회사들의 경영 구조를 모방한 그러한 형태로만 구성되어 있었어요. 사람들은 이게 지금 교육의 최신식 모습이니 이렇게 되어야 한다고 생각하겠지만, 현장에서 근무하는 분들과의 갈등이 있었어요. 그들은 매일 교사의 역할을 했어야 했는데, 그들이 원하는 것을 전달하는 것이 지금의 구조에선 어렵다는 것을 느낀 것이죠. 특별히 교육에서 소외된 집단 그 자체에게는 더욱더 그렇다는 것을 느꼈어요. ···

그녀는 가르치는 것이 그녀에게 자연스럽게 따라오지 않는다고 덧붙였다. 그녀에게 가족과 관련된 이야기는 하기 힘든 것이었다 — 분리로 겪은 고난 — 어려운 가정에서 태어난 것; 학업적 성공과 자신감에도 불구하고 이러한 모습이 비춰진다.

가족들

Anna는 두 번째 인터뷰에서 그녀 자신의 학습 생애사와 현재 집착하고 있는 것들의 맥락에서 그녀의 가족, 아버지의 우울증 그리고 부모님의 결혼에 있었던 큰 어려움들에 대해 더 자세히 이야기하기 시작했다:

> 아빠에 관해서는, 제 생각에 꽤 빠르게 회복하셨지만 우울증이 심하셨어요. ⋯ 아빠는 병을 위해 20여 년간 선생님들이 준 가르침뿐만 아니라 모든 것에 불만 족스러워하셨어요. ⋯ 이러한 증세는 갈수록 나아졌고 2년이 더 지난 후에는 훨씬 더 좋아졌고 이제는 그 선생님들과 친구가 되셨어요. ⋯ 제가 12살이었던 게 확실히 기억나는데 그때 저는 저녁인가 혹은 점심인가 뭘 먹으러 아빠랑 외 식을 나갔어요. 그리고 저는 아빠에게 나 이제 충분히 나이 먹었으니까 이혼하 셔도 된다고 얘기했어요. 저는 충분히 나이 먹었어요. 뭐 그런 말이었던 것 같 아요.

Anna는 본인 스스로가 가족의 이러한 어려움들을 도와줄 필요가 있다고 느꼈다. 그러나 그 가족의 영향은 긍정적이기도 했고 또한 소명의식이 성장하는 데에 그녀의 영적인 가치는 효과가 컸다. 그녀는 아이들에 대해 열정적이고 학교와 교육에 대한 넓은 사회적, 정신적 목적의식에 헌신적이다. 그러나 가르치는 것이 그녀의 장기간의 직업으로서 적합하다고 생각하지는 않는다. Anna는 그 밖에 다른 곳에 쏟은 그녀의 열정에 대해 이야기하지만 두 번째 인터뷰에서 확실히 봤듯이 학교가 수익을 낼 수 있는 다양한 학교 계획과 관련한 얘기들에 빠져 버렸다. 그녀는 또한 가족들을 놔주고, 자유롭게 해주는 것의 어려움에 대해 이야기한다. 염려의 주제, 모든 것을 바로잡을 필요, 그리고 취약함의 배경을 상대로 한 분리화와 개별화를 위한 투쟁은 강력하다. 그녀는 인터뷰에서 일을 바로잡는 것에 대해서도 염려하고 있다. 평가에 대한 그녀의 투쟁에 대해 내가 생각할 수 있는 것에 대한 불안한 마음속에는 방어적인 자아가 있다.

과정(process)

이것은 그녀의 두 번째 인터뷰에서 발췌한 것이며, 그녀의 가족과 그녀가 스스로 발견한 것들에 대해 일련의 설명으로 확장한 것이다:

> 내 생각에 아마도 나는 나의 가족으로부터 독립하는 과정의 출발점에 있는 것 같다. 내가 느끼기에 나의 이러한 결정은 나와 우리 가족이 가족을 어떻게 생각하는지에 있어서 정말 커다란 영향을 미쳤다. 나는 이제 가족으로부터 독립하는 출발점에 있는 것이거나 혹은 최소한 가족과 어떻게 지내야 하는지에 대해 배웠다고 생각했다. 그리고 왜 그녀가 그렇게 많이 가족들에 대해 얘기했었는지에 대해 알고, 당신이 알듯이 이러한 인터뷰가 일반적으로 가족 문제를 다루기 위한 내용이고, 전문적이며, 이 인터뷰가 당신의 전문적인 삶과 그러한 것에 관한 것이란 것도 모두 알 것이라고 나는 생각했다. 하지만 또한 모든 것이 가족에 관한 것이기도 하다고 나는 생각했다.

형태주의(gestalt)?

Anna는 부모의 명령의 취약성과 이들을 지켜야 할 요구사항과 함께 부모의 명령으로부터 도망칠 필요에서 발생가능한 형태(gestalt)를 인지했다. 이는 학교에서의 '부모 관리자'를 포함한다. 여기에는 프로젝트 자체에 결여된 반사적인 학습 공간의 한 종류를 나타내는 연구에 대한 이슈가 있다. 가족에 대한 이슈는 교육에서의 폭넓은 세력의 행위와 얽혀 있다. 부분적으로 거리가 있고 사업 지향적이며 '약간 화려하게' 보이는 Teach First의 문화가 있다. 이는 도시의 야심가이나 첫 번째 미팅에서 자신의 남녀관계에서의 문제에 대해 이야기하는 데 많은 시간을 소비하는 Anna의 사업 멘토를 만나는 것을 포함한다. Anna는 독특한 방법으로 이를 들었다. 만약 학업적인 면이—모든 것이 생각 같지 않으며 교사와 경영진 사이에 큰 간극이 있다—그녀를 괴롭히는 경우, 그녀의 과오를 인지하고, 그녀는 경영진과 함께 일하는 것을 원하며, 학생들의 이익을 위해 학교의 안녕에 기여할 수 있기를 희망한다. 학문적 성공에도 불구하고, 그녀의 이야기는 취약함, 불안 그리고 그녀를 힘든 상황에도 계속 버티고 이겨낼 수 있도록 도운 회복력, 강한 정신적 가치 및 가족의 가치들에 근거를 두고 있다.

이것은 짧게 편집된 발췌문이다. 프로젝트에 참여했던 두 연구자들이 각자 서식을 완성시켰고, 그러고 나서 비교와 질문을 하기 위한 노트 비교를 실시했다는 점을 덧붙여야 할 것이다. 우리 모두는 인지에 있어서 부분적으로 동의한다. 아마도 무의식적인 이유로 우리는 우리가 불편해하는 자료들에 대해서는 이러한 사실을 피하려고 한다. Anna는 학교에서의 성공담을 얘기해 주었고 어떤 면에서는 그녀의 Teach First에 대한 경험을 잘 설명해 주었다. 나, Linden은 특별히 그녀의 가치와 학교의 관점들, 그리고 Teach First 프로그램 사이의 갈등에 대한 그녀의 이야기에 빠져들었다. 나는 Teach First와 교육에 있어서 공적 부분과 사적 부분 사이의 경계의 변환이 나타내는 의미를 이해하기 위해 노력했다. 연구 또한 논쟁에 휩싸여 있었다. 연구자들이었던 우리들은 대학 내에서 교사 교육(양성)에 대한 임무를 부여받았는데 이것이 불가피하게 고위 간부들 사이에서 걱정을 불러일으킨 것이다. 계속해서 우리와 논의를 거쳐, 비록 그들의 의구심은 가시지 않았지만 대체적으로 호의적인 내용을 담고 있는 특별히 권한이 위임된 프로젝트 평가에 따라, 참고자료가 만들어졌다. 이런 평가는 프로그램 내에 존재하는 신규 채용과 선발 절차 그리고 회사에 대한 소속감을 형성하는 것과 같은 여러 혁신적인 특징들을 발견해 냈다(Hutchings et al., 2006). 사실 이것은 우리로 하여금 Anna와 다른 인터뷰 참가자들의 시각을 통해 더욱더 세계를 공감하며, 열린 마음으로 이해하는 것을 결심하도록 했다. 비록 이런 결심이 우리를 어디로 이끌지 모르지만 말이다. 또한 우리의 가치나 가정들, 그리고 프로젝트가 무엇을 성취해야 하는지에 대해 열린 태도를 가지는 반성적 사고를 갖게 되었다. 서식에서 Anna에게 아버지와 같은 감정을 느꼈다는 것과 그녀의 가족 문제들에 대해 걱정이 된다는 언급이 있었다. 그리고 교육적 성취를 통해 부모님을 돌봐야 할 필요가 있다는 얘기와 자기 자신의 가족사에 대한 얘기가 있었다. 이러한 의미에서 강한 자서전/전기적 측면이 있었다. 연구하는 것에 관한 경험이 적힌 노트가 있었다: 이 연구는 연구와 치료 사이의 구분 짓기 어려운 경계에 관한 것이었다. Teach First 자체가 지닌 사상과 Anna의 삶 속 일터에서 나타나는 심리사회적 요인들을 포함한 학제 간 관점이 분석에 영향을 주었다. 또한 관심은 기관을 위한 그녀의 투쟁과 이것을 위해 그녀가 도움을 받았던 자원들에 쏠렸는데 이러한 자원들에는 Teach First 훈련생들과 그녀의 가족들 그리고 그들의 강한 신념들이 있었다. 자료와 분석의 풍부함은 Anna와의 연구 관계를 강화한 결과물이었다.

전기적 설명 분석의 다른 방법들

이 마지막 부분은 우리의 연구에 영향을 주었거나 중요하게 고려되었던 다른 접근법들에 대한 간략한 개요를 제공한다. 예를 들어, 대화 접근법은 분석 과정과 연구자와 참여자 사이의 권력관계를 무너뜨리려는 시도를 하는 과정에서 참가자들을 명백한 협력자로서 참여시키는 것을 추구한다. 예를 들어, Beverly Skeggs는 페미니스트로서 그녀가 '대화를 통한 해석'이라고 부르는 대화 접근법을 사용해 왔다(1997, p. 30). 그녀는 노동자계층의 여성이 추가 교육에 참여한 것에 관해 들려 준 이야기에 대한 분석에서 '나는 내 생각들과 해석들을 그들과 논의했고 그들은 나에게 새로운 의견들을 제시했으며, 때로는 반박도 하고, 내 생각을 인정해 주기도 했다'고 말했다(1997, p. 30). 그러나 대화 접근법을 사용하는 것은 Skeggs가 말했던 것처럼 딜레마를 일으킬 수도 있다. 그녀는 그녀의 연구에서 여성들을 노동자 계층으로 분류했는데 참여한 여성들은 이러한 해석을 거절했다.

그녀는 그녀의 이론적 관점을 인식했고 의견을 준 여성들의 관점을 거절은 했으나 결국 어느 정도 수용하여 이러한 문제점이 있다는 것을 반영했다.

집단적 변화를 위한 소외 집단 연구를 진행하는 교육자들 사이에 분석의 대화적 양식에 관한 약속이 있었다: 이미 언급했었던 바르셀로나 대학의 성인 교육 연구센터에서 진행된 연구에 관한 것을 예로 들 수 있다. 이것은 '의사소통 패러다임' 내에 '비판적 방법론 기초'라고 불리는 것으로부터 추진되었다. 분석은 상호주관적 대화와 연구자와 참여자 사이의 평등한 관계의 형성을 토대로 만들어졌다. 대화 사회는 대화에 관한 연구조사가 필요하다. 그래서 논쟁이 진행되었고 이러한 논쟁은 연구 참여자들이 직접 발생하고 있는 변화들을 분석할 수 있게 되는 계기가 되었다(Flecha & Gómez, 2006). 연구자들은, 협력자로 함께하는 참여자들과 연구를 진행하면서, 특별한 사회적 관습 안에서 사람들이 '포함'을 형성하는 것을 방해하는 혹은 사회적 이익들로부터 '제외'를 형성하는 것을 방해하는 장애물을 만든다고 여겨지는 상황, 현상 그리고 상호작용에 대한 분석에 세심한 관심을 기울였다.

근거이론

관찰된 것처럼, 근거이론은 전기적 연구에서 중요한 역할을 해왔다. 이것은 Barney Glaser와 Anselm Strauss(1967)가 쓴 그들의 저서 「The Discovery of Grounded Theory」에서 개발되었다. 하지만, 많은 연구자들은 근거 이론이 세 가지 단계의 세심한 부호화(개방, 축, 선택)를 사용하는 자료의 분석에 관한 체계적인 접근이 포함된 절차를 철저하게 따르지 않는다고 주장한다. 이것의 목적은 자료로부터 체계적으로 이론을 만들어 내는 것이다. 그래서 연구자들이 미리 갖고 있던 이론적 틀로 그들의 분석을 진행하지 않게 하는 것이다. Glaser에게 중요한 원리는 연구자들이 '분석가가 어떻게 자료로부터 그/그녀의 이론을 발견했는지 독자가 이해할 수 있게 하는 … 일명 자료 분석을 위한 부호화 절차'를 사용해야 한다는 것이다(1992, p. 227).

Michele Moore는 왜 그녀가 근거이론을 장애우의 삶의 이야기를 분석하는 데 사용하는지 설명한다:

근거이론은 David의 이야기를 이해하기 위한 최고의 분석 도구로 선택되었는데 왜냐하면 이것은 연구자가 개발하거나 참여자가 그들의 말과 경험들을 통해 전달한 중요한 자료들로부터 찾아낸 아이디어나 충고를 보증하는 확실한 접근을 제공하기 때문이다. 근거이론은 명쾌하게 주어진 모든 연구 상황 속에서 어떤 일이 일어나고 있는지에 관한 이론적 설명을 추구하는 분석적이면서 질적인 접근법을 제공한다. 그리고 이것은 예측할 수 없는 방식으로 진행되고 있는 연구 방법론과 분석의 과정이 포함되는 프로젝트들에도 충분히 적절하게 적용될 수 있는 이론이다(2004, p. 119).

근거이론의 다양한 개선들이 존재한다. 예를 들면, 동기의 심리 분석적 인식에 있어서 피실험자와 연구자 둘 다의 것을 전부 알 수 없는 것처럼 말이다. 이러한 관점에서, 인터뷰 대상자는 어려운 지식 유형이나 스스로에 대해 배우는 것을 피하는 정도의 자기방어적인 전기적 설명을 만들어 낼 수 있다. Tom Wengraf(2000)는 연구자들에게도 이것을 적용했다: 우리는 화나거나 혼란스러울 수 있는 일을 알지 않도록 동기를 부여받을 수 있다. 결국 그것은 듣고, 보고되고 분석되는 것에 영향을 미치는 것이다. Wengraf는 전기적-해석적 방법(말하여지는 삶과 살아지는 삶 사이의 거리에 근거를 둔, 후자는 명백한 객관적인 증거로부터 위조된)과 연구자의 지식이나 상상이 고갈되기 전까지 많은 가설을 만들어 내는 연구자의 말을 포함하는 '일정한 비교 방법'의 결합을 제안한다. 그러면 가설은 수락되거나 폐기되면서 더 중요하게 적용된다. 하지만, 만약 이러한 다양한 근거이론의 적용들이 분석에 대한 빈틈없는 접근을 제공하면, 그들은 또한 분석적 작업에서 그 연구 관계 자체의 잠재력이 도외시되는 위험에 처할 수 있다. 연구자의 역할도 도외시되거나 모호해질 수 있다. 이것은 어떻게 그들 자신의 역전이와 전기들이 통찰력의 자료가 될 것인가를 포함하는데, 이는 '객관적'으로 표시할 필요 조건을 잃어 버릴 수 있다.

'객관주의적' 접근

어떤 연구자들은 주관성의 문제와 어떻게 연구자의 주관성이 분석에 영향을 끼칠지에 대해 별로 신경 쓰지 않는다. 대신에 그들은 어떻게 연구자들이 방법론적인 엄격함과 전문가를 데려오고, 논쟁이 있을 수 있지만 협동의 관점에서 이론적인 이해가 저평가될 수 있는가에 대해 강조하는 것을 선호한다. 어떤 덴마크 연구자들의 강조점은 한 연구팀 내에서 진행된 집단 토론과 인터뷰들을 기록한 해석에 기반을 두었는데, 이것은 언어와 삶의 경험 사이의 관계에 구체적인 초점을 두고 있었다. 한 편엔 삶의 기술 그리고 다른 한 편엔 생애사에 관한 기술 둘 사이에 차이점들이 나타났다. 전자는 이전에 말했던 것처럼 얘기된 삶이었고 반면에 후자는 연구자들에 의해 해석된 삶이었다. 이와 같은 것들의 사용은 이야기와 주관성이 투명한 자기표현과 의식의 개념에 의해 암시되는 것보다도 더욱더 복잡하다는 것을 암시하는 비판 이론이나 정신분석적 사고로 구성된다. 특히 학제간 집단들의 연구에서 사용되는 심층적인 해석학적 해석 방법은 심리분석뿐만 아니라 사회화, 정체성 및 학습이론에 관한 학문과 문헌에서 이용된다(West et al., 2007).

Peter Alheit(1995)는 이러한 접근들의 발전에 영향을 주었다. 그는 자료분석에 대한 포괄적인 접근방법을 제공했다. 즉 '메모'나 일기 쓰기 그리고 모든 자원들로부터 생각이나 자료들이 나타났을 때, 그것들을 세심하게 모으는 것을 포함했다. 최근 팀 연구에서, 일기에 그림 그리기, 글로 옮긴 기록들, 노트나 다른 자료와 같은 카테고리들에 대한 치열한 논의가 있다. 분리 관찰과 글로 옮긴 기록들 사이의 연결은 점점 갈수록 연구자들에게 유레카(yureka) 순간을 환기시키는 반복과정을 거치며 명확해진다. 글로 옮긴 기록에서, Alheit는 Schutze와 동료들이 개발한 '구조적 묘사' 또는 '묘사적 구조'의 아이디어를 사용하게 한다. 이것은 어떻게 이야기를 전하는 사람인 그녀 자신이 이야기를 구성하는지와 그녀의 '행위적인' 접근법을 구성하는지를 활용한다. 텍스트는 어떻게 서술자가 그녀의 자료를 고려하고 평가할 것인지를 포함하는 서술 단위로 다시 나눠진다. 얼마나 서술자가 그들 스스로 그들의 전기적 과정들의 변화를 묘사했고 얼마나 인생과정의 궤적이 인생과정 방향으로 실현되었는지에 대한 관심이 요구된다. Alheit는 그들이 자신의 인생이 자신의 통제하에 있다고 상상하는 정도와 인생이 자신의 소유가 아니라고 느끼는 정반대의 감정을 불러일으키는 서사적 설명으로 구현된 구조화 과정을 포함한 자신이 느낀 인생의 경험들 간의 분석에서 중요한 차이를 끌어낸다.

컴퓨터 기반 분석

마침내, 컴퓨터가 분석적 문제, 좌절 그리고 차이를 해결할 수 있을 것이라는 유혹이 있을지도 모른다. 최근 몇 년 동안, 수많은 분석을 위한 이용 가능한 컴퓨터 소프트웨어가 증가하고 있다. 제일 잘 사용되고 있는 것들에는 NUDIST, N-Vivo 그리고 종종 질적 자료의 컴퓨터 보조 분석이라고 불리는 접근방식인 Atlas(CAQDAS)가 있다. 여기에 이러한 컴퓨터 패키지를 어떻게 사용하는지 설명하는 몇몇 교재가 있다. 컴퓨터 소프트웨어는 연구자에 따라 정해지는 주제와 관련된 문제들의 다양한 내용들을 문자로 표시해 둠으로써 복잡한 인터뷰 자료들을 보여 줄 수 있다(Frisch, 2006). 이것은 코딩, 내용 분석 그리고 자료 샘플링에 도움을 줄 수 있고 근거 이론 접근을 사용하는 연구자들에게 유용하다. 이것은 서술 자료들을 다른 방식으로 구성, 분류 그리고 재배열할 수 있다. 이것은 스토리텔링의 감정적 격렬함 그리고 심지어 비디오를 이용하여 몸짓언어까지 상호참조가 가능하게 만든다(Frisch, 2006). 또한 컴퓨터 소프트웨어는 글로 옮겨진 기록에서의 부분적인 단어나 코멘트를 알아낼 수 있고 사용된 구절의 빈도를 측정할 수 있다. 특히 연구자들은 그들이 팀으로 작업하거나 많은 양의 글로 옮겨진 기록을 분석하고 비교해야 할 때 소프트웨어가 유용하다는 것을 알 것이다.

하지만 단점도 있다. 컴퓨터 기반 분석은 자료가 손상될 수 있고 사무용 양식의 코딩이 우세할 위험이 있고 컴퓨터가 해결책을 만들어 줄 것이라는 희망을 품고 더 괜찮은 분석을 무시할 위험이 있다(Hollway and Jefferson, 2000). 말했듯이 이야기 자료를 분석하는 것은 지적이고 인식적인 행위이며 연구자 자기 지식의 관점 또한 지극히 직관적이고 미묘한 것이며 도전정신이 필요한 과정이다. 그래서 이러한 생각을 가진 사람은 아마 전산화에 반대할 것이다. 우리는 컴퓨터 기반 분석의 사용 시도로부터 연구자를 포함한 연구의 핵심인 피실험자의 평가 절하, 인간성 부재의 위험, 그리고 분석 과정의 간소화뿐만 아니라 지나친 객관화라는 문제점들이 있다고 생각한다.

결론

이 장은 전기적 자료 분석을 위한 다른 접근들을 보여 준다. 당신이 적용하는 분석적 방법은 당신의 이론적, 인식론적 관점 그리고 당신의 단련된 배경지식에 따라 다르다. 바라건대, 이 장은 당신이 선호하는 방법 또는 우리의 삶과 같이 다른 사람의 삶에 대해 알아 가는 것에 관하여 가장 알맞은 방법을 선택하는 것을 도와줄 것이다. 이미 언급한 대로, 분석은 우리가 사회심리학적 이해의 기초 틀과 더 정련된 설계를 위한 서술적 자료를 사용하도록 도와준다는 점에서 필수적이다. 만약 우리가 그들이 말하고자 하는 즉, 화자를 존중해야 한다는 인본주의적 본성에 의해 동기가 부여되는 경우, 우리는 자료의 특성에 대해 액면 그대로 순순히 이를 수용하지 않는 방법에 대해 생각해야 하는 동일한 의무가 있다. 우리는 잠재적으로 경쟁하는 의무사항에 대해 균형점을 찾아야 한다.

요점

- 사회적, 문화적 맥락에 따라 인간에 대한 규범과 이해가 다르기 때문에 분석에도 다양한 접근법들이 있다.

- 연구자들은 더 인본주의적인 분석 경향을 갖고/혹은 갖거나 주관주의적 분석 경향을 갖는다. 아니면 더 객관주의적인 분석 경향을 지닐 수도 있다. 전자는 연구의 광범위한 목적(예를 들어, 인본주의적 프로젝트에 기여하는 것과 같은)과 대화와 협동의 중요성을 강조한다.

- 분석에 있어 주요한 철학적인 차이가 있다: 우리는 자료를 이해할 때, 삶의 전반적인 부분의 이해 방법을 찾아내는 것이 효과적일까, 아니면 일부 자료들로부터 이해를 만들어 내는 것이 더 효과적일까? 보통, 분석은 이러한 다른 접근들의 통합을 내포한다.

- 사회학자들을 좀 더 심리적인 경향이 있는 사람들과 비교해 볼 때, 그들의 분석적 작업은 약간 다른 초점을 둘 수 있다: 전자가 범주와 유형 분류체계를 중시한 반면 후자는 삶의 복합성 부문을 중시할 것이다.

- 다른 연구자들은 대화의 미사여구나 공동 작업이 도외시된 분석에서 방법론적 철저함과 이론적 이해의 중요성을 강조할 것이다.

- 컴퓨터 보조 분석을 포함하여 다른 접근을 시도하는 것은 중요하다. 하지만 이러한 방식은 환원주의의 위험 그리고 인간이 전기적 대화들을 분석함으로써 얻어낼 수 있는 풍부함과 복잡성들 가운데 일부가 부정될 수 있는 위험이 있다.

추가 읽을거리

Alheit, P. (1995) *Taking the Knocks.* London: Cassell Education.

Lewins, A. and Silver, C. (2007) *Using Software in Qualitative Research.* London: Sage.

Goodley, D., Lawthom, R., Clough, P. and Moore, M. (2004) *Researchng Life Stories: Method, Theory and Analyses in a Biographical Age.* London: Routledge Falmer. See Chapters 8 and 9 in which the authors outline their analytical approaches to their research from four different theoretical perspectives.

West, L. (1996) *Beyond Fragments.* London: Taylor and Frances. See Chapter 2.

West, L. (2001) *Doctors on the Edge.* London: Free Association Books. Se Chapter 3.

1. 전기적 연구자가 거짓말을 했을 때, 당신은 무엇에 우선적인 관심을 두겠는가? 당신은 더 심리적인 경향을 지녔는가? 아니면 사회학적인 경향을 지녔는가? 이것은 당신이 이야기 자료를 읽고 분석하는 것에 어떠한 영향을 주겠는가?

2. 자료를 분석하는 데 있어서 인터뷰 참가자를 포함시키는 것이 얼마나 중요하다고 생각하는가? 이것의 장단점은 무엇인가?

1. 코딩작업: 다음의 발췌된 Claire의 일대기를 보라. 그녀는 런던 빈민지역의 의사다. 이 이야기는 Linden West의 저서, 「Doctors on the Edge」에서 발췌했다. 그녀는 의사로서의 삶과 그녀의 가족에 대해 이야기한다. 그녀가 무슨 말을 하는지 인용과 코드를 읽어 보라(만약 당신이 공동 작업을 하고 있다면, 당신의 코딩과 논의를 비교해 보라).

> 나는 정말 죄책감을 느꼈다. 실패한 느낌이 들었기 때문이다. 그러나 그것은 내가 설정한 나만의 기준 때문이었다.
>
> … 나는 좋은 GP(의사), 좋은 엄마, 좋은 아내가 되는 것이 정말 힘들다는 것을 알았다. 왜냐하면 나는 모든 것에 너무 높은 기준을 설정해 놓았기 때문이다. 그래서 나는 당연히 실패하기 쉬웠고, 나는 이게 잘못이라는 걸 안다. 내 말은, 예를 들면, 나는 누군가를 화나게 하는 것을 싫어한다. 나는 환자, 동료, 남편, 아이 그 누구든 누군가를 화나게 하지 않을 것이다. 나는 언제나 다른 사람들을 먼저 생각하려 노력한다. 내가 말하고자 하는 것은 당연히 나 자신에게도 가치를 부여하고 자신을 돌보겠지만 무언가 화를 부를 만한 행동을 하는 것을 좋아하지 않는다는 것이다. 그래서 나는 매우 쉽게 죄책감에 빠져 버린다. 왜냐하면 내가 거기 있었어야 한다고 생각하게 되며 그러한 생각들이 내 맘을 어렵게 하기 때문이다. 나는 남편이 11시까지 집에 오는 것을 보지 못했고 나는 그때 침대에 있었다고 말하고 있었다. … 그래서 나는 임상 쟁점들이 이러한 문제들을

다 해결할 수 있다고 할 때 힘들다. 당신의 환자들이나 가족을 포기하지 마십시오. 내 딸이 오늘 아침에 말했다. '엄마, 부모님들 집회가 있어. 오실 거죠?' '나는 일을 꼭 가야 해, 딸아' … 이러한 상황은 정말 힘들다. 정말로 힘들다. 내가 그 날의 끝자락에서야 집에 도착하고 나면 지치는 이유이다. 맞다. 나는 만약 옛날 의사 선생님들이 했던 방식대로 일을 했더라면 더 쉬운 아침을 맞을 수 있었을 것이다. '안녕하세요. 어디가 아프세요? 자, 괜찮습니다. 여기 처방전 있고요. 가시면 됩니다.' 내 말은 나도 이렇게 할 수 있다는 것이다. 우리 모두는 3분이면 그 정도는 할 수 있다. 내가 여기 오고 바뀐 것 중에 하나는 내가 병이 무엇이 되었든 비록 작은 병일지라도 모든 환자 면담에 10분을 사용하는 것이다. 심지어 시간을 더 사용하는 것도 괜찮다. 내가 실제로 하는 것이긴 하지만 나는 더 긴 수술도 그냥 할 것이다. 나는 더 긴 수술도 한다.

2. 친구나 동료가 인터뷰한(할) 당신 자신의 삶에 대한 전사물을 분석해 보도록 하라. 위에서 소개한 서식들을 사용하면서 그 본문을 집중해서 보고 그 소재들을 특정 주제와 과정의 문제들(무엇이 빠졌는지, 무엇이 말하기 어려운지, 그리고 당신의 이야기에 인터뷰 진행자가 어떻게 영향을 미쳤는지)에 맞게 구조화하라. 그리고 당신이 갖고 있는 자료에서 나타날 수 있는 잠재적인 형태들이나 패턴들을 생각해 보라. 전체적인 패턴이 어떻게 당신 이야기의 다른 부분을 이해하는 데 더 도움이 될지 생각해 보라.

이야기 표현하기

쓰기

틀림없이, 우리는 모두 글을 쓰는 사람들이다. 친구에게 편지나 이메일을 보내거나 동료 직원에게 메모를 쓰거나 혹은 식료품 및 잡화를 사기 위해 리스트를 만드는 것도 모두 글 쓰기이다. 글 쓰는 행위는 글을 읽고 쓸 줄 아는 모든 사람들의 일상과 관계있다. 그러나 우리가 연구보고서를 쓸 때에는 글 쓰는 것을 두려워하고 불편해한다. 따라서 우리는 과 제제출을 일주일 뒤로 미루거나 과제를 제출하기 직전에 어쩔 수 없이 과제를 하기 위해 글 쓰는 데 관심을 돌리곤 했다(Amir Marvasti, 2004, p. 119).

개요

- 전기적 연구 보고서의 본질을 알아보고 전기 보고서가 어떻게 글쓰기의 창의적이고 분석 적인 형태의 경계에 걸쳐져 있는지 알아본다.
- 우리가 흔히 말하는 '좋은' 연구 보고서의 예시를 알아본다.
- 글쓰기를 시작함에 있어서 문맥 속에서 존재하는 타인과 나를 묘사하는 다양한 방식들에 관련된 다양한 화젯거리들을 분석해 본다.

도입

글쓰기는 매우 창의적인 과정이지만 언제나 쉬운 것만은 아니다. 글쓰기는 삶을 어떻게 복잡하고 상호 연결된 개인적, 사회적, 심리적, 역사적 차원에서 표현할 것인가에 대한 질문을 제기한다. 다른 사람들과 마찬가지로 전기 연구자들도 이러한 문제를 해결하기 위해 노력한다. 우리가 논문이나 책을 읽는다고 해보자. 우리가 읽는 것은 때로는 가난하고 고통스러운 과정을 거쳐 완성된 빛나는 결과물이다. 이 책을 쓰면서 우리는 여러 가지 초안을 작성하기 전, 작성하는 동안, 그리고 후에도 책의 내용과 스타일에 대해 토론하는 데 몇 시간을 허비했다. 출판사에 의견을 묻기 위해 원고를 보내기 전에는 여러 차례의 교정이 이루어졌다. 그런 다음에는 추가 작업이 필요했다. 우리는 전기를 작성하는 것이 얼마나 어려운 일일 수 있으며 전기를 작성하는 일이 창의적인 문학과 상상력에 기반한 글쓰기 사이 ─ 더 나아가 분석적이거나 학술적인 글쓰기 또는 있는 그대로의 경험을 연대기로 작성하고 이론적으로 발전된 방식으로 글을 쓸 수 있는 능력 사이 ─ 의 수많은 경계를 어떻게 종종 넘어서는지를 설명하면서 글을 시작한다.

경계 허물기?

전문가가 되기를 희망하는 사람들을 위한 교육 및 연구 환경을 포함하여 학계 일부에서는 개인적인 자료와 인칭 대명사를 사용하는 것이 여전히 부적절한 것으로 간주될 수 있다. 숙련된 교사 교육학자인 Peter Dorman은 이제 학부생과 함께 작업하는 연구를 수행하면서 자서전/전기적 방법을 사용한다. 그가 교육하는 교사들 중 상당수는 꽤 전통적인 영국인으로서의 배경을 가지고 있지만 학위 프로그램의 일부로 인도를 방문하고 인도의 학교에서 강의한 경험이 있는 사람들이었다. Peter는 이들이 이러한 경험들에 대해 반추하면서 전기적으로 글을 쓰도록 격려하는 것에 관해 다음과 같이 적고 있다:

우선 문제가 되는 첫 번째 질문부터 시작해야 한다. 즉, 수동태냐 능동태냐를 질문해야 한다. 인도로 파견된 연수생들은 연령 집단에서 뽑힌 사람들이었다. 나는 수년동안 3학년 학부생들이 연구를 수행할 때 1인칭으로 작성해서는 안 된다는 규칙에 대해 불만을 가져 왔다. 이들은 자기 자신의 생애사와 직접적으로 관련이 있는 문제에 대해 조사할 때조차도 글쓰기에서 배제되어야만 했다. 따라서 자폐증을 앓고 있는 아이들의 부모나 따돌림을 당하는 학생들은 감정적인 면이 배제된 글쓰기 과정에서 자기 자신과 자기 자신의 경험을 배제시켜야 하는 것이다. 이를 구분하는 것은 중요했고 채택된 자서전/전기적 접근법의 핵심에 있었다(Dorma, 2008).

Peter는 일부 과학적인 배경을 가진 동료들과 함께 글쓰기와 표현에 관해 겪은 갈등을 설명한다. 다른 학문적인 교육자들(Woods, 1993 참조)처럼 그는 자기 자신과 학생들이 자신들의 개인사와 경험을 직접적으로 글쓰기에 반영해야 한다고 믿어 왔다. 특히 자기 자신의 뿌리까지 흔들릴 만한 감정을 겪은 경우라면 더욱 이를 글에 표현해야 한다고 믿었다. 그는 기존의 학문적인 글쓰기는 창의적인 과정을 배제하고 작가가 되고자 하는 학생들의 환상을 깨뜨릴 수 있다고 적었다.

Susan Krieger는 사회 연구 작업에서 보다 인도주의적이고 투명한 스타일의 글쓰기를 주장하면서 학문적 글쓰기가 전통적으로 자리 잡게 된 방법에 도전하고 있다:

우리 중에는 사회과학적인 글을 쓰는 데 일반적으로 사용되는 초연한 듯한 톤의 권위와 사회과학적 글쓰기에서 작가의 개성이 배제되는 방식에 대해 점점 더 불만을 갖는 사람들이 많아지고 있다. 사회과학은 자기 자신을 최소화하는 것을 전제로 하고 있다. 자기 자신을 글쓰기에 반영하는 것을 오염으로 간주하면서 이를 초월하고, 부정하고, 자기 자신을 표현하는 것의 약점을 보호하고자 하는 것이다. 우리는 그림을 그리면서 그 속에 무리가 존재하지 않기를 바라고 있다. 혹은 설령 존재한다고 하더라도 종속적이거나 거의 보이지 않는다(1991: 47, 116).

페미니스트 연구자들은 자아와 주관성이 종속되고 보이지 않는 방식에 대해 의문을 제기하면서 이를 적극적으로 연구에 반영한다. 그러나 이는 당연한 의문을 제기한다. 우리가 창의적인 글쓰기와 학문적인 글쓰기 사이, 보다 문학적인 스타일의 표현과 분리의 필요성 사이의 경계를 문제화하고자 하는 전기적인 글쓰기의 형태라는 의문이 제기되는 것이다. 우리는 Virginia Woolf, Jane Austen, Edith Wharton과 같은 소설가들과 비슷한 방식으로 삶의 의식적 경험들을 조명하기 위해 위의 두 가지 모두를 사용하고자 할 수 있다. 그러나 우리의 자료를 이론화할 때는 훨씬 더 많은 것을 하고자 할 수 있다. 그러나 Woolf, Austen, Wharton은 그 시대의 전기 작가이자 민속지학자이기도 했다. Wharton은 명백하게 현대 사회 이론을 이용했으며 문학과 학술적인 글쓰기의 구분을 흐려질 수 있다(Lee, 2008).

창의적 글쓰기

Celia Hunt(Hunt & Sampson, 2006; Hunt & West, 2006)는 창의적인 글쓰기를 발달 및 치료 도구로 사용하는 것을 전문으로 하며 이를 위해 석박사 과정 프로그램을 개설했다. 사람들은 이 프로그램에 참여하여 자기와 자기 경험에 대한 더 깊은 교감을 통해 창의적인 글쓰기를 강화하고; 그들은 창의적인 글쓰기를 통해 일에서 은퇴까지의 삶의 전환을 탐색할 수 있으며; 건강관리, 치료 및 교육에서 그룹 및 개인에 대한 발달 및 치료 도구로서 창의적인 글쓰기 사용 방법을 배운다. 학생들이 수행하는 작업 중 일부는 경험적이며, 이미지와 은유를 통한 자신들의 탐구, 소설을 통한 개인 서술의 재작성 또는 더 명백한 자서전/전기를 통한 경험을 포함한다.

처음에는 전기적 연구에 대한 책, 박사 논문, 연구 논문 등의 글쓰기는 서로 다르게 보일 수 있다. 우리는 이런 차이점들이 궁금하다. Celia Hunt와 Fiona Sampson(2006)은 학생들과의 작업에서의 맥락에서 글로 성찰을 수립하는 가공되지 않은 경험에 어떻게 접근하는가뿐만 아니라 이를 어떻게 객관화하는지에 대한 질문을 던졌다. 이들은 창조성이 완전히 풍부해지도록 상상의 본체에 관심을 기울이는 것에 대한 중요성을 고려한다. 이들은 시기상조적으로 너무 부정적인 것이 이를 억압할 수 있다는 것에 주목한다. 그럼에도 이들은 사물을 어느 정도의 질서로 배치하고 이들에 대해 생각하고, 이들을 형성, 편집하고 이들에 대해 비판적으로 되기 위한 거리를 두는 능력을 함양하는 것이 중요하다고 주장한다. 이 과정에서 자아와 주관성의 종말 대신 어떤 종류의 배가가 이루어진다. 우리는 밖에 서서 우리가 무엇을 하는지를 관찰하는 동안 다른 사람들이 무엇을 하고 생각하는지에 몰두한다. 창의적이고 전기적인 글은 이러한 측면에서는 완전한 반대가 아니다. 현대의 인류학자는 풍부한 상상력으로 자기 자신을 다른 문화의 용어 속에서 몰두시키며 자기 자신의 문화에서 흡수한 가정을 정지시키나 그럼에도 불구하고 객관성과 이해를 수립하는 데 있어 자신의 문화와 경험의 유사성을 반사적으로 사용한다.

우리는 학문적 글쓰기에 대한 보다 전반적인 관점, 적어도 자서전 연구에서는 다른 세계에 관여와 동시에 분리의 구축에 대해 보다 총체적인 관점을 주장한다. 그러나 전기적 연구와 좋은 문학작품을 쓰는 것—종류를 강조하지 않은 경우라면—은 몇 가지 차이가 있다. Joan Acker, Kate Barry 그리고 Johanna Esseveld와 같은 페미니스트 사회학자들은 이 문제에 대해 논의한다:

우리는 아마 해결할 수 없는 또 하나의 딜레마에 직면해 있는 것이다. 조리정연하고 연결된 이야기를 들려주기 위해 우리가 교육받은 관점에서 작업하는 동안 우리는 학문적인 이론의 방법으로 구성되지 않은 변형의 과정내에 지속적으로 살아있는 자료에 직면한다. 여러 소설가들 중 Virginia Woolf는 우리 사회학자들이 성취할 수 있는 것보다 단편적이고 정리되지 않은 방법으로 의식적인 인생의 경험에 대하여 더 좋은 이야기를 들려줄 수 있을 것이다. 그러나 사회학자로서 우리는 여성을 위한 사회를 건립할 수 있는 이러한 경험의 묘사, 더 광범위한 사회에서 사회의 구조적 결정으로 그 수준에서의 실제 경험을 연결 시키는 사회학을 발견할 수 있다. 우리와 사회과학자가 아닌 사람들을 구별짓는 것은 사회적 현실성을 재구성하기 위한 체계적인 시도에 대한 우리의 방법과 우리가 이러한 체계적 재구성을 사회 이론으로 만들어 다른 사회과학자들과 구성한다는 점이다(Acker et al., 1991, p. 149).

그러나 다시 말해, 여기에는 종류보다는 정도의 차이가 존재할지도 모른다. 분리와 이론적인 이해를 구축하려면 우리 자신을 포함하여 '실제' 삶과 상황을 경험하고 표현할 수 있는 역량이 필요하다. 우리는 창의적인 글쓰기와 학문적인 목적 사이의 경계에 있으며, 여기에는 긴장감이 있지만 풍부한 가능성도 존재한다.

팩션

전기적 연구자들은 학계의 관행을 명시적으로 선회할 수 있다. 포스트모더니즘의 영향하에서 Peter Clough와 같은 연구자들은 인간의 경험의 복잡성을 더욱 조명하기 위해 스토리텔링에 대한 다른 방법들을 실험했다. 이는 가공의 이야기를 만드는 것을 포함한다. 여기에서 경계들은 사라지거나 또는 일부러 흐릿하게 된다. Clough(2004)는 가공의 인물인 Frank와 교직이 그의 인생에 끼친 영향에 대해 쓰고 있다. 그럼에도, Frank의 이야기는 Clough 자신의 교직 경험에 기반한 것이다. 가공의 인물을 만드는 데 있어서 Clough는 '이야기의 창조(사회과학적 또는 문학적)에서의 작가의 역할과 이렇게 해서 생성된 데이터의 본질에 대해 질문을 제기하고자' 했다(2004, p. 66). Clough는 소설화를 선택했는데 그 이유는 이것은 '독자 내의 자아의 어떠한 것을 유발하고자 설계된 이야기'였기 때문이다(2004, pp. 183-184). 허구적 이야기는 문제가 있는 화제들에 대해 집단의식을 각성시키고, 이해하기 힘든 것 혹은 개인적인 것들을 개인에 대해 애매하게 또는 깊이 있게 밝힐 수 있다. 작가는 좋은 문학 작품처럼 상황들을 비교적 개방적인 방식으로 발전시킬 수 있다. Clough는 교육에 대한 몇 가지 '사실'은 연구에서 무시되었고 허구가 우리를 사실에 더 가까이 다가가게 한다고 믿는다. 우리는 사실과 허구는 서로 반대의 개념이라고 교육을 받아 왔다─진실과 거짓. 그러나 좋은 허구는 서로 다른 종류의 서술적 사실을 창조하고 우리 모두가 경험한 혼란, 어지러움, 갈등, 분노, 분함, 폭로, 그리고 회복력에 대해 이야기한다. Rustin(2000)이 밝혔듯이 우리는 글쓰기를 통해 새롭고 더 깊이 있는 방식으로 우리와 다른 사람들의 상황을 이해하게 된다. 그렇지만 대부분의 전기적 연구자들은 이야기 자료에서 그들의 글을 쓰려고 애쓴다. 그 이상은 아니다.

좋은 전기적 글쓰기의 예시

좋은 글쓰기에 대한 예시를 보는 것은 가치 있는 일이다. Edward Thompson (1980)은 도발적인 내러티브와 이론적인 통찰력을 결합하는 힘을 구체화하고, 상상력이 풍부한 공감과 보통 사람들의 삶의 관여에 기반을 두었다. 3개의 좋은 전기적 글쓰기의 예시가 아래에 인용되어 있다. 첫 번째 예는 Al Thomsom(1994)의 책 「Anzac Memories: Living with the Legend」에서 발췌했다.

나는 군대에서 어린 시절을 보냈다. 1960년부터 1972년까지 첫 12년 동안, 나의 아버지는 오스트렐리아 군대의 고위 보병대에서 근무하셨다. 나는 두 형제와 함께 오스트렐리아와 세계의 다양한 곳의 군대막사에서 자랐다. 우리는 항상 군인들과 군인들의 생활에 둘러싸여 있었다. 나의 가장 어릴 적 기억은 풀을 먹인 카키색과 초록색 옷을 입은 남자들이 지시에 따라 아스팔트 광장을 가로질러 퍼레이드(열병식)를 한 것이다. 내가 5살이었을 때 아버지와 그의 부대는 Borneo에 인도네시아와 대치상황을 맞아 비밀 전쟁을 하기 위해서 갔다. 그 동안 남자들은 다 사라졌고 군인들의 자녀들만 임시변통의 제복을 입고 행군을 했다. 마치 군인 아버지들의 유년기를 모방하듯이. 내 가족의 전쟁 신화는 전쟁의 기억에서 특정한 몇몇 경험만을 강조하고 반면에 다른 것들은 얼마나 억압되고 침묵되는지를 보여 준다. 내가 자라온 Anazac(호주/뉴질랜드인)의 전통은 가족의 역사에 대한 선택적인 관점을 표현했으며 우리나라의 과거 전쟁기간의 영향력 있는 버전으로 이를 일반화했다. 그러나 비교적 힘있는 가족과 계급에서 자라난 것에 대한 교훈 중 하나는 가족 구성원들은 간단히, 또는 공모하여 사회에 자신들의 견해를 강요하지 않는다는 인식이다. 이들의 견해는 사회적 영향력으로 인해 널리 퍼지나, 이러한 견해는 진심으로 믿어지며 전파된다(Thomson, 1994, pp. 3-5).

Thomson은 행진음악과 행진하는 남자들이 아직도 등골이 오싹하는 전쟁의 기억을 불러일으키며, 애국의식과 미사여구가 집단정체성의 자부심과 목적의식에 대한 필요성을 충족시킬 수 있는지를 묘사한다. 그러나 다른 것들은 곧 침묵되고, Thomson은 지배적인 주제나 이데올로기에 맞지 않는 이야기들을 끌어들인다. 그가 Anzac 참전 용사들과 진행한 인터뷰도 자기 가족의 질병으로부터 시작되고, 그 여성들의 이야기를 포함한 다른 이야기들은 무시된다. 이 글쓰기는 우리가 쉽게 동질감을 느낄 수 있는 개인적 경험과 딜레마로 독자들을 끌어들이지만, 이것을 이용해 권력과 스토리텔링이 맞물리고 일부 이야기가 억압되는 문제를 역사화하는 방식이다. 연구자의 임무는 힘들고 고통스러운 이슈들이 제기되더라도 이것을 도전하는 것이다. 여기에는 어린 시절을 떠올리게 하는 창의력과 역사적 근거가 확고한 일부 작품을 창작할 수 있는 역량이 혼재되어 있다.

두 번째 예시는 Carolyn Steedman(1986)의 전기적 글쓰기로 그녀는 전기 작가와 스토리텔러의 기술과 풍부한 페미니스트적, 정신분석적, 사회학적, 그리고 역사적 상상을 결합했다. 이 글은 「Landscape for a Good Woman」의 서론에서 발췌했다.

내 어머니의 갈망은 나의 어린 시절을 형성했다. 그녀는 Lancashire 마을과 노동계급의 20대 젊은 시절로부터 벗어나고 싶었다. 좋은 옷, 화려함, 돈 등은 그녀가 원하는 것이 아니었다. 그러나 그러한 갈망은 그녀의 먼 어린 시절에 생성되었다. 사실 그녀가 진정으로 원했던 것은 진정으로 독립하고 물질적인 결핍, 그리고 그녀에게 배제되었던 문화적 · 사회적 구조와 같은 진정한 것들에서 해방되는 것이었다. 다음 두 개의 생생한 이야기는 시사한다. … 사람들에 대한 고려사항으로 …—특히 최근의 노동자 계층의 아이들—다음 두 명의 삶의 이야기; 사람들, 특히 최근의 노동자 계층의 어린이들이 자신들의 소유물이 노동력밖에 없을 때 자신들을 어떻게 이해하게 되었는지, 그리고 계급의식이 유년기에 학습될 수 있는 감정의 구조이며 이의 한 요소가 현세의 물질에 대한 사람들의 욕망인 부러움인 경우 계급의식은 어떻게 되는지에 대한 고려사항에 대한 요점을 나타낸 것이다. 계급과 성별은 심리적 자아가 형성되는 여러 조각들이다(Steedman, 1986, pp. 6-7).

세 번째 사례는 Phillipe Bourgois의 매우 흥미로운 제목의 'In Search of Horation Alger: Culture and Ideology in the Crack Economy'에 소개되었다.

체격이 좋은 백인의 비밀첩보 경찰들이 나를 아이스크림 카운터로 밀며 나의 다리를 쫙 펴며 사타구니 주변을 쿡쿡 찔러댔다. 그가 위험스럽게 나의 불룩한 오른쪽 주머니 가까이로 다가오자, 나는 그의 귀에 대고 '이거 테이프 녹음기에요'라고 낮은 소리로 말했다. 그는 등을 구부리면서 나의 목을 잡고 있던 왼쪽 손을 풀며 '미안'이라고 들릴듯 말듯 속삭였다. 분명 그는 나를 인류학자 대신 다른 집단을 위한 어설픈 첩보활동자로 생각했을 것이다. 왜냐하면 내가 그의 얼굴을 보기 전에 그는 Bodega

식료잡화점에서 나갔기 때문이다. 한편 Gato와 내가 Bodega로 맥주를 사려고 막 들어갔을 때 Bodega 앞에 서있던 Marijuana 판매원들은 밀 첩보경찰이 나를 거칠게 대하는 것을 보았고, 갑자기 안정감과 안심을 느꼈다. 그들은 내가 첩보활동자가 아니라 그냥 백인 약물 중독자였다는 사실을 확신했다. 나는 Gato에게 10달러짜리 계산서를 지불하고 잔돈을 계산원에게 받아 달라고 했는데 이 낯부끄러운 상황을 빨리 벗어나고 싶었기 때문이다. 그런데 갑자기 출입구에서 마른 10대 소년 Bennie가 우리의 길을 막으며 삐딱하게 쳐다보고 있었다. Bennie는 나를 한쪽으로 밀더니 맥주를 사고 남은 잔돈을 느슨하게 쥐고 있는 Gato의 손으로 돌진했다. "그것은 이제 내 돈이야. Gato, 나에게 줘요."라고 그는 소리쳤다. 나도 큰소리로 소리쳤다. "저기! 무슨 소리 하는 거야. 그건 내 돈이야. 썩 꺼져." 그러나 그 십대의 일그러진 얼굴과 가늘게 뜬 눈이 나를 멈칫하게 만들었다. Gato는 중얼거리며 "조심해—저 사람은 빈털터리야. 실직했어." 나는 8달러 (필요하다면 더 많이)까지는 포기할 준비가 되었었다. 합성 헤로인에 취한 노상 강도의 통제불능 폭력에서 벗어나기 위해서 말이다(Bourgois, 2002, p. 171).

Bourgois는 Thompson, Steedman과 같이 학술적 글쓰기의 전통적인 틀에서 벗어났다. 그의 경우 초반에 풍부한 장면 묘사를 하는 문학적 스타일을 보이고 있다. 초반 세 페이지 반은 허구에 더 가깝지만 현지조사를 바탕으로 이루어진다. 이러한 글쓰기는 우리로 하여금 더 읽고 싶어지게 만든다. Thomson과 Steedman의 스타일은 또한 직접적이며 접근가능성이 있으며, 개인적이며 분석적이기도 하다. 이러한 글쓰기가 목적에 부합하도록 하는 것은 무엇인가? 우리의 리스트는 연구의 자전적 뿌리에 대한 개방성을 포함할 것이다. 즉 명백하고 깔끔한 산문체로 글쓰기와 어린 시절의 기억을 불러일으키거나 어른들에게 소망을 주는 글쓰기 능력, 그리고 흔한 예시나 어린이들의 놀이와 같은 일상적인 경험을 사용하는 능력, 나아가 독자들에게 강한 감정과 유대감을 자극하는 능력이다. 글쓰기는 사적인 경험과 공적인 문제들과 연결되어 있다. 학문적 작가들은 정해진 규율에 따라 작업을 하지만 아이의 놀이들, 엄마의 열망들 그리고 창의적인 방식들은 보다 더 큰 역사적, 심리사회적인 그림을 그릴 수 있다.

글쓰기와 자신

글쓰기는 예를 들어 스토리텔링이나 분석에서 전통적인 공간이나 저장용기를 제공한다는 면에서 연구과정 자체와 유사하다. 글쓰기는 타인에 관한 그리고 자신에 관한 이야기를 갖고 실험을 하기 위한 공간이기도 하고, 우리가 누구인지에 관한 측면들을 창의적인 활동 속에 투영시키고, 그러한 측면들을 새로운 형태로 만들어 내기도 하며 변화된 형태를 내 것으로 받아들이기도 함으로써 우리의 정체성에 대한 연구를 위한 실험 공간이기도 하다. 전기는 회고하는 예술이지만 연구와 글쓰기는 계속 진행 중인 경험의 구조와 동등하다. 우리는 우리 자신에 대해서 말할 뿐 아니라 그들에 대한 필수적인 부분을 포함해 이야기를 한다. 우리는 자전적으로 살아가고 있고 요컨대 우리는 서술에 대한 정체성을 창조하고 있다. Paul John Eakin(2008)은 우리의 일상적인 삶에서 서술과 정체성 사이 그리고 우리 자신들과 우리의 이야기 사이의 친밀하고 역동적인 관계를 탐색했다. 그는 New York Times 시리즈와 9/11 희생자들을 추모하는 'Portraits of Grief' 글을 포함해 넓은 분야에서 전기적 글을 써 왔다. 그는 발달심리학, 문화인류학 그리고 신경생물학 분야에서 자아와 정체성을 형성하는 데 통찰력을 사용한다. 그의 설명에 의하면, 우리가 일상적으로, 심지어 자동적으로 관여한 자아 형태는 사회적 기준과 전기적 필요성에 따라 정해진다. 우리는 타인에게 우리가 누구인지 말하는 법을 배운다. 동시에 우리의 자아의식은 결정적으로 우리의 삶의 형태로 창조된다. Eakin에 따르면 전기는 어떤 상황에서든지 자기 결정 행동이고 또한 전기는 우리 자신과 타인의 변화하는 자아가 제때에 정착하도록 돕는 예술로서 동적이고 활용가능한 가치가 강조된다.

선택과 그 외 문제들

우리의 삶에는 여러 번 결정해야 할 순간이 오고, 삶을 어떻게 묘사할 것인가에 대한 질문들도 생겨난다. 첫 번째 접근은 크게 혹은 범위를 더 축소해서 사람들이 그들 스스로 말하게 내버려두는 것이다. 이렇게 하는 이유는 어느 부분에서든 선택과 편집 과정은 발생하기 마련이기 때문이다. 다른 접근법은 우리의 이해와 이론 사이를 비교하는 직접적인 인용을 하는 것이다. Laurel Richardson은 '우리가 텍스트를 어떻게 전개하든 우리는 저자로서 연출을 하고 있다. 연구 대상인 사람들에 관해서 이야기할 때 우리는 우리가 연구하는 사람들을 표현하는 것이기도 하다. 그들의 삶에 대해 작성하면서 우리는 의미를 부여하고 가치를 세상에 퍼뜨리는 것이다'면서 이와는 별개로 '우리는 권위와 특권을 사용하고 있다'고 지적한다(1990: 12).

그렇다면 화자들 간의 복잡성을 공정하게 다루면서 어떻게 자료를 연출해야 할까? 우리는 얼마만큼 책임을 져야 할까? 우리는 인터뷰 단계에서 수립된 내용을 토대로 글쓰기에 보다 민주적인 관계를 구축하고자 할 수 있다. 화자의 성적표, 일기 및 생각이 표현에 완전히 반영되어 있는 상황에도 글은 완전히 민주적일 수 있다. 연구자와 연구 대상자와 함께 글을 쓰기 때문이다.

Rebecca Lawthom(2004)은 그녀의 연구 참여자인 Colleen Stanford가 결혼에서 레즈비언이 되기까지의 삶의 변화 과정을 이야기를 말하는 방식의 접근법을 사용했다. Linden은 해석과 함께 풍부한 이야기 자료가 광범위하게 인용된 절충안을 찾았다. 다음은 어려운 하루를 경험한 의사의 사례이다. 이 사본은 전문직의 핵심에 놓여 있는 혼란스러운 감정과 죄책감을 불러일으킬 수 있는 입장 때문에 상세하게 인용이 되었다. Ambi 박사는 런던 시내의 빈민가에서 일했으며, 많은 다른 소수인종 의사들과 마찬가지로 자신이 생각하기에 자신의 가치를 인정하지 않는 이러한 문화에서 언제나 최선을 다해야 한다고 느꼈다:

나는 너에게 이번 주말에 어떤 일이 있었는지 말해 주려고 한다. 나는 내 일에 몰두해 있었고 나는 항상, 심지어 시간을 넘겨서까지 일을 하곤 했고 집에 있을 때에도 어떻게 해야 능률이 더 오를까에 대해 생각하고 종이에 써내려가곤 했다. 나는 글을 쓰고 구성하고 모든 것을 했다. 그러자 첫째 딸이 나에게 말했다. "아빠, 아빠랑 곧 멀어질 것 같아. 왜냐하면 아빠는 내 옆에 앉지도 나랑 말하지도 않잖아" 딸은 계속해서 말했고 나와 아내는 딸이 느끼고 있는 이러한 공허함을 알지 못했었다. 그 당시에 아내와 나는 딸들에게 할 수 있는 한 최대로 잘 대해 주고 있다고 생각했다. 우리는 모든 것을 해주려 노력했다. 딸은 계속해서 이렇게 말했다. '만약 아빠가 내가 이렇게 생각한다는 것을 생각한다면', 내겐 다른 두 명의 딸이 있다. 이러한 내 태도는 막내딸에게도 영향을 미쳤을 것이다. 막내는 자신의 GCSEs을 보았고 어느 날 나에게 와서 울었다. 자신이 몇 개의 문제를 놓쳤기 때문이다. 막내는 A를 목표로 했지만 그 점수를 받을 수 없게 되었다. 막내는 약물 복용을 원했고 나는 내가 무엇을 해야 하는지에 대해 고심했다. 내가 이 모든 것을 하고, 자랑스런 전문가가 될지, 아니면 나의 아이를 위해 자리를 피해 주고 혼자 있게 내버려두어야 할까. 우리 사이는 틀어졌다. 물질적인 것과 재정적인 측면에서 우리는 우리가 할 수 있는 한 최선을 다했다고 생각했다. 그러나 감정적인 측면에서는 그러지 못했다. 내 생각에 만약 당신이 직업적인 부분에 너무 많이 몰두하고 있다면 그것은 우리에게 공허함을 남길 수 있다고 생각했다(West, 2001: 68).

이 의사는 스트레스로 고통받았고 최근에 병원에 입원했다고 했다. 그러나 그는 자신이 어디로부터 왔는지를 결코 잊지 못하는 운이 좋은 사람이라고 말했다(West, 2001: 68). 그의 사례는 길었지만 독자로 하여금 의사에 대해서 더 알 수 있게 했고 그 자신의 말로 직업적인 측면과 개인적인 측면의 상세한 상호작용에 대해서 이해할 수 있게 해주었다는 면에서 중요하다. 긴 인용문(이 장에서 편집되었던)은 그것의 의미에 대해 질문을 유도하는 동시에 있는 그대로 그리고 생생한 삶에 대한 경험을 가져다준다. Barbara는 유사한 근거를 선택하는 경향이 있으며, 생생한 원자료와 연구 참여자의 목소리의 균형을 사회학적 이해와 조화를 시도한다.

얼마나 많은 경우?

상대적으로 일반적인 수준에서, 우리는 하나의 사례 연구를 사용할 것인지 아니면 주제별로 다룰지 그리고 몇몇의 삶을 연구논문 혹은 특별한 장에 묘사할 것인지를 자문해야 한다. Barbara는 계층과 성별 연구에서 두 가지 접근을 사용했다. 「계층의 회복과 성인 학습자들의 이야기 모음」이라는 그녀의 연구에서, 그녀가 사용할 주제를 정하고 자신의 몇몇 연구 참여자들을 인용해 설명했다. 선택된 주제는 다음과 같다.

- 학교 교육, 가족 그리고 계층
- '나를 여기서 꺼내줘: 분명 삶은 이런 게 다가 아닐 텐데 말이야'
- 교육으로 다시 돌아가기: 힘든 경험들
- 학습의 문화적 경험들
- 취업전망 개선

Beth Crossan, John Field, Jim Gallacher가 집필한 학술논문(2003)에서 ― '비전통적인 성인 학습자들의 학습참여 이해: 학습 경력과 학습 정체성 구축'(Crossan et al., 2003) ― Barbara와 동료들은 스코틀랜드의 계속 교육에 여성 한 명과 남성 한 명의 참여 경험 및 비참여 경험에 대한 두 사례 연구에 초점을 두기로 결정했다. 두 사례 연구의 선택은 내러티브는 덜 편집하고, 보다 심층적으로 특별한 삶의 이해를 제공할 수 있다. 하지만 누구를, 그리고 무엇을 기준으로 선택해야 하는지에 대해서는 일부 기록에서 여전히 문제가 있다. 스코틀랜드의 연구에서 Barbara와 그녀의 동료들은 학습 생활에서의 성적 차원을 조명하기 위해 Dave라는 남성과 Jane이라는 여성을 선택했다. 왜냐하면 이것은 모든 연구 자료에 걸쳐 중요하기 때문이다. Jane은 교육의 참여자였고 Dave는 아니었다. 최종 논문에서 Jane과 Dave를 선택한 것은 다음과 같이 정의되었다:

분명히 이 증거의 기반은 확실하고 빠른 많은 결론들을 지지하지는 못한다. 우리가 이 두 가지의 서술을 사용하는 것은 형식적인 유형화를 제공하는 것이 아니라 학습참여의 이해에서 학습경험에 대한 우리의 변화된 개념의 유용성을 경험적으로 탐색하도록 하기 위함이다(Crossan et al., 2003, p. 59).

가령 기사에서 생애사를 사용하는 것은 개별적인 내러티브가 부분적인 방식으로 사용된다는 것을 의미할 수 있다. 그러나 그러한 접근은 유형화를 개선하고 구축하는 데 유용하다. Barbara에게 그러한 접근은 그녀 책에서 언급했듯이(Merrill, 2007) 도움이 되었다. 왜냐하면 그녀는 계층과 성별의 집단적 경험을 설명하기 위해 풍부한 개인의 생애사를 사용하려고 애썼기 때문이다. 하지만 앞서 언급한 바와 같이 사람들은 그들에 대한 자료와 다른 자료들이 그들이 받아들이지 못할 목적으로 생략될 때 속이 상할지도 모른다.

Linden은 수많은 전기를 통해, 특히 정확하고 복잡한 방식으로 핵심적인 주제를 드러내기 위해 한두 개의 '좋은 이야기들' 혹은 '말하기'와 같은 사례 연구를 사용해 왔다. 성인과 그들의 동기에 대한 연구에서 그는 모든 샘플에 걸쳐 다양한 주제들을 밝히고 설명하기 위해서 두 명을 선택했다(West, 1996). 우리가 7장에서 만났던 Brenda와 Paul은 Kent의 Medway 소도시 출신이다. Paul은 30대 후반까지 노동자 계급 사람이었고, Brenda는 조금 더 연배가 있는 여성이었다. 그들은 수많은 전기의 공통적인 특징들을 공유했다. 둘 다 자신들의 삶에서 변화를 방해하는 것들을 살아내려(이겨내려)고 노력하는 사회적으로 소외된 사람들이었다. Paul의 경우에는 계층에 대한 대본이, Brenda의 경우에는 성차별적인 대본에 관한 이야기들이 개입되어 있다. 그들은 또한 어린 시절에 학대당한 비밀스런 이야기가 있었고, 그들이 진정으로 그 자신들을 알고 경험하기 위한 어떠한 지지도 받지 못했다. 대신에 그들의 시간은 부모들의 요구를 들어 주거나 학대로부터 자신을 방어하는 데 쓰였다. 그 결과는 그들의 삶과 관계에 걸쳐 큰 반향을 불러 일으켰다. 비록 자료의 특별한 측면들이 구별되지만 그들의 이야기는 전제 샘플을 통해 주제들에 사용되었다; 다른 경우는 다른 사람의 삶에서 구체적인 주제를 탐색하는 데 사용되었다.

원문의 난입자들

전기적 글쓰기에서 우리는, 비록 언급하지는 않았지만, 계속해서 다른 연구자들의 원문과 이론들을 참고하고 있다. 전기문 쓰기의 중심에는 상호텍스트성의 과정이 있다. 다른 저자들은 우리가 그들의 이론과 서술방식을 이용함으로써 우리가 하는 것을 형상화한다. 우리는 우리의 분석과 결론을 지지해 주는 사람들에게 의지하거나 혹은 그들에게 그들이나 심지어 우리 자신의 연구를 비평하도록 말할 것이다. 우리는 이러한 점에서 작가들의 공통성을 지닌다. Plummer(2001)는 이런 과정을 포착하기 위해 사회연구자들을 '원문의 난입자들'이라 불렀다. 이 책전반에 걸쳐 우리는 많은 저자들을 언급하고, 특별히 유의미하고 유용하다고 느낀 원문으로부터 인용문을 삽입했다. 다른 저자를 인용하는 것은 독립적인 작가, 학자, 사람으로서 정직하고 학구적이며 학문적인 모습의 단면이다.

하지만 다른 사회연구가들의 연구를 사용할 때 우리는 표절문제에 대해 주의를 기울여야 한다. 학생들에게 있어서는 표절을 인식하는 것과 표절의 의미가 무엇인지 아는 것이 중요하다. 모든 부서와 대학교들은 표절에 대한 정책이 있어야 한다. 현재 지도교수가 표절을 확인하는 것을 돕는 보조 전자기기가 있다. 당신이 다른 사람의 말을 사용하지 않고 당신 자신의 말을 사용하는 것이 중요하다. 만약 당신이 다른 사람의 말을 사용하려면 참고문헌 인용을 분명히 그리고 정확히 하라.

글쓰기 시작하기

쓰기는 연구가 끝날 때까지 남겨 두는 작업이 아니라 프로젝트의 초기에 시작해야 하는 것이다. 만약 당신이 논문을 쓴다면 초기에 도입부처럼 각 장의 초안을 작성해야 한다; 초안은 경험에 비추어 볼 때 근본적으로 바뀔 수 있다. 당신이 연구를 위해 왜 이 주제를 선택했는지에 대해 기술하고 현장연구를 하기 전이나 하는 중에 문헌조사를 시작하라. 많은 학생들이 글쓰기의 수준과 대학원 과정의 관례나 기준을 염려하여 글쓰기를 시작하는 것에 불안감을 느낀다.

전기문이나 자서전 쓰기를 시작하는 것은 아주 흥미롭거나 복잡할 수 있다. 다음 예시는 박사과정의 두 학생의 글이다. 개인적인 사용역(register)과 지식적인 사용역을 조합함에 있어 둘 다 학문적 맥락의 진정한 작가적 목소리를 찾기 위해 필사적으로 노력했다. Wilma Fraser(2007)는 논문의 초안에서 개인적, 정치적, 학문적, 그리고 동시에 분석적인 글쓰기 형식을 찾는데, 대단히 존경받는 스코틀랜드 Gaelic 시인인 Sorley Maclean에게 의존했다:

> Maclean의 훌륭한 업적들 중 하나이자 게일 사람(Gaeldom)들을 위한 선물은 그 지역의 원천이었던 공동체, 문화 같은 지역을 통합할 수 있는 그의 능력이었다. 하지만 그것은 20세기의 공포와 광기에 대한 반응으로 사람들에게 알려졌다. 가족에 대한 책임은 그가 Franco와 싸우는 것을 막았지만, 그는 2차 세계대전에 참여했고 El Alamein에서 심각한 부상을 입었다. 그의 파시즘과 식민주의에 대한 증오와 초기의 공산주의 옹호는 장로교회의 무료 교육에 의해서 양성되었다(Fraser, 2007, p. 5).

Wilma는 그녀의 연구 주제(성인 교육과 문화적 상상력)를 고민할 때 다른 중요한 사람들을 끌여들인다. 이것은 「The Democratic Intellect」의 저자인 George Davie(1961)의 학문적인 부분과 스코틀랜드의 교육적 사고 측면에 도전했던 Jean Barr의 여성주의 그리고 이성의 극치 및 소외된 목소리들의 무시를 포함한다.

Wilma는 다음과 같이 썼다:

그것은 … 연결이다. 다섯 번째, 이 문장들을 '펜으로' 쓰는 '손' … 하지만 여섯 번째, '통합된 감수성'이 바로 곧 있을 페이지에 깊이 살펴볼 내용이다. 물론, 문장과 그 문장을 지은 작가 사이에는 차이점이 있다. 글을 쓰는 의식과, 그 의식의 틀을 잡고, 형성하고, 정보를 제공하는 현실 세계가 있다. 그것은 나의 50년간의 '영적 지질학'뿐만 아니라 '감정적 지질학'인 동시에 나의 감정(장치)을 형성하는 경험은 만일의 사태와 모순에 대비한 전표와 보증이다(Fraser, 2007, p. 8).

통합된 감수성과 마찬가지로 문장을 묘사하는 손이 그녀의 것이라면, 그녀는 수많은 타인의 영감과 통찰 위에 만들어지는 상상사회의 한 부분이다. Wilma는 초안 작성과 자아성찰에 매우 많은 시간을 보냈다. 그녀가 이 단계에 도달하고, 자신감 있는 작가적인 박사 목소리를 발견해 내는 데에는 많은 시간과 수많은 원고, 그리고 자기 탐구가 필요하다.

또 다른 박사과정 학생인 Elizabeth Chapman Hoult(2007)는 성인 교육에서의 주제의 탄력성에 대한 개인적이고 학문적인 조합에서 비슷한 노력을 했다. 그녀는 자기 자신과 타인들의 삶을 위해서 사회학 이론의 '방해(blocks)' 특히 Bourdieu의 연구를 적용하려고 애썼다:

나는 연구에서 나와 다른 학습자들의 이야기에 Bourdieu의 자본이론 적용이 동반되지 않아 불쾌하다. 그래서 자서전적인 이 글의 궁극적인 목적은 나의 주관적인 활동을 수행하고, 차후의 형식교육(자서전의 일부분)에서의 학습자로서 그리고 성인 학습자로서 탄력적인 정체성 개발을 가능하게 했던 나의 인격 형성기에 무슨 일이 발생했는지 이해하려고 애쓰는 것이다.

… 그 해에 다른 사람의 입장을 얻기 위해서 나는 엄마를 인터뷰하기로 했다.

텍스트에서 엄마의 존재는 나의 생각과 글쓰기를 할 수 있도록 마음을 열어 줬고 Bourdieu 연구의 특징인 외관적 폐쇄를 통해 방법을 찾는 것을 도와줬다. 텍스트에서 엄마를 위한 공간의 허락은 여성들의 글쓰기에 있어서 오랜 역사를 지닌다. … 'Wolf는 자서전과 소설을 쓰는 과정에서 관례적으로 허용되지 않는 문제인 엄마의 참여를 어떻게 허용할 것인가에 대한 문제를 안고 그녀의 삶 전체를 조사했다.' 텍스트에서 나는 한 공간을 엄마에게 내줌으로써 학문적인 담화뿐만 아니라 언어와 학습에 대한 나의 생각 측면에서 해방될 수 있었고, 이것은 나를 탄력성과 저항성 교체와 관련해 새로운 활동영역으로 이끌었다.

만약 글을 쓰는 것이 어렵다면, 이것은 회복력과 저항력을 구축하는 데, 그리고 타인과 소통 과정에서 자신을 더 숨기기 위한 창의적인 공간을 제공할 수 있다.

누가 나의 독자인가?

물어봐야 할 무미한 질문들이 있다: '누가 나의 독자인가?' 다른 두 질문이 이어질 수 있다: 즉, '그들이 어떻게 읽고 어떻게 해석하는가?'와 '왜 그들이 그것을 읽을까?ㅡ무슨 목적을 위해서?' 특정한 독자들을 위한 우리의 글쓰기 스타일이 서로 다를 수 있기에 누가 우리의 독자인지 아는 것은 중요하다. 자금 지원 단체에 제출하기 위해 작성하는 보고서는 동료 학자들을 위해 쓰는 글과는 다르다: 정책입안자들이나 의사와 같은 전문직 종사자들을 겨냥한 글쓰기는 다른 스타일이 요구될 수 있다. 글(쓰기)은 항상 불가피하게 독자들에게 민감하게 받아들여진다:

읽기는 활동적인 과정이고, 어떠한 텍스트도 완전하게 고정된 의미를 가질 수 없다. 그래서 글을 쓸 때, 우리는 독자들 중 암묵적인 독자들을 포함하여 우리의 책과 학위논문 및 연구논문에서 확실히 선호된 해석을 이용한다(Coffey & Atkinson, 1996, p. 118).

학계에 알려지지 않은 정책입안자들이나 의사 및 변호사들과 같은 특정한 독자들을 위한 글쓰기에 대한 생각은 중요하다: 우리의 글(쓰기)은 상아탑 밖에 있는 사람들에게 접근 가능해야 한다. 즉 어떤 의미에서 우리의 글쓰기는 항상 가능한 한 광범위한 의사소통의 관심으로 다루어져야 한다. 비학계의 독자들을 위해 쓰인 글은 전문용어에서 자유로울 필요가 있고, 사회학적 혹은 심리학적 전문용어에 너무 짓눌려서는 안 된다. 그러나 모든 글쓰기에서 전문용어에 대한 회피 그리고 복잡한 특성을 단순한 방법으로 표현하는 능력이 바람직하다. 하지만 정책입안자들을 위한 문서들은 간결해야 하고, 우리는 더 집중된 방법으로 생애사를 사용하는 것을 배우고, 정책입안자 혹은 다른 사람들이 대학교 같은 기관이 어떻게 개선될 수 있는지를 알 수 있도록 도와야 한다.

예시

Barbara와 공동 조직한 두 EU Socrates Grundtving 프로젝트는 성인 학습자에 초점을 맞추고 '고등 교육에서 학습'과 '고등 교육에서 성찰적 독립 학습 촉진'이라는 제목이 붙여졌다. 두 연구는 생애사 접근을 사용했고, 실용적인 결과를 창출했다. 이것들은 고등 교육에서 성인 학습자들, 강사들, 안내자 및 지원에 초점을 둔 핸드북을 포함한다. 학생들의 생애사에서 인용문은 고등 교육에서 학습 접근과 가르침을 향상시키기 위한 전략을 설명하기 위해 사용된다.

논문이나 연구 보고서를 어떻게 구성할지는 역시 쟁점사항이다. 대학원생이나 학부생의 학위논문 쓰기는 각 장의 유형별로 공식적인 관례를 따를 수 있다. 전통적인 접근에 따른 각 장의 구조는 다음과 같은 방식을 따른다.

- 초록/요약
- 서문/도입

- 문맥/문헌 검토
- 현장에서의 기존 이론
- 방법론의 개요
- 데이터 분석 및 제시—한 장 이상인 경우
- 결과 및 기존 이론과의 관계
- 결론
- 참고
- 부록

학술회의 주최자들은 또한 논문에 대해 특정 구조를 요구할 수 있다. 그러나 구조는 논의될 수 있으며 다양할 수 있다. 문학에 대한 비평은 여러 장에 산재해 있으며, 책의 여러 단계에서 자서전적 자료가 소개되고 개발된다. 예를 들면, 특정 화자와 대화할 때(남성 성의 주제와 관련하여, 예를 들어, 의사에 관한 Linden의 책에서(West, 2001)) 대학지침 역시 고려되어야 하며 또한 도전할 필요가 있다. 몇 년 전에 Barbara는 박사과정 학생들의 글을 조사했는데, 딱딱하고 지나치게 객관적이며 인칭대명사가 없고 참여자들의 목소리도 없다는 것을 느꼈다. Barbara는 단지 대학이 필요한 형식만을 배우는 것을 비판했다.

시간 벌기, 장소 찾기

글 쓰기는 방에 혼자서 컴퓨터 앞에 앉아 있는 고독한 경험이 될 수 있다(연구팀의 일원인 경우에도). 모든 것은 초안을 작성해야 하고 몇 번에 걸쳐서 읽고 또 읽고 다시 초안을 만들고 수정해야 한다. Barbara가 첫 번째 초안을 쓸 때, 그녀는 빨리 생각했고 자신의 영어스타일이나 문법에 관해 지나치게 걱정하기보다는 그녀의 생각을 최대한 빨리 적어 내는 것에 신경 썼다. Linden도 이와 같았고 가끔은 일이 잘 되고 가끔은 잘 안 되는 단순한 흐름이 이어졌다.

대부분의 글쓰기는 단어 규제에 의해 제한된다. 편집은 문법과 스타일의 관계에서뿐만 아니라 길이에서도 필요하다. 이 책의 모든 장들은 너무 길고 광범위한 편집의 자료가 요구된다. 몇 개의 장이 과감하게 편집되었다; 어떤 장은 11,000개의 단어가 7,000개로 줄었다. 편집은 창작의 일부분을 버리는 것을 의미하기 때문에 힘든 과정이다. 우리의 소중한 창작이 가지치기당하고 우리의 목소리나 생각을 잃을 수 있다는 것에 화가 나고 분개할 수도 있다. 하지만 이것은 항상 더 나은 것을 위한 것이다. 일단 한 장, 논문 혹은 책이 끝나면 비판적인 친구에게 그것을 읽고 논평을 하도록 설득한 것은 도움이 된다. 자료들은 항상 더 읽을 수 있는 텍스트를 생산하는 데 버려지거나 정제될 수 있다.

우리는 정말 글쓰기를 위한 공간을 찾을 필요가 있다: 편안하게 느끼는 환경, 가능하다면 자기만의 방 같은 공간 말이다. 영국의 주요 신문 중 하나인 〈The Guardian〉의 예술 리뷰 부문에는, 필자의 방의 사진과 함께 왜 그리고 어떻게 그 공간이 꾸며졌고 배치되었는지에 대한 설명이 매주 기재되는 특집기사가 있다. 비록 우리는 대학에 연구실이 있지만, 대부분의 글쓰기는 집에서 이루어진다. 왜냐하면 더 조용하기 때문이다. Barbara의 책상은 정원이 보이는 창문 앞에 위치해 있다. 방 곳곳에는 그녀가 매우 좋아하는 햇빛이 비치는 프로방스 절경의 그림들과 다양한 장식품들과 함께 가족의 사진들이 있다. Linden은 그가 살아온 장소들의 그림들이 있다. 전기적으로 모두 중요한 가치를 지닌 양초들, 사진들 그리고 널부러져 있는 잡동사니들이 있다. 그것들은 좋거나 중요한 것을 상기시킴으로써 의미를 만들고, 자기표현을 하도록 자극하고 격려하여 창조적 작업을 위한 전이공간을 만드는 데 도움이 된다. 힘들 때 함께했던 물건들은 중요하다. 왜냐하면 그것들은 말하자면, 왜 전기적 연구자가 되려고 분투하느냐는 질문의 답이 되고 우리의 글 쓰는 문제를 상기시켜 주기 때문이다.

쓰기: 논의되지 않는 문제

이번 장에서 살펴본 몇몇 과정들은 보통 학계에서 무시되는 경향이 있다. Plummer(2001, p. 168)의 말에 따르면, 때로 글쓰기란 '사회과학의 어두운 비밀'이다. 신문기사, 책의 장 혹은 책을 쓰는 실제적인 경험들이 잃거나 지나치게 제거되는 경향이 있다. Barbara는 친구인 동료들과 함께 글을 쓰면서 다른 사람들이 엄청난 어려움과 절망적인 시간을 포함해 복잡한 경험을 공유하게 된다는 것을 다시 한 번 확신했다. 모든 사람들은 글쓰기란 어려운 것이며 때때로 몇 시간씩 앉아 있으면서도 한 문단도 써내지 못할 수도 있다는 것을 인정한다. 이런 날엔 그냥 글쓰기를 멈추는 게 최선이다. Linden은 글쓰기의 어려움을 겪고 라디오나 TV의 연극작가인 친구와 '방해, 차단(blocks)'에 대해서, 그리고 이것을 극복하는 방법에 대해서 오랫동안 이야기를 나누었다. 우리 모두는 그런 어려운 순간이 있다(작가의 'blocks'을 극복하는 방법을 말해 주는 Marvasti(2004)를 참고). 다행히도 매 순간이 그렇게 어려운 것은 아니고 글쓰기가 잘 되는 날도 있다. 학술적인 목적의 글쓰기에 관한 책과 사설이 점점 늘어나고 있다. Kristin Esterberg(2002), Amir Marvasti(2004) 그리고 David Silverman(2006)을 참고하라. 또한 Howard Becker의 「사회과학을 위한 글쓰기」(1986), Laurel Richardson의 「글쓰기 전략: 다양한 관객들에게 도달하기」(1990), Adrian Holliday의 「쓰기에 관한 질적인 연구 쓰기와 수행」(2007), Harry F. Wolcott의 「질적연구 쓰기」(1997) 등이 있다.

요약

글쓰기는 다른 사람들과의 상호작용이나 종잡을 수 없는 여러 가능성들이 내재한 연구자들에 의해 만들어진 시각적이고 실체가 있는 공적 연구의 산물이다. 글쓰기는 우리들 자신을 포함해서 창조적이고 체계적인 방식으로 삶을 표현한다. 몇몇 전기적 연구자들에게 특히 글쓰기가 중요한 이유는 정치적이거나 심리적인 욕구와 같이 삶의 측면이 무시되고, 주목받지 못한 삶의 모습들을 알게 해주는 발판을 제공하기 때문이다. 타인과 우리 자신에 대한 이야기를 할 때, 연구자로서 우리는 무엇이 중요하고 왜 그런지 생각할 필요가 있다. 전기적 글쓰기는 새로운 방식으로 생각해 내고 느끼는 자기 창조의 과정이기도 하다. 즉 전기적 글쓰기는 과학과 예술의 결합에서 과거와 미래에 대해 새로운 방식으로 생각하고 느낄 수 있다.

만약 당신이 아직 연구 단계이거나 대학생 혹은 대학원생으로서 논문 쓰기에 불안을 느낀다면, 숙련된 연구자들도 때때로 글쓰기가 어렵다는 사실을 아는 것이 중요하다. 글쓰기를 미루는 것보다 일단 쓰기 시작하는 것이 중요하다. 당신은 즐겁게 글을 쓸 수 있는 자신에게 적합한 스타일을 찾을 필요가 있다. 하지만 그 과정은 오래 걸릴지도 모른다. 그리고 전기적 연구에서는 실험에 대한 넓은 범위, 실행, 혁신 그리고 독자들에게 새로운 방식으로 이야기해야 한다는 것을 기억하는 게 중요하다. 연구는 서로 다른 독자들에게 서로 다른 구성 방식으로 그리고 서로 다른 방식으로 쓸 수 있다는 것을 기억하라. 굴복하지 말고 계속해라: 첫 작품을 쓰고 마침내 그것이 출판되는 것을 보는 것은 잊지 못할 전기적인 순간이 될 것이다.

요점

- 전기적 글쓰기는 문학과 학문 장르, 창의성과 체계성, 직관성과 논리성 그리고 사실과 허구 사이의 관습적인 구분을 초월하거나 심지어 벗어난다.
- 글쓰기가 항상 쉬운 일인 것은 아니다. 우리 모두가 글을 쓰는 것이 잘 되는 날도 있고 그렇지 않은 날도 있다.
- 다른 사람들의 삶을 표현하는 방법에 대한 선택사항이 있다.
- 글쓰기는 항상 초안과 재초안을 요구한다.
- 당신에게 영감을 준 다른 사람에 대해 묘사하려면 당신에게 맞는 글 쓰기 스타일을 조사하고 찾아내는 것이 중요하다.

추가 읽을거리

Esterberg, K. G. (2002) *Qualitative Methods in Social Research.* Boston: McGraw-Hill. This has a useful chapter on writing.

Gilbert, N. (2001) *Researching Social Life.* London: Sage. This has a useful chapter on writing.

Holliday, A. (2007) *Doing and Writing Qualitative Research* (2nd edn). London: Sage.

Richardson. L. (1990) *Writing Strategies: Reaching Diverse Audiences.* Newbury Park: Sage.

Wolcott, H. F. (1990) *Writing-up Qualitative Research.* Newbury Park: Sage.

토의 질문

1. 당신이 흥미롭게 읽었던 학문적인 책이나 신문기사에 대해 생각해 보고 왜 그런지 말해 보라.

2. 전기적 글쓰기나 연구에서 소설의 역할은 무엇이어야 하는가?

활동

1. 당신의 지식분야 중 전기적 연구에 초점을 맞춰 신문기사를 선택하라. 당신이 좋아하는 글쓰기 스타일과 싫어하는 스타일은 무엇인가? 언어는 명확하고 이해하기 쉬운가? 전통적인 학문 스타일로 쓰여졌는가 아니면 보다 비형식적인 스타일로 시도하는가? 도입부는 당신의 흥미를 유발했는가?(이 활동은 소그룹이나 둘씩 짝을 이루어 수행할 수 있다)

2. 연구 참여자들의 전사본 중 하나를 선택하고, 당신이 어떻게 그/그녀의 이야기를 쓸 것이며 또 첫 번째 초안을 어떻게 만들어 낼 것인지 결정하라. 그리고 나서 이 것에 대해 비판적인 친구와 토론하라.

전기적 연구는 타당하고 윤리적인가?

연구자는 자신의 연구이력을 확장하기 위해 흥미로운 다른 주제로 이동하기 전에 ⋯ 너무나 많은 연구활동이 재정 문제로 짧은 시간만을 할애하기 때문에 연구 참여자의 최소 개입에 근거해 수행된다. 최근의 연구들은 세계에 관한 연구자의 지식을 넓혀 줄 수 있는 사람들과의 장기적인 관점에서의 선물을 빠뜨리는 위험에 빠져 있다. Plummer(1983)는 우리가 이야기를 전하고자 하는 사람들(내부 정보원)과 관계적이고 정서적이며 공감적으로 일할 필요가 있다고 주장한다(Dan Goodley, 2004b, pp. 165-166).

개요

- 전기적 연구의 타당성이 다른 사회 연구의 타당성과 어떻게 다른지에 대해 설명하고, 타당성 요구는 통계적 원리뿐만 아니라 신뢰 과정의 개념도 포함하고 있음을 설명할 것이다. 또 전기적 연구의 연구자는 신빙성 있고, 그럴듯한 타당성을 검토해야 된다는 것을 설명할 것이다.
- 많은 전기적 연구자들이 특정 연대만 연구하는 것에 치중하는 것이 아니라 사람 상태의 전반적인 측면까지도 고려한다는 것을 알려 줄 것이다.
- 전기적, 생애적, 역사적 연구의 윤리적 측면의 중요성을 설명할 것이다.
- 올바른 윤리적 행동 요구는 연구자로 하여금 상황을 앞서 주도하게 하고, 연구의 정보를 한 번 더 고려하게 한다는 것을 설명할 것이다.
- 전기적 연구와 심리치료 과정은, 겹치는 부분이 있지만 이 둘을 구별하는 것은 중요하다.

타당성

이 장에서는 앞에서 언급한 '타당성과 윤리성'에 대해 다시 한 번 다룰 것이다. 우리는 앞서 배웠듯이 전기적 연구의 타당성이 역사적인 성격을 지니고 있다는 것과 다른 사회 관점들로부터 도전받고 있다는 것을 알고 있다. 그렇다면 어떻게 해야 자료를 바탕으로 한 연구가 타당성을 갖출 수 있을까? 이 주제에 대해서는 끊임없이 논란이 되고 있는데, 전기적 연구가 풀어야 할 과업이다. 사회적 관점에서 타당성에 관한 해석의 차이가 있다. 예를 들면 자연과학적인 해석과 절차적 해석이 차이가 난다는 것과 심리적인 현상들은 이해와 서술 방식에 따라 다른 요구가 적용되므로 명확한 기준이 필요하다는 주장 등이 있다.

또한 전기적 연구자들의 '일가' 내에서도 연구의 타당도에 대한 관점의 차이가 있다. 일부 연구자들은 '현실주의' 관점에서, 타당도는 그들의 연구가 과거에 대한 설득력 있는 설명의 정도에 달려 있다고 본다. 다른 연구자들은 타당도를 단순한 가능성으로 여기고 과거와 현재, 연구자와 연구, 표현과 현실, 즉각성과 기억의 상호작용에 관심을 갖는다. 그들은 이런 차이점들이 자신들의 권한으로 연구에 대한 정당한 주제라고 주장하지만, 우리는 좀 더 비판적인 현실주의자의 입장에서 해석할 것이다. 사실 타당성은 내적 요소로서 상황에 따라서 다르게 적용되고 과거의 일반적인 상황에서 비롯된다. 과거라는 것은 임시적으로 생겨나고 현재와 연결되는 관계적 활동이나 언어적 활동을 포함한다. 일부 후기구조주의자들은 이러한 근거를 주장하지만, 다른 후기구조주의자들은 전기적 연구의 집착에 대해 함께 의문을 제기한다. 이 후자의 관점에서 볼 때 생애사들은, 경쟁하는 담론/힘/지식 형성 및 진리의 체제를 통해 형성되는 언어게임 그 이상도 아니어서, 그들의 마음에서의 주제들은 인식되지 못할 수도 있다(Foucault, 1978, 1979a, 1979b).

역사와 타당성

후기구조주의자들과 몇몇 인본주의적 비평가들은 어떤 큰 반향을 불러일으키는 것들을 놓치고 있다고 주장한다. 우리는 성인교육 분야의 유명한 역사학자들이 당대의 연구자들 사이에서 얼마나 '생애사에 대한 현재의 열정'에 의문을 제시해 왔는지 주목했다(Fieldhouse, 1996). Roger Fieldhouse에 따르면 역사가의 임무는 끝없는 세부사항들을 생성하는 것보다는 갈등과 변화과정의 보다 넓은 이해를 발전시키는 증거를 찾는 것이다. Fieldhouse에게 역사는 인간의 가치에 대한 권력과 비권력, 반동적이고 진보적인 사회적 영향력뿐만 아니라 좋은 역사를 향한 선의의 경쟁과 어떻게 이것을 실현할 것인가의 사이에서 벌어지는 투쟁의 현장이다. Edward Thompson의 연구에서처럼 만약 하급계층 및 보통 사람들의 서사역사가 중요하다면, 그들의 타당성은 개인의 역사와 보다 광범위한 사회이론은 물론 인본주의적 목적 사이의 확실한 관계 구축에 있다. 예를 들어 Thompson의 연구는 관심이 미미한 노동계층 문화를 창조하는 데 기여했고, 그들 스스로가 결코 선택할 수 없는 환경에 놓여 있을 때 집단적으로 어떻게 사람들이 자신들의 역사를 더 만드는지를 이해하는 데 기여했다(Fieldhouse, 1997).

우리는 전기적 연구자들이 세부사항들의 이해를 돕는 이론이 필요하다는 것을 제시했다. 우리는 또한 연구가 어떻게 사회적 질서를 구축하는 데 도움이 될 수 있을지와 같은 보다 넓은 인본주의적 목적에 의해 자극을 받는다. 이런 관점에서 보면, 깊고 자세한 서술과 다른 사람의 내면으로부터 그 사람에 대해 진정으로 아는 것은 사람들의 경험에 관해 이해하고, 새로운 통찰을 불러일으킨다는 점에서 필수적이다. 1장에서 보았듯이, Linden은 대학에 갔을 때 그의 아버지로부터 베이컨, 소시지, 과일과 같이 겉보기에는 사소한 선물들을 받았다. 이를 통해 Linden은 문화와 심리적 요소의 중요성, 역사와 사회적 의미뿐만 아니라 강한 개인의 중요성을 깨달았다. 그 선물들은 성적 관계뿐만 아니라 세계전쟁으로 물든 시대에 살았던 한 부모의 경험을 설명해 주는 중요한 요소라는 것을 알 수 있다. 이것은 또한 더 큰 그림을 보여 준 것이다. 이것은 인간관계에서 권력의 구조화, 사람들 사이에서 친밀감 형성의 어려움을 아우르고, 이것이 일상적인 만남에서 어떻게 적합한 표현을 발견할지를 포함할 수 있다.

관례적 입장

그러나 많은 전통적 연구서적에서는 타당성을 다른 방식으로 다룬다. 근본적으로 많은 주류 사회 연구에서 타당성이란 통계적 의의, 표준화된 절차, 신뢰성, 재현성과 일반화가능성을 의미한다. 여기에서 통계적 의의란 우연에 의해 발견될 수 없는 샘플을 대상으로 하는 연구에서 도출된 결과인 가능성을 뜻한다. 표준화는 (많은 전기적 인터뷰의 개방성과 예측불가능성과 비교해 보면) 일관된 방식으로 동일하고, 잘 검증된 도구를 이용하는 것과 관련되어 있다. 신뢰성이란 같은 도구(예, 인터뷰)를 동일한 방식으로 사용해야 한다고 주장하는 엄격한 방법론자들이 집착하는 그 무엇이다. 연구자들은 어떤 상황에서건 정확하게 동일한 방식을 취해야 한다고 말한다. 만약 어떤 연구자가 동일한 연구를 같은 기간, 동일한 세팅에서 수행한다면, 본질적으로 그들은 같은 결과에 도달해야 한다. 만일 그렇다면 이 연구는 타당한 것이다(Blaxter et al., 2006; Plummer, 2001). 일반화 역시 통계적 개념이다. 예를 들어, 부모의 그룹에서 샘플의 수가 많으면 많을수록 모집단의 대표성을 더 가지면 가질수록, 이 연구는 더 타당성을 가질 것이다. 전기적 연구자의 언어와 가정은 완전히 다르다. Barbara의 사회학적 관점의 연구 인터뷰에서 보듯이, 같거나 유사한 대상과 작업할 때도 Linden의 그것과 달리 서로 다른 종류의 데이터를 생성해 낼 수 있으며 그렇다고 이것이 타당하지 않다고 말하지 않는다. 연구는 우리에게 있어, 관계적이고 역학적이며, 그리고 연구자와 연구자가 제시한 것(들)이 고려되어야만 한다. 우리는 삶에 대해, 부모가 되는 것, 그리고 고등 교육 분야에서의 전문가와 학습자가 되는 것에 대해 풍부하고 다양한 설명을 해낼 수 있다. 다양성은 타당성의 반대가 아니다.

'valid(유효함)'는 'validus'라는 라틴어를 어원으로 하고 있는데, 그 뜻은 '강함' 혹은 '영향력 있음'이다. '강함'이라는 것은 앎의 정도나 서술의 풍부함에 의해 정의되고, 어떻게 다른 사람에게 이를 새로운 방법으로 혹은 효과적으로 전달할 수 있는지에 따라 정의된다. '영향력 있음'이라는 것은 연구에서 사람들이 스스로 존경받고 용기를 얻을 수 있는 공간으로 전환하는 연구자의 영향력처럼 개인의 능력에 의해 발산되는 것을 뜻한다. 게다가 Plummer에 따르면, 타당성이란 단순하게 모든 것들을 사전에 일반화하여 이것이 왜곡되어 근거 없는 이야기를 만들어 내지 않도록 하는 것이다. 중요한 것은 연구 관계의 질이고 이것이 보다 깊고 넓은 형태의 통찰력과 의미를 촉진하는 데까지 범위를 확장하는 것이다. Wendy Hollway와 Tony Jefferson에 따르면, 연구는 고도로 일반화될 수 있지만 치명적인 결함이 있다. 즉 한 사람의 독특한 방어구조는 단순히 그들 사회의 인구통계학적 특성으로는 이해될 수 없다고 주장한다(2000, p. 127). 우리는 항상 개개인의 풍부한 전기 혹은 좋은 이야기의 필요성을 염두에 두어야 한다. 만약 위법과 범죄에 대단한 두려움이 있는 사람이 있다면, 연구자는 단순하게 그 사람을 '불합리'한 사람이라고 일축해서는 안 된다.

가족사

하지만 전기적 연구자들은 그들 연구에 대한 대표성의 개념을 통해 연구 공동체의 관점에서 타당성의 정립을 추구할지도 모른다. 예를 들어, 전기적 연구의 샘플은 다수의 연구에서 사용된 종류들을 기반으로 구성될 수 있다. 살펴보았듯이, Hollway와 Jefferson(2000)은 영국 범죄 조사의 데이터를 활용하여 여러 부류이 사람들에 대한 범죄의 두려움을 이해할 수 있는 전기적 연구의 샘플을 구성했다. Tom Schuller와 동료들(2007)은 또한 전에 살펴보았듯이, 그들은 전기적 연구에 대한 유의적 표본을 선택하기 위해 1958년부터 1970년까지의 '영국출생 코호트 연구' 자료를 사용했다. 이런 경우, 학습에 대한 보다 광범위한 혜택을 얻는다. 그러나 Hollway와 Jefferson의 논증에서처럼, 인구통계학적 특성에 따라 유사한 방식으로 사람들을 범주화하는 것은 전기적 방법을 사용할 때와는 완전히 다르다. 기본적으로 전기적 측면에서 요구되는 타당성은 인식론적 환원주의와 피상주의로부터 도전을 받는다.

전기적 연구는 사실 다른 접근들 그리고 그것들로부터 도출되는 일반화의 타당성에 대한 깊이 있는 질문들을 유발한다. 다음의 사례 연구는 Andrea Carlson과 함께한 Linden의 '가족 슈어 스타트 프로젝트'에서 발췌한 것이다. 인터뷰를 통해, 이 연구는 가족들과 어떻게 시간을 보내는지, 내면으로부터 그들의 경험에서 무엇인가를 알아 가며, 다른 연구에서는 쉽게 읽거나 완전히 훔쳐 버릴 수 있는 이해의 미묘함을 구축할 수 있다는 것을 증명한다. 특히 이것은 연구자들이 측정이나 탐색할 대상을 미리 선택할 때, 혹은 연구자 자신들이 어떤 질문을 할 것인지 알며, 결과적으로 학습에 실패할 것이라고 가정할 때 그렇다.

요즘 슈어 스타트 프로그램이 가족과 아이들에게 주는 영향에 대한 주요한 논의가 계속되고 있다. 살펴보았듯이, 슈어 스타트의 국가적 평가는 방대한 자료 집합에 기초한다. 연구자들은 측정가능한 개발과 행동을 탐색하는 데 혹은 슈어 스타트 지역 내에 살고 있는 아이들과 유사한 지역의 밖에 사는 아이들 사이에서 언어 변화에도 실패했던 것 같다.

우리는 개개인의 가족과 직원들에게 많은 시간을 할애했다. 그리고 자서전/전기적 연구의 설계는 우리가 시간이 지남에 따라 깊이 있게 경험의 의미를 탐색할 수 있도록 했다. 그것은 다른 종류의 연구들은 거의 사용하지 않는 방법이었다. 이 연구는 예를 들어 Linden이 언어결함의 원인들을 더 이해하기 시작했을 때 젊은 엄마, 전문가들과 아이들 사이의 관계에서의 미묘한 차이를 연대기순으로 기록할 수 있게 했다.

Mandy는 2살과 5살 두 아이를 가진 편모이다. 그리고 그녀는 다른 아이의 죽음으로 고통을 받고 있었다. 그녀는 큰 아이가 2살반일 때 남편과 이혼했으며 아들은 이것을 안 좋게 생각했다.

'제 아들은 매우 폭력적이고 다루기 힘들어졌습니다. 제가 아들을 다룰 수 있는 유일한 방법은 밤에 아들을 제 침대로 데리고 오는 것이에요. 그렇게 하면 그는 좀 진정이 되거든요. 사실 그는 곧이어 자신의 침실로 되돌아가고 딸도 자신의 침실로 갔어요. 그래서 그들은 지금 같은 침실을 쓰지만 어느 한 아이가 침실에 없으면 자려고 하지 않아요. 아들이 먼저 나쁜 반응을 했어요. 제 아들은 왜 아빠가 이 집을 떠났는지에 대해 이해를 하지 못했어요. 그는 부분적으로 자기 안으로 침잠(틀어박힘)했어요.'

Mandy는 아들의 언어장애가 이런 문제로 시작되었다고 생각했다. 그녀는 아들이 조그만 것에도 잘 울기 때문에 항상 겁쟁이라고 조롱받았다고 말했다. Mandy는 스스로 도움을 구하고 상실감 치료를 위한 충고를 받았으며, 슈어 스타트 프로그램 상담자에게 매주 한 번씩 상담을 받기 시작했다.

'당시에 저는 혼자였는데, 상담자가 제 임신경험을 들어 준 것이 저에게 큰 도움이 되었어요. 그녀는 제가 딸을 잃은 사실을 받아들이는 것부터 시작해서 모든 일을 쉽게 해주었어요. 슈어 스타트 프로그램은 전체적으로 저에게 상황들을 훨씬 쉽게 해주었고, 이것이 없었다면 제가 지금 어디 있을지, 실제로 제가 여기 있을지 혹은 아이들이 여기 있을지 어떨지 감도 안 오네요.'

상담자는 앉아서 Mandy가 우는 것을 들어 주었는데, '그녀와는 모든 것을 터놓고 있었기 때문에 그녀 앞이라 할지라도 우는 것은 별로 상관없었다.' 상담자는 그녀의 감정을 숨기는 대신 자신의 감정을 드러내게 하는 믿고 의지할 수 있는 든든한 '바위'다. Mandy는 또한 다양한 슈어 스타트 프로그램 과정에 참여했다. 그녀는 아이들의 행동을 공부했고 슈어 스타트 프로그램을 통해 삶의 중요한 전환점이 되는 일을 찾기를 희망했다. Mandy는 결국 GCSE(중등교육자격시험)을 보았고 현재 그 계열에서 일을 하고 있다. 하지만 그녀가 말하기를, 그래도 그녀의 성인기는 아이들과 주로 지냈다. 슈어 스타트는 큰 자원이 되었다. Mandy는 방문 간호사와 언어치료사—팀의 일원으로 일하면서 비가부장적 방식으로 자신의 시간과 관심을 주는—의 도움으로 언어결핍의 원인을 이해하고, 이것이 그녀의 잘못이나 구제불능이 아니라는 것을 알게 되었다(West & Carlson, 2007, p. 40-51).

Mandy의 이야기와 일반적인 목적들과 슈어 스타트 프로그램의 성과 사이의 관계는 상호 전문적인 업무의 질적 변화, 학제간 전문지식의 결집 그리고 주관적인 이해의 미묘한 변화 측면에서 새로운 방식으로 이해될 수 있다. 연결고리는 기회적이고 이론적인 표본 표준을 사용함으로써 다른 부모들의 전기적 경험에서 생성될 수 있다. 제시했듯이 전기적 연구에서 샘플링은 자세한 사항들과 관계를 갖고 이들이 보다 넓은 사회적인 이해와 대표성과 연계함으로써 이루어진다.

일부 전기적 연구자들에게 단일 사례 연구는 희귀성과 대표성을 가지며, 이례적인 비난과 심지어 단일사례의 기이함에도 불구하고, 중요한 이론적 개발의 기초를 제공할 수 있다. 희귀하고 본질적인 것은 학습될 수 있다고 주장하는 심리학자 Freud는 개별 사례사를 통해 인간의 복잡한 심리적 요소까지 알아내려 한다. 그의 저서인 「Wolf Man」은 어린이들의 성적 특성에 관한 이론을 정립하고 있고 개성 구조의 개발에 대해 설명하고 있다(Gay, 1988). 많은 역사가들과 대부분의 작가들은 유일성 및 대표성의 측면을 드러내는 단일 경우를 사용하고 있다. 이 관점에서 특별한 사실은 어떤 경우에도 절대 전반적으로 유일한 것이 될 수 없다. 우리가 알고 있는 Mike Rustin(2000)은 각각의 개인적인 사례의 타당성은 얼마나 외부 환경과 상호작용을 잘 하는지 여부에 따라 정해진다고 주장한다. 하나의 좋은 사례 연구로 우리 모두는 삶에 있어서 의미 있는 결정, 행동, 자기반영, 손실, 만족, 감정변화 등을 야기할 수 있다. 이러한 것은 특별한 기준이 있다면 일상에서 언제나 심리적으로 고려된다. 소설 속의 Medea, Macbeth, Faust, Vladimir 이들 모두 각각의 작품에서 아직 스스로 명확화할 기준점이 설정되지 않았던 것이다. 왜냐하면 그들이 충분히 사회적 존재로서 그들 스스로를 인식했음에도 불구하고, 그들을 만든 작가들이 그들 스스로를 인식하지 못하게 소설 속에서 설정했기 때문이다(Rustin, 2000, p. 49).

휴머니즘에서의 타당성과 그것의 의미

이제 최종적으로 타당성에 대한 언어적 의미보다는 전기적 연구의 후기구조주의자들의 비판과 생애사에 대한 개념, 그것들을 구성하는 우리 자신들에 대해 말할 것이다. Ken Plummer(2001)는 사회 구조적인 입장에서 사람들의 상호주관성, 성찰, 담화, 학습 존재를 제외한 타당성에 관한 비판과 논쟁, 전기적 연구를 진행하는 데 있어서 언어와 상징적 활동들이 삶의 한가운데에 내포되어 있다고 주장해 왔다. 구조주의자들은 어떻게 언어활동과 담화활동이 진행되어 왔는지에 대해 질문을 던질 수 있다. 그러나 전기적 연구자들은 어떻게 그 내용이 관계 속에서 형성되었는지 알아야 하고, 언어활동과 권력적 측면까지도 주의를 기울여야 한다. 그들은 또한 연구에서 무의식적인 과정과 감정의 기억처럼 말하기 어려운 것 혹은 완전한 언어 탈출을 처리해야 한다. 언어에 있어서 연구자의 성별을 말할 때의 억양, 음성패턴, 심지어 그날 입은 옷까지도 실제 면담에 영향을 준다. 후기구조주의자와 탈근대적 감성주의자들은 나이 많은 인류학자의 자발적인 생각과 인류학자만의 이야기는 문제가 된다는 것뿐만 아니라 어떻게 권력과 지식이 집단에게 있어 이야기로 변환할 수 있는지까지도 생각해 왔다. 그러나 삶의 방법에 있어서 인간의 야망은 그들 자신의 행동으로 인하여 개인적 혹은 집단적으로 풍요롭고 다양하게 열매를 맺었고, 여전히 살아있고 번영할 것이다 (Plummer, 2001).

연구 윤리의 중요성

우리는 이제 책 전반에 걸쳐 제시했던 전기적 연구 혹은 어떤 종류의 연구가 제기한 다양한 윤리학적 질문들로 전기적 연구의 윤리를 다룬다. 우리는 연구와 치료적 프로세스 사이의 경계를 포함한, 우리 자신과 다른 사람의 연구의 윤리적 문제의 구체적인 사례에 초점을 맞춘다. 우리는 비밀 유지하기, 참여자들로부터 동의 얻기의 중요성 그리고 연구에서 소유권에 관한 질문과 같은 매우 실제적인 문제에 대해 다룬다. 우리는 윤리학적이고 효과적인 전기 작업에 기초한 일종의 원칙들을 제공한다.

> **정의**
> 윤리는 연구자가 연구를 수행할 때 연구자의 행위를 이끄는 가이드라인, 원리, 규정 등의 집합이다.

Tim May에게 연구에서의 윤리의 사용은 중요하다. 왜냐하면,

연구 윤리의 개발과 활용은 공적인 신뢰성 유지와 연구 결과물의 불법적인 사용으로부터 개인들과 참여자들을 보호하려는 노력의 일환인 동시에 연구를 타당하고 가치 있는 상태로 보장하기 위해 요구되기 때문이다(2001, p. 67).

페미니스트들이 옹호했던 것처럼 윤리적이 된다는 것은 우리가 연구에 관해 지니고 있는 가치들에 대해 미리 앞서서 생각하는 것과 관련이 있다: 이것은 단

순히 문제 될 것들을 피한다는 차원이 아니라 연구의 관계에 있어서 무엇이 공정한 것인지 그리고 무엇이 옳은 것인지를 고민하는 것이다. 이것은 다른 이들을 존중하고 높여 주기 위해 우리가 어떻게 행동하고 반응할 수 있을지를 고민해 보는 것을 포함한다. 근본적으로 윤리적이 된다는 것은 사람들을 완전한 인간 그 자체로 여긴다는 것에서부터 시작한다: 단지 우리들에 의해 추출되고 이해되는 '정보'의 보고 정도로 생각하는 것이 아니라 그들이 그들만의 권리를 지니고 있는 특별한 연구 대상자라는 것을 아는 것이다. 연구를 하는 것은 가치중립적이지 않다. 그리고 전기적 연구는 종종 민감한 문제들을 다루기도 하고 어쩔 때에는 부당한 것에 대해 다루기도 한다. 이에 대해 생각해 보고 문제와 우리 연구에 관련된 주제들에 관하여 잘 정립된 도덕적 입장을 갖는 것이 중요하다고 할 수 있다. 전기적 연구는 근본적으로 인본주의적일 수 있고 존중받을 만한 시도일 수 있다. 그리고 결과물을 얻고자 하는 욕망으로 인해 이와 같은 통찰력을 잃지 않도록 하는 것이 중요하다.

하지만 우리는 이것이 다른 사람들의 삶을 침범할 수 있는 위험성을 가지고 있는 것을 자각해야 한다. 극단적으로는, 우리의 행위가 감시나 심지어 관음증일 수도 있다. 우리가 개인들에게 그들의 시간을 내달라고 요청했고 이것은 그들에게 있어 개인적이고 심지어는 불안감을 줄 수 있는 그러한 이야기를 상대적으로 낯선 사람인 우리들에게 해달라고 요청한 것임을 잊지 말아야 한다. 그들은 참여함으로써 이러한 연구 목적에 관하여 주로 돈을 받지도 않으며, 이러한 연구를 통해서 연구자인 우리에게 주어지는 것과 같은 경력에 보탬이 되는 이익을 얻어 가는 것도 아니다. 우리는 우리가 그들의 이야기를 대중들 앞에 발표할 때, 어느 정도는 우리의 주관에 따라, 이러한 과정을 거친 연구 결과물들을 주로 뒤에 숨겨 둔다. 이러한 것들은 어려운 문제들이다. 특별히 대중 앞에서 솔직하게 말한 것이 대중매체에 상당한 영향력을 끼칠 때 그리고 이것이 감정적인 폭로를 여기저기서 나타나게 할 때 이것은 더욱 어려운 문제가 된다. 어떤 이들이 말하는 것처럼 정신은 예전에 신체가 그러했던 것처럼 감시를 위한 타당한 목표가 되어 왔다(Edwards, 1997). 우리는 우리가 무엇을 하는지, 왜 하는지, 그리고 누구를 위해 하는지에 대해 알려 줄 필요가 있다.

우리는 또한 연구자인 우리들의 안녕과 동기에 대해서도 생각해 봐야 한다. 어떠한 주제들은 전기적 연구자들에게 잠재적으로 어려운 환경에 들어갈 것을 요구한다. 여성 연구자들은 인터뷰를 위해 남성 인터뷰 대상자의 집으로 가서 둘이서 인터뷰를 진행하는 것에 관해 취약함이나 걱정을 느낄 수 있다. 이것은 연구를 하는 사람들 사이에서 큰 문제였다(West & Carlson, 2007). 집에 혼자 들어가는 남성 혹은 여성 연구자는 자신을 인터뷰 참가자로부터의 위협과 같은 위험에 노출시킬 가능성이 있었다. 이 경우 연구자들은, 비록 이것이 항상 가능한 것은 아니지만, 팀으로 일하는 것을 택할 것이다. 우리는 또한 타인의 장애나 고통을 연구하는 것이 어떻게 연구자들을 방해할 수 있는지를 연구해 왔다: 이러한 연구는 우리의 윤리적 원칙들을 포함해야 할 필요가 있다.

연구 윤리에 대해 더 생각해 보기

우리는 우리의 생각에 윤리적 질문을 끊임없이 해보는 것이 중요하다고 강조해 왔다:

- 우리는 어떻게 우리의 참여자들, 연구자들과 가능한 한 동등한 관계를 만들고 그들이 이용당하는 것을 피할 수 있을까?
- 우리는 어떻게 우리의 참여자들이 분석 자료를 포함한 연구 과정에 완전하게 포함된다는 것을 보장할 수 있을까?
- 우리는 고통스럽고 민감하고 감정적인 이슈들을 어떻게 다룰 수 있을까? 우리가 질문하지 말아야 할 것은 무엇이고, 왜 그런가?
- 우리는 어떻게 기밀, 사생활, 익명성 등을 보장할 수 있을까? 특히 인터뷰 참가자가 누구인지 파악하기 쉬운 상황에서는 어떻게 해야 할까?

다음 행동들은 매우 비윤리적일 수 있기 때문에 피해야만 한다. 하지만 실제 현장에서는 어떤 경우 정체성을 드러내지 않는 것과 같은 것이 문제가 되기도 한다:

- 비밀을 지키지 않는 것
- 정체성을 드러내는 것
- 참여자들을 사용하고 이용하는 것
- 신뢰를 깨는 것
- 연구/연구자들이 할 수 있는 것보다 더 많은 것을 약속하는 것, 예를 들면 정책 변화나 물질 조건에 관련된 것
- 참여자들에게 잘못 알려 주는 것
- 연구의 기록과 결과를 공유하지 않는 것

우리가 연구자로서 얼마나 많은 경험을 했는지와 상관없이, 윤리적 문제들은 끊임없이 드러난다. 우리는 우리에게 영향을 미쳤던 우리의 연구로부터 구체적인 문제들을 기억한다. 다음은 몇 가지 예들이다.

나, Barbara는 Scottish Office Education and Industry Department(SOEID)에 의해 수행된 참여와 불참에 관한 프로젝트에 속해 있었다. 이 프로젝트의 목적은 스코틀랜드에서 정책과 실천을 향상시킴으로써 FE 참여를 확대하는 것이었다.

좋은 연구 실천을 사용하면서 우리는 모든 참여자들에게 우리의 목표와 프로젝트의 목적을 알렸다. 우리가 인터뷰한 많은 남자들은 오랜 기간 동안 실업자들이었다(10~20년). 우리가 인터뷰한 남자 중 한 명인 Jim은 이 범주에 있었다. 나는 사람들에게 일자리 지원과 IT 같은 코스를 제공해 주는 지역 센터에서 그를 인터뷰했다. Jim은 일자리를 갖길 원했지만, 그럴 자격이 없다고 깨달았다. 인터뷰가 끝날 때 쯤, 그는 그의 이야기와 이 연구 프로젝트로 인해 SOEID가

그와 같은 사람들을 위한 정책과 실천을 향상시킬 수 있기를 희망했다. 나는 우리가 결과를 발표할 것이고, SOEID에 추천을 할 것이라고 말했다. 그리고 우리는 그들의 상황이 향상될 수 있도록 이러한 것들을 들어 주기를 희망했다. 그는 너무 낙관적이어서 스코틀랜드 정부가 그의 이야기를 들어 줄 것이라고 했고 향상된 결과물을 낼 것이라고 말했지만 나는 그와 그것을 약속하지는 못했다. 이 인터뷰는 나를 연구자로서 무기력하게 만들었고 이러한 프로젝트들이 거짓된 희망을 불어넣을 수 있는 위험이 될 수 있을지 모르겠다는 걱정을 갖게 했다.

나, Linden은 의사들, 그들의 업무 그리고 학습에 관한 연구에서 Dr Claire Barker와의 첫 인터뷰에서 그녀의 이야기에선 성에 관한 이야기가 중심을 차지하고 있었지만 어떤 분명한 이유로든 성별에 관한 자료들이 없다는 것을 알아차렸다. 그녀는 일하고, 가사를 하고 규범을 세우는 데 모든 시간을 다 쏟아 부었다. 그리고 이것들은 그녀가 말하기를 많은 생각과 감정적인 노동을 요구하는 것들이었다. 우리가 이야기를 하는 동안 그녀의 두 아이들은 첫 인터뷰를 할 때 인터뷰 장소에서 놀고 있었다. Claire는 그녀가 쉬는 날에 아이들에게 가능한 대로 시간과 관심을 주기 위해 의식적인 노력을 하고 있었다. 그녀는 그녀가 주제에 관심이 있다는 점만 빼면 왜 그녀가 나에게 얘기를 하고 있는 것인지 궁금해했다. 그녀는 현재 일주일에 3일하고도 반을 일하고 있었는데 당직인 날에는 종종 하루 종일 근무를 하기도 했다. 그녀는 집과 직장을 분리시키려 노력했지만 항상 성공적이지 못했다. 그녀의 남편은 매우 성공한 전문가였는데 그들은 한 가지 면에서 운이 좋은 가정이었다.

석 달이 지난 후, 이야기는 바뀌었다. 그녀는 이전 인터뷰에서 나눴던 이야기들에 대해 생각해 왔다. 그녀가 말하기를 그 이후에 그녀는 행복했지만 그녀의 주된 생각은 '여성이 여자 GP가 되고 동시에 가족을 가지는 것은 어렵다'였다. 기록물은 대부분 그 당시 그녀가 무엇을 느꼈는지에 관한 것이었지만 그녀가 진짜로 다루기 원했던 문제는 여성의사가 되는 동시에 엄마로 있는 것 사이에서 생기는 갈등이었다. 나중에 추가 인터뷰에서 그녀는 연구에서 나가는 것을 생각했다고 했는데, 그것은 그녀에게 이러한 성가신 문제가 생겨서였다. 나는 그녀에게 연구의 어떤 단계에서든지 나가고 싶을 때 나가도 될 권리가 그녀에게 있고 언제든지 그 권리를 행사할 수 있다는 사실과, 그리고 그녀와 관련된 자료들을 모두 제거하겠다는 것에 대해서 다시 한 번 상기시켜 주었다. 그녀는 이러한 상기를 통해 힘을 부여받은 것을 떠올렸다고 말했고 비록 연구에서도 명백히 드러났던 모든 사람들의 비위를 맞추는 존재가 되려는 어려움에 관한 걱정이 남아 있었지만 연구를 계속하기로 결정했다. 연구가 끝나고 오랜 후에 나는 그녀가 정신 건강 문제로 고통받고 있다는 것을 들었고 과연 연구가 그녀에게 좋은 영향을 줄 수 있을지에 대해 걱정했다. 나는 나의 연구에 영향을 준 가정의에 관한 고전연구(Berger and Mohr, 1967)를 진행한 사회학자인 John Berger에게 잠재적인 연구의 영향들에 관한 염려에서 편지를 썼다. Berger 연구의 중심 참가자였던 Dr. John Sassall은 자살을 했다. Berger는 나에게 '그의 잔인한 죽음을 통해 그가 견딜 수 있을 때까지 남들에게 준 것들에 대해 진심어린 애정으로 그를 돌아볼 수 있게 되다'라고 썼다(West, 2001: 212).

물론 우리는 우리가 해온 것이 다음 문제에 있어서 중심이 될 것이라는 것을 가정하면서 자기도취에 빠질 수도 있다. 또한 참여하는 사람들을 어린애 취급할 위험도 있다. 전기적 연구가 어려움과 충격의 영역에 있기에, 우리는 신경써야 할 필요가 있다. 이것은 아마도 정기적인 감독 관리를 받는 것도 포함해야 할 것이다(Dominicé, 2000). 우리가 최고의 목적을 갖고 연구를 진행해도 예상치 못한 윤리적 문제를 불러일으킬 수 있다. 우리는 모든 의사들에게 그들의 면담 자료들은 비록 자세한 내용들은 기밀을 지키고 익명성을 보존하기 위해 대체되겠지만, 다른 내용들은 책에서 광범위하게 인용될 것이라는 것을 알리는 조치를 취했다. 이것과 관련해서 승인의 위험 또한 있을 수 있고 그래서 그들의 이야기를 하고 기록물을 확인할 때는 이러한 사실을 그들도 알고 있어야만 한다. 의학계는 조그만 세상일 수 있고 연구 막바지에 몇몇 의사들은 최종본으로 나온 책에서의 광범위한 인용의 사용에 대해 물어봤다. 한 의사는 이것이 최소한으로 사용되어야만 한다고 생각했다. 우리는 공공 영역에서 글과 세계를 보는 것의 효과를 누리지 못하거나 모른다. 물론 정반대의 상황도 발생할 수 있다: 동성애자 의사의 경우에서처럼, 특정한 사람들은 그들의 이야기가 전해지는 것에 대해 기뻐할 수도 있다. 그의 문제적인 내러티브 즉 그에게 그 자신의 모습을 상기시킨 한 젊은이를 포함해 역전이 경험을 한 특정 환자들의 이야기는 의사/환자 관계에서 도외시된 영역에 대한 논쟁에 기여할 수 있는 중요한 자료로 느껴졌다. 그는 대중적인 영역에서 이러한 자료를 볼 수 있다는 것을 기뻐했다.

연구 윤리 가이드라인

최근 들어, 윤리적 문제들이 더 부각되기 시작했고 명확한 윤리적 기준을 만들어야 한다는 요구가 더 증가했다. 전문적인 단체를 통해 만들어진 각각의 기준들에는 학자들이 따라할 수 있도록 윤리적 지침이 마련되어 있다. Linden은 영국교육연구협회(British Educational Research Association, BERA)뿐만 아니라 영국심리학회(British Psychological Society)와 그가 재직하는 대학들이 제시하는 이러한 지침들을 충실히 지켰다. Barbara는 영국사회학협회(British Sociological Association, www.britsoc.co.uk)에서 사용하고 있는 지침들을 사용했다. 이것들은 이용 가능한 웹 사이트들이다. 각각의 영국 대학교들은 윤리적 지침을 만들어야만 했었다. 예를 들면, Warwick에서 '연구 윤리강령과 윤리적 실천을 위한 지침서에 관한 대학교 성명'이 있었다. 그리고 대학연구 윤리위원회(University Research Ethics Committee)가 이것을 감독했고, Canterbury Christ Church에서 비슷한 실천이 운영되었다. 박사 학위 취득 후의 학생들에게 있어서 전문 단체들과 주최 기관들이 발행한 윤리적 지침서들을 알고 있는 것은 중요하다고 할 수 있다.

우리는 이제 몇몇 다른 중요한 윤리적 문제들에 관한 이야기로 주제를 바꾸겠다.

연구참여 동의

모든 참여자들이 자발적으로 연구 과정에 참여하는 것은 중요하다. 그리고 기꺼이 '연구참여 동의(informed consent)'를 통해야 하며 참여자로서 그들의 권리를 알아야 한다. 6장에서 동의서에 관한 부분을 Linden의 예시를 통해 보여 주었다. 이 동의서에는 연구 자료의 사용에 대한 동의와 참여자의 서명이 요구된다. 다음은 Linden이 의사와 함께한 연구에서 가져온 예시이다.

일반의(general practitioner), 도심에서의 건강과 학습

사용하는 양식의 조건

1. 나는 이 형식에 첨부되어 있는 지침서 안내문에 구체적으로 명시된 조건에 해당되는 내용들로만 사용한다는 전제하에 위 프로젝트의 일환으로써 연구 목적으로 테이프와 기록물 등의 자료들이 사용되는 것에 동의합니다. 나는 구체적인 설명과 저의 추가적인 동의가 있지 않다면, Linden West에게 자료 접근권에 제한이 있음을 이해했습니다.

2. 나는 가명의 사용 등과 같은 방식을 통해 자료의 사용에 있어 나의 익명성을 지켜 주기를 요청합니다/요청하지 않습니다(적절히 삭제해 주세요).

3. 다른 의견

서명:

이름:

주소 및 전화번호:

날짜:

이 서식은 형식적인 동의가 양쪽에 의해 이루어졌다는 것을 보장하면서 중요한 연구 참여자를 보호하고 참여자들이 연구 프로젝트를 떠나는 것과 자료의 사

용에 대한 권한을 허가하는 것 등을 보장한다. 그러나 Michelle Fine 등(2003)은 우리들로 하여금 동의서가 딜레마와 모순에 빠뜨릴 가능성을 높인다는 점도 상기시킨다. 왜냐하면 이것은 '무엇이 동의이죠? 그리고 누구를 위해서죠?'와 같은 질문들을 불러일으킬 수 있기 때문이고(2003, p. 177), 이것이 연구자와 참여자 사이의 권력 관계의 차이를 강조하고 강화하기 때문이다:

> 고지에 입각한 동의서는 우리들과 참가자들 사이의 명백히 다른 관계에 대해 우리 모두가 직면하고 다투게끔 만든다; 이것은 우리의 책임과 위치를 우리에게 상기시키는 명확하지 않은 양심과 같은 도구가 된다. 친밀감과 호혜의 허상을 우리들로부터 벗겨내 버린다(2003, p. 178).

반면에 이러한 서로간의 간격은 Dr. Claire Barker에게 나타났던 것같이 연구 참여자에 관한 질문들이 생겨나는 것의 원천이 될 수 있다.

참여자들에게 돈을 지급하는 것은 가끔 비윤리적인 것으로 여겨지지만 연구자들이 그것이 필요하다고 느끼는 상황들(예를 들어, 가난한 사람을 인터뷰할 때와 같이)이 있을 수 있다. Coventry의 지역 단체들에 의해 운영되는 훈련제도에 참여하는 실업자들에 대한 연구에서 Barbara와 그녀의 동료 연구자 Mick Carpenter는 참여자들의 버스요금을 내주기로 결정했고 가게 상품권을 제공했다. 우리는 이것이 정당하다고 느꼈다. 왜냐하면 참여자들은 버스를 탈 요금이 거의 없거나 아예 없었고 만약 돈을 주지 않았다면 그들은 인터뷰에 오지 못했을 것이기 때문이다.

기밀성, 사생활 보호 그리고 친밀함

전기적 연구에서 신뢰의 형성은 매우 중요하다. 참가자들은 무척 친밀한 자료인 지극히 개인적인 삶 이야기를 한다. 사람의 이름을 바꾸는 것은 믿음과 사생활을 보장하는 데 있어 필수적이다. 실제 이름을 추가한 채 필명을 사용하는 것은 공동 협력자 간에 동의를 받을 수 있다. 필명 사용은 신뢰와 사생활 보장을 촉진하여 연구의 위치를 확인하는 데 도움이 된다. 전기적 연구의 가치는 심도 깊은 자료와 표현을 제공한다는 점에 있지만 참여자나 상황은 위장되어야 한다. 이 과정은 힘들지만, 분명해야 하며 논의될 필요가 있다. 이것은 박사들 간의 화두이며 작은 연합이나 기관에서는 더 힘들 수도 있다. Barbara는 최근에 추가교육대학에서 진행되는 기초학위(직업적, 학문적 영역을 혼합한 학위) 학생들의 경험을 연구하기 위한 그녀의 대학에서 지원을 받는 예비 연구에 참여하게 되었다. 한 참가자가 연구 보조원에게 그녀의 기록물을 읽은 후에 연락을 해왔다. 그녀는 Barbara가 대학에 대해 계속 비판적이었던 점에 대해 걱정스러워했다. 그녀는 난독증과 다른 문제들을 갖고 있었는데 대학이 이러한 그녀를 충분히 지원해 주지 못했다고 생각하고 있었다. 우리는 다른 기초학위 프로그램들을 찾아봤고 우리의 보고서에 이름을 기입했다. 왜냐하면 우리는 각 프로그램들에 대한 학생들의 경험에서 차이점들이 있는지 알기 원해서였다. 그렇지만 그녀는 그 프로그램의 유일한 아시아계 여성이었기에 우리는 아시아계가 아닌 이름을 사용했다. 우리는 그녀에게 보고서가 대학으로 가지 않을 것이고 그녀가 했던 것들 중에 심하게 비판적인 내용들 중 몇몇은 생략할 것을 약속했다. 우리는 또한 자료들이 다른 간행물들에서 사용될 경우에 그것을 알아볼 수 없을 것임을 약속했다. 그럼에도 그 협상은 어려웠다.

영국에서는 지원 단체들 중 일부가 웹사이트에 있는 그들의 정보 보관함에 프로젝트 자료들을 보관하는 경향이 점점 더 강해지고 있다. 경제사회연구위원회(The Economic Social Research Council, ESRC)는 구체적으로 다양한 주제들에서 진행되는 다양한 연구들이 지닌 자료들을 모두 모으기 위해 설계된 Qualidata라 불리는 정보 보관함에 링크를 걸어두고 있다. 그리고 다른 연구자들은 여기서 그 자료들을 사용할 수 있다. 비록 이 데이터베이스가 사회 연구자에게만 접근이 허용되지만 그럼에도 불구하고 이것은 심각한 윤리적 질문들을 불러일으킨다. 전기적 기록물들은 빈번하게 친밀함과 관련된 자세한 내용들을 담고 있고 이러한 고통스러운 이야기들이 다양한 준공공적인 영역들에 퍼지게 될지도 모른다. 그리고 이로 인해 인터뷰 참여자들은 자신들의 사생활이 완전히 노출되었다고 느낄지도 모른다. 이것은 Linden의 가족들에 관한 연구에 참여했던 몇몇 가족들에게 실제로 일어났다; 그러나 본문의 해석에 관한 질문 중에서 나의 동료는 모든 수정을 거치지 않은 자료들은 투명성과 공적인 논쟁을 위해 연구자들에게 제공되는 것이 옳다고 주장했다. 이것은 굉장히 어려운 부분이다. 왜냐하면 이야기들은 처음에 한 사람이나 두 사람 정도가 수정을 거치지 않은 자료를 본다는 점을 전제로 하고 이것의 더 확장된 사용은 동의 없이 이뤄지지 않을 것이라는 것을 보증한 후에 공유되는 것이기 때문이다. 수정을 거치지 않은 자료들에 대한 조건 없는 허용을 장려하는 지원 단체들의 이러한 움직임은 걱정스러운 것일 수 있고 어떤 분야의 연구들에 있어서는 연구를 더욱더 촉진할 수도 있고 다른 한 편으론 더 불가능하게 만들 수도 있을 것이다.

권력 관계

Ann Oakley(1992)는 관계적인 영역까지 개념을 확장했다. 그녀는 명쾌하게 왜 페미니스트로서 그녀가 여성들을 인터뷰하는 것에 관한 윤리적 지침서를 따르지 않는지에 대해 그녀는 정보의 자원으로써 완전히 착취하는 듯한 입장을 보이는 이 지침서를 적용할 만한 것이 아니라고 얘기해 주었다. 전통적으로 거리를 두고 객관적인 방법에서 벗어나 그들이 묻는 질문에 모두 대답을 해주었다(1992, p. 48). (1979년 그녀의 연구는 어머니를 대상으로 이루어졌다.) 전통적인 입장에서 거리를 두고 객관적인 입장을 취하는 대신에 그녀는 여성을 친구로서 보기 시작했고 그들이 그녀에게 묻는 질문들에 대해 모두 답해 주기 시작했다. 연구자와 참여자 사이의 관습적인 경계를 무너뜨리는 것과 더 동등한 동반 관계를 만들어 가는 것이 윤리적 실천의 한 종류이다.

Linden과 Barbara도 마찬가지로 같은 페미니스트 입장에서 인터뷰를 착취의 개념으로 행하는 것에 반대했다. 우리는 또한 특정한 때에 우리의 경험도 공유할 수 있다. 하지만 Irving Seidman은 우리 자신에 관한 내용들을 공유하는 것마저도 마치 평등주의자인 것처럼 보일지도 모르지만 매력적인 제국주의와 같은 여전히 착취를 다른 방법으로 표현해 낸 것일 수 있다고 주장했다:

> 착취로서의 인터뷰는 심각한 걱정거리이고 내가 아직 완전히 해결하지 못한 나의 연구에 있어 반발과 긴장을 야기한다. … 더 심층적으로 보면, 누구를 위한 연구이며 누구에 의해 진행될 것이며 그리고 결과는 무엇인지에 대한 것과 같은 연구에 관한 더 기본적인 질문들이 있다(Seidman, 1991, p. 24-25).

반대로, Barbara는 전기적 인터뷰를 진행할 때, 더 전통적인, '객관적인' 윤리적 입장을 지닌 독일인 동료들과 유럽 프로젝트들을 진행해 왔다. 그들은 연구를 '과학적'으로 진행한다는 명분과 그 자신들을 참여자들과 떨어뜨려 놓는다는 명분하에 참여자들과의 대화에 전혀 개입하지 않았다.

비밀 활동

때때로 사회과학 연구는 아주 논란이 많은 윤리적 질문들을 불러일으킨다. 그중에서도 특별히 비밀리에 참여자를 관찰하는 것에 관한 윤리적 질문들을 불러일으킨다. 결과가 수단을 정당화할 수 있는가? 유명한 Laud Humphreys의 1970년도 박사학위 연구는 이것이 극단적으로 드러나는 내용을 보여 준다. 그는 미국 사회가 맹렬하게 동성애를 혐오했고 동성애가 범죄로 여겨지며 많은 주에서 처벌을 받던 때에 동성애 행위에 대한 연구에 착수했다.

Humphreys는 시카고에서 비밀관찰법을 'tearooms'라고 불리던 공중 화장실에서 동성애적 행위를 하는 동성애 집단에 참여하기 위해 사용했다. 그는 'watch-queen'이라는 역할을 부여받았는데 이 역할은 'tearooms' 밖에서 망을 보는 것이었다. 이러한 역할은 그가 그 동성애 남성들의 행동을 관찰할 수 있게 해주었다. 거기에 있는 사람들 몰래 그는 'tearooms'에 찾아오는 남성들의 차 표지판을 기록해 두었다. Humphreys는 분장을 한 뒤 남성의 건강을 연구하는 시장 조사원으로 연기했다. 경찰에 있는 그의 지인을 통해 그는 차 표지판을 활용하여 그 남성들의 이름들과 주소들을 얻을 수 있었는데, 알아본 결과 그들 중 다수는 결혼했고 아이들도 있었다. 그러고 나서 그는 건강 설문 연구의 일환이라고 하면서 그들의 집에서 그들을 인터뷰했다. 그 남성들의 이름과 주소지는 안전한 곳에 보관했었고 나중에 안전하게 없애 버렸다. 그의 박사학위 연구는 연구 학계에서 분노를 일으켰다. 왜냐하면 이것이 사생활을 침해하고 경찰들에 의해 그 남성들이 체포될 수 있는 잠재적 가능성 또한 지녔기 때문이었다. 어떤 사회학자들은 그가 그의 박사학위를 수여받지 말았어야 했다고 생각했다. 그러나 Humphreys는 잘 알려지지 않은 대상들의 행동을 이해하기 위해서는 어쩔 수 없이 결과가 수단을 정당화할 수밖에 없다고 생각했다. 다른 사회학자들은 Humphreys를 지지했다. 왜냐하면 그들과 다른 사람들이 그의 연구를 통해서 동성애를 지닌 사람들에 대해 이해하는 것을 도왔고 편견과 선입견을 깨는 데 도움을 주었기 때문이었다.

연구자들은 우익단체들(Nigel Fielding, 1981)이나 법을 어기고 범죄를 저지르는 조폭들(Phillipe Bourgois, 2002)의 비밀 구성원이 된다. Humphreys와 같이 이러한 연구자들은 결과가 수단을 정당화한다고 주장한다. 영국에서 National Front에 참여했던 Fielding(1981)은 그의 연구가 인종차별적인 정치를 노출시키고 그러한 조직에 사람들이 참여하지 않도록 설득하는 것에 도움이 되기를 소망했다. Bourgois(2002)는 뉴욕에서 마약 거래를 하던 Puerto Ricans의 단체에 들어갔다. 그의 목적은 그들이 직면하고 있는 억압과 가난을 알게 해주는 것이었다. Bourgois는 다음과 같이 말했다: '앞서 말한 내 현장 연구를 요약하자면 내부 도시에 균열과 범죄에 있어 높은 통계치를 차지하는 사람들이 겪는 매일 매일의 생존을 위한 투쟁과 *삶의 의미*를 위한 투쟁을 잠깐 개인적으로 경험한 것이었다.'(2002: 174, original emphasis) 비록 전기적 접근법이 연구자를 이러한 극적이고 위험한 상황에 빠지게 하지 않을지 모르지만, 그것들은 기밀, 사생활 그리고 우리가 우리의 참여자들과 갖게 되는 관계의 본질과 같은 심오한 윤리적 질문들을 불러일으킨다. Fielding과 Bourgois같이 우리는 계속적으로 그리고 지속적으로 연구의 목적과 무엇을 해야 하는가에 대한 도덕성에 대해 고민해야 할 것이다.

전기적 연구와 치료

전기적 연구와 치료 사이에 잠재적으로 어려운 경계의 문제가 있다. 7장을 다시 생각해 보면 그리고 책에서 사용된 다른 사례 연구 자료들을 생각해 보면 생명체를 연구함에 있어서 우리가 어떻게 예측 불가능하고 잠재적으로 어려운 영역에 진입할 수 있는지에 대한 주목할 만한 점을 볼 수 있다. 예를 들어, Becky Thompson(1990)은 그녀가 인터뷰했던 여성들 중 상당수가 다양하게 희생당하고 가난을 견뎌 왔으며, 성적으로 학대받았고 높은 수준의 학대에 노출되었으며 감정적, 육체적으로 고통당해 온 것에 대해 묘사했다. 연구자와 참여자들에게 인터뷰에 있어서 심리적인 영향들이 있을 수 있다. 그리고 우리는 이것에 대해 생각해 봐야만 한다. Linden의 연구는 연구와 치료 사이의 경계를 아울렀는데 이 경계는 가끔 흐릿해졌다(Hunt & West, 2006).

많은 수의 연구자들(Frosh et al., 2005; Hollway & Jefferson, 2000)이, 예를 들어 이야기 말하기와 연구 관계들의 자기 방어적인 측면들을 탐구할 때, 그들의 연구 실천 모델로 심리 분석적 심리치료의 임상 방법을 고려했다. 이러한 적용은 심리 분석에서 빌려온 '자유연상법'으로 구성되었다. 이러한 방법에서 사람들은 그들의 마음속에 떠오르는 것이라면 무엇이든지 사소하고 아주 비이성적인 것이라 할지라도 얘기하도록 격려받는다. 이러한 방식은 우리가 걱정에 대한 자기 방어와 같이 무의식적인 과정이라고 생각하는 것에 접근할 수 있도록 도와준다.

그러나 윤리적 문제들은 여전히 일어난다. 자유연상법은 특히나 고통스러운 일, 심지어는 트라우마에 가까운 사건들을 장기적인 체계적 도움이 없는 상황 속에서 다시 떠올려 내는 것으로 이어질 수 있다. 그러나 '참가자에게 무슨 일이 있어도 해를 끼치는 것은 금지' 원칙은 참가자들이 설명한 것들 이외의 동기들을 배정하는 해석상의 작업을 불가능하게 할 수 있다. 게다가, 웰빙은 고통의 근원을 연구가 생성할 수 있는 충분히 양호하고 정제된 환경에서 더 자각하도록 만드는 것에 의존할 수 있다. 만약 연구자가 정직과 공감 그리고 존중의 가치들을 따라 행동하고 지지해 주는 환경이 존재한다면, 걱정과 자기 방어성을 인정하는 것은 해로운 것이 아니다(Hollway & Jefferson, 2000). 반면에 만약 사람들이 심리치료사로서 훈련받지 못했다면 그들은 그들이 무엇을 하는지와 어떤 위험성이 있는지 인지하거나 완전히 이해하지 못할 것이다. 인터뷰는 예상하지 못한 전환을 맞이할 수 있다: 단순히 어려움과 스트레스가 생길 때 다른 사람들에게 그들의 경험을 묻는 것은 잡다한 자료가 쏟아져 나올 수 있고, 연구 관계는 하나의 컨테이너로 불충분하다고 입증될 수 있다. 연구자들은 가능한 위탁과 잠재적 필요가 있을 때 지원을 받을 수 있는 자원으로서 사용 가능한(Sure Start Study 사례에서 그랬던 것처럼) 다양한 기관들을 위한 자리를 마련해야 한다.

그러나 인터뷰 대상자들은 또한 그들의 전기를 새롭게 보고 이해하는 것을 좋아할 수도 있다. Linden의 성인 학습자의 동기에 관한 연구에 등장하는 Paul에 대해서 살펴보라. 아래의 발췌문은 경계에 관한 질문들에 다른 시각을 제공한다:

특정 사건들에 대해 묘사할 때 고통은 심했다. 우리는 생애사 연구에 대한 윤리를 토론했고, 이런 식으로 가족사를 탐구하는 것이 적절한지에 대해 논의했다. 나는 관계에서의 패턴에 대한 약간의 정신분석적 아이디어와 힘과 응집력의 정신을 발가벗기는 방법으로 자아의 좋고 긍정적인 부분들을 다른 이들에게 투영하는 것에 대한 생각들을 공유했다. 이는 어린 시절의 치욕과 사회적 주변인과 결부되어 그가 너무나 자주 경험했던 공허함의 일부를 설명할 수 있었다. 전이는 우리의 관계에 영향을 끼친 적이 있었으며 어떻게 다른 사람들이 불확실성의 조건에서 우리가 현재 재생한 과거의 인간관계의 자취를 나타낼 수 있는지 설명했다. 그는 이러한 생각들에 관심이 있었고 더욱더 알기를 원했다. 우리는 그들에게 이것저것 특히 과정의 윤리성에 대해 얘기했고 Paul은 연구가 매우 가치 있는 것이었다고 주장하며 그는 항상 어떤 질문이든지 아니라고 말할 수 있을 것 같다고 느꼈다고 말했다. 그는 이제 그 자신에 대해 더 나은 존재로 생각하게 됐다. 그는 인터뷰가 치료 효과가 있다는 것을 알게 되었고 내가 그만 걱정해도 될 것이라고 했다. 고등 교육처럼 프로젝트는 그가 그의 이야기를 주장할 수 있고 산산조각 났던 그의 삶을 더 회복할 수 있도록 지지해 주는 환경을 제공해 주었다. 그가 말하길, 만약에 이러한 긍정적인 경험이 아니었다면 그는 그냥 "그래"라고 말하고 떠났을 것이라고 했다(West, 1996, pp. 70-71).

연구가 치료가 아님에도 불구하고 이것이 치료가 될 수도 있고 중요한 차이점이 만들어질 수 있다. 심리 분석적인 임상 환경에서 분석가는 현 시점의 치료사와의 관계를 포함한 그들의 자기 방어성을 그들 스스로가 인지할 수 있도록 치료사를 통해 분석을 진행한다. 관계의 기존 형태는 지속적인 무기력감과 공허감을 불러일으킬 수 있다. 자기 방어성은 의식이 받아들일 수 없는 것을 억압하는 것이나 재앙 같았던 일이나 시험에서 실패한 것과 같은 불행했던 경험을 부인하는 것을 포함할지도 모른다. 자신에 대해 싫어하는 부분이나 어려운 감정들은 타인들에게 투영될지도 모른다: 그들은 이러한 성격들이 정곡을 찌를 때, 탐욕적이거나 이기적인 것으로 폄하될 수도 있다. 포도를 먹을 수 없다는 것을 깨닫자마자, 포도가 어찌됐건 신 것이었을 거라고 믿으면서 자신을 위로했던 이솝 우화에 나오는 여우와 같이 합리화할 수도 있다(Brown & Pedder, 1991). 분석적인 상황에서 자기 방어를 다루는 것은 훈련된 사람과의 장기간의 관계를 통해 해결될 수 있다. 연구자가 이러한 이유 때문에 훈련될 필요는 없다. 그리고 어떠한 경우에라도, 매력적일지라도 그러한 책임을 지려고 해서는 안 된다. 심지어는 심리치료사로 자격을 지니고 있어도 그래서는 안 된다. 만약 참여자에게 굴욕감을 줄 위험이 있으면 거기에는 적절치 못한 방식으로 그들에게 노출되는 반대되는 문제들이 있다. 가끔 그러한 상황들을 어떻게 최선의 방법으로 관리할지 결정하는 것의 어려움은 왜 관리 감독이 필수적인지를 보여 준다.

요약

윤리적 원칙들을 잘 설명하는 것이 연구에 있어서 우리의 접근법을 이끄는 데 있어서 그리고 참여자들과 우리의 관계를 형성하는 데 있어서 근본적으로 중요하다. 우리는 우리가 어떻게 타인들을 구성하는지를 포함해 우리의 연구에 영향을 미치는 가치들에 대해 알아야 한다. 즉 사실상 우리는 사람들을 자료로 혹은 모든 것을 알고 창의적이며 마치 우리들처럼 살아있는 연구 대상자 그리고 근본적으로 존경을 요구하는 대상으로 본다. 또한 윤리에 관해 점점 더 발전하는 '전문성'과 이러한 전문성이 해로운 것을 피하는 데만 초점을 두어 연구 참여자들은 계속해서 도구로, 심지어는 비인격적인 방식으로 이용될 가능성도 존재한다. 예를 들어, '주류' 윤리관은 가치중립성의 중요성을 강조할지 모르지만 큰 문제를 지니고 있다. 우리는 Heidi나 Joe와 연구를 진행할 때(5장 참고) 우리가 중립적이지 않다는 것을 느낄지도 모르고 대신에 협력, 협업, 평등성과 권한 위임을 위해 노력할지도 모른다. 우리는 또한 정치적인 현안 혹은 우리 자신의 요구들 감안하여 타인을 구성하는 위험에 대해 고려해야 한다. 아직 윤리적 연구에 관해서 더 많은 발전이 있어야 하지만 우리는 Clifford Christians(2003)이 주장한 여성주의자들의 매일의 삶 속에서의 개인과 사회 그리고 연구의 장소에 대한 강조가 윤리를 더 진보적이고, 인본주의적이고 권한을 부여하는 방식으로 개선해 간다는 것에 동의한다.

요점

- 사회과학 연구에서 타당한 연구를 만드는 기준은 과학적 방법을 더 지향하느냐 아니면 주관주의적 방법을 더 지향하느냐에 따라 다르다.

- 전기적 연구에서 타당성은 연구의 표준화, 반복 가능성, 신뢰성의 개념에 있는 것이 아니라 특히 인간의 경험에 새로운 통찰력을 생성하고 대표성, 여러 상황들을 만들어 내는 능력에 있다.

- 전기적 연구에서 타당성은 이야기의 풍부함과 신빙성을 참고로 무엇이 좋은 문학을 만드는지를 보여 줄지도 모른다.

- 전기적 연구를 수행할 때 윤리적 문제는 체계적으로 다뤄야 한다.

- 좋은 윤리적 실천은 적극적인 자세와 권한부여 창출 및 상호간의 이로운 연구에 대한 고려가 필요하다.

- 참가자의 사전 동의를 얻는 것은 필수이다.

- 연구자로서 가능한 한 참가자의 비밀과 사생활을 보장해야 한다.

- 연구와 치료 사이의 분명한 경계를 결정하는 것은 어려울 수 있지만, 목적과 실천의 중요한 차이점이 있다.

추가 읽을거리

Christians, C. G. (2003) 'Ethics and Politics in Qualitative Research', in N. K. Denzin and Y. S. Lincoln (eds) *The Landscape of Qualitative Research*. Thousand Oaks, CA: Sage.

Fine, M., Weis, L., Weseen, S. and Wong, W. (2003) 'For Whom? Qualitative Research, Representations and Social Responsibilities', in N. K. Denzin and Y. S. Lincoln (eds) *The Landscape of Qualitative Research*. Thousand Oaks, CA: Sage.

May, T. (2001) 'Values and Ethics in the Research Process', in T. May, *Social Research: Issue, Methods and Process*. Buckingham: Open University Press.

토의 질문

1. 이 장에서 Humphreys의 연구의 발췌문을 읽어 보라.

a) 그가 수행한 연구방법에 대한 당신의 반응은 무엇인가?

b) 당신은 결과가 수단을 정당화한다는 그의 견해에 동의하는가?

2. 당신은 전기적 연구에 포함되어야 할 윤리강령이 무엇이라고 생각하는가? 그 이유가 무엇인가?

활동

1. 단일 사례 연구가 연구를 유효하게 만들 수 있는가? 당신은 더 큰 규모의 샘플을 추구하는 경향을 지녔는가? 그렇다면 그 이유는 무엇인가? 짧은 답변을 적어 보고 타당성에 대해 당신이 갖고 있는 가정에 대해 생각해 보라.

2. 참여자 관련 규칙들은 연구자들이 따를 것으로 여겨지는 그들만의 윤리강령을 지니고 있다. 영국사회학협회(British Sociological Association)와 영국심리학협회(British Psychological Association)의 홈페이지(www.britsoc.co.uk와 www.bps.org.uk)에서 윤리적 실천에 관한 성명을 살펴보라. 어떤 성명이 전기적 연구자들에게 특별히 적절하고 중요하다고 느끼는가? 더 추가되어야 한다고 느낀 다른 부분이 있는가?

11

전기적 연구자가 된다는 것에 관해서

생애사의 문제, 전기의 문제, 생애사와 전기가 교차하는 사회 구조의 문제들에 대한 당신의 관점을 계속적으로 연구하고 수정해 간다. 개인들의 다양성과 획기적인 변화의 양상들을 항상 주시하라(C. Wright Mills, 1973, p. 247).

개요

- 이론적이고 실용적이며 자기성찰적 염려를 포함하는 이 책의 중심적인 문제들을 요약하고 생각해 본다.
- 전기적 연구 집단 내에서 목적이나 접근법들이 다양할 수 있다는 것을 상기시킨다.
- 연구자가 되기 위한 여정과 좋은 연구자가 되는 것의 의미를 고려하고 성찰한다.

이 마지막 장에서 우리는 이 책에서 전기적 연구의 이론과 실제를 고려한 핵심 주제에 대해 요약할 것이다. 이러한 것들은 비록 다수가 전기적 시대의 주요 관심사로 떠오른 매우 문화적이고 경제적이고 정치적인 변화의 과정들에 관한 것이지만 다양한 전기적 연구자들의 관심을 포함하고 있다. 우리는 전기적 연구를 꽤 잘 설명할 수 있는 근본적인 충동에 대해서 기록해 왔다: 이것은 소외된 집단으로부터 무시당해 왔던 이야기를 발굴하고자 하는 욕망이면서 동시에 그들의 경험과 걱정들에도 목소리를 부여하고자 하는 욕망이라고 할 수 있다. 그러나 이러한 열망은 책에서 다룬 것처럼 처음 생각했던 것보다 더 복잡한 것으로 나타났다. 그리고 전기적 연구자들은 어떻게 넓은 문화권 안에 퍼져 있는 대중적인 이야기들 혹은 신화들이 개인의 이야기를 만들 수 있는지를 포함하여, 이야기나 기억의 문제가 될 만한 본질과 진실의 이해들을 더 정교하게 발전시켜 왔다. 우리는 연구에 있어서의 주관성과 상호주관성의 영역에 대해 고려해 왔고 어떻게 더 '과학적인' 접근법을 사용하는 것이 관계를 중요시하는 접근법과 대조되는지 생각해 봤다. 전기적 연구에 있어서 본질에 관한 이론의 문제점과 어떻게 개인적인 것과 대중적인 것 간의 이동이 가능한지 그리고 어떤 조건으로 그것이 가능한지에 대한 문제가 있었다. 전기적 방법론의 관점에서 유효성 요구와 윤리성에 대한 질문들이 있었고, 이러한 연구가 단지 정책 결정자만이 볼 수 있는 것이 아니라 다른 접근법들과의 결합을 거쳐서 더 많은 대중에게 공개되어야 하지 않느냐는 우려도 있었다.

우리는 또한 여러 번 어떻게 전기적 연구자들이 학문적 규칙들 사이, 과거와 현재 사이, 개인과 타인 사이, 즉각성과 기억 사이, 문학적 장르와 학문적 장르 사이 등이 지닌 경계들에 도전해 왔으며 그것을 허물어 왔는지에 대해 설명했다. 우리는 또한 전기적 연구를 하는 것이 연구자가 된다는 것이 무엇인지에 대한 근본적인 질문들을 불러일으킬 수 있고 이것을 위한 훈련 과정 중에 심오한 정체성의 변화를 가져올 수 있다고 얘기했다. 전기적 연구는 종종 학문적 실천과 다양한 종류의 자아성찰 사이의 경계지점에 자리하고 있다. 전기적 연구자로서의 삶을 사는 것은 더 전통적인 연구 설명에서는 종종 제거되는 감정적인 혼란 등을 포함하여 연구가 무엇인지에 대한 개방성과 유연성을 부추길 수 있다(Blackman, 2006). 이것은 또한 우리로 하여금 우리가 누구인지 혹은 우리가 어떤 존재여야 했는지에 대한 깊은 생각을 하게 만든다. 이러한 생각은 무엇이 좋은 연구자를 만드는가에 대해 질문을 불러일으키고, 계속 강조했던 것처럼 우리 자신과 타인의 경험을 사용하는 것의 중요성과 참여자들로부터 얻어낸 이야기들을 만들고 해석하고 이론화하는 것에 있어 우리가 무엇을 하는지를 확실히 하기 위해서 비판적인 친구, 감독 그리고 연구 집단과 함께 일하는 것의 중요성을 지속적이고 비판적으로 정밀 검토할 필요가 있다.

연구 가족: 가까운 친척과 먼 친척

우리는 첫 번째 부분에서 계획적으로 자전/전기의 개념에 대해 소개했다. 전기적 연구자들 사이에서는 자전/전기의 규모를 더 분명히 만드는 것이 가치가 있는지 없는지 그리고 연구자가 제공한 일의 중요함에 대한 생각의 차이들이 있다. 독일과 덴마크의 전통에서 더 객관적인 해석을 위한 시도가 이루어졌으며, 부분적으로 학술에서 전기적인 방법의 효과를 보았다. 영국에서는 페미니즘의 영향으로 구두 역사와 후기구조주의에서(특히 2, 3, 4장에서 언급됨) 지나치게 연구와 연구자의 위치를 '객관적'으로 봄으로써 더 큰 회의감을 불러일으켰다. 상호주관성이나 연구자들이 그 혹은 그녀의 조사의 '객관성'으로부터 쉽게 분리되는지 질문하는 것이 더 강조된다. 그러나 성찰과 거리 유지 능력은 개념적 이해는 물론 정서적 이해를 형성하는 데에 필수적이게 된다(West et al., 2007).

그러나 전기적 연구에서는 비록 어떤 가족은 거리감과 염려가 있을 수도 있음을 고려하지 않은 채, 공유된 가정이 남아 있다. 시카고 학파를 떠올려 보면 이러한 것들은 삶을 만들어 가는 주요 인물로서 참여자들을 존중하는 것과 사회질서의 이미 존재하고 변하기 쉬운 특성을 인정하는 것을 포함한다. 그리고 자주

관찰되는 것처럼 학제간의 관점들을 만드는 것에 관한 널리 알려진 약속이 있다: 전기는 종종 삶에 대해 알기 위해, 사회학적으로든 심리학적으로든, 하나의 지식 분야의 가정들 혹은 배타적인 주장들을 무시한다. 우리는 역사적, 정신적, 사회적 상상을 요구하며, 아마도 문학적이고 시적인 것, 그리고 상호 연결된 방법도 요구한다. 전기는 절충주의를 낳는다.

페미니즘과 상호주관성

이 책의 중심에 해당하는 관계적 관점 혹은 상호주관적 관점은 페미니즘에 깊이 영향을 받았다. 여러 면에서 이미 언급되었던 Liz Stanley(1992)는 자서전을 통한 우리 삶의 구성과 전기를 통한 타인의 삶의 구성 사이의 역동적인 상호성에 관한 설득력 있는 관심을 이끌어 냈다. 그녀가 우리에 관한 이야기를 쓸 때, 우리의 생애사와 경험을 통해 타인들의 삶과 타인들 본인에 대한 이야기를 참고하고 구성함으로써 쓴다고 말했다. 하지만 연구자의 존재 때문에, 이는 묻지 못하고 넘어가는 경우가 많다. 전기적 방법들을 사용하는 것을 포함해서 상호주관성과 자서전/전기는 여전히 많은 사회 연구에서 무시당한다. 부분적으로 이 책은 이런 무시에 대한 도전을 제시한다. 오랫동안 페미니스트 연구자들은 또한 연구가 보다 넓은 사회와 사회구조 및 지배적인 이야기 그리고 격리된 자율적 영역에서 수행되고 수행될 수 있다는 생각을 제기해 왔다.

또한 우리는 연구가 단순히 연구 밖에서의 삶의 증거 혹은 단어를 생성하는 것의 문제가 아니라, 오히려 삶의 해석과 스토리텔링을 만드는 삶의 관계의 형식임을 강조해 왔다. ESREA 연구 네트워크의 회의에서 이 문제들에 대해 지속적으로 논쟁해 오고 있다. 7장에서 언급되었듯, 이것은 인터뷰의 성격에 관해 몇 명의 독일의 전기적 연구자들과 우리들 사이의 인터뷰의 본성에 대한, 특히 이야기와 대화식 인터뷰에 관한 논쟁을 포함한다. 특정한 연구 문화에서 몇몇의 연구자들은 그들 자신에 대해 더 객관적이고 무심하게 되는데, 이러한 태도가 좋은 과학으로 간주되기 때문이다.

우리는 객관성 혹은 최소한의 공평함을 구축하는 것이 중요하지 않다고 결코 제안하지 않는다. 솔직히 우리의 인간성을 완전히 초월하는 것은 불가능하다; 비록 이것이 바람직하지 못한 것일지라도 말이다. 우리의 삶 그리고 주관성은 잠재적으로 연구의 풍부한 자원이자 편견과 근시의 원천이 될 수 있다. Molly Andrews(2007)가 3장에서 묘사했듯이, 무의식적으로 우리가 듣기 원하는 것만 듣고 우리의 요구만을 충족시키고 보호하려는 위험성이 있다. 우리는 지속적인 인간성과 성찰의 습관을 개발해야 하고 우리가 하는 것에 대해 오랫동안 철저히 생각해 보아야 한다. 하지만 다른 사람들과 관계를 맺을 때 우리 자신의 전기와 주관성을 사용하는 것으로부터 주어지는 잠재적인 많은 해석적 보상들이 있다.

'성찰'이라는 용어가 텍스트 전체에 걸쳐서 사용되었다. 이 용어는 많이 인용되지만 아직 잘 정립되지 않은 용어이다. 사회과학 연구에서 이것은 연구 과정의 중요한 요소로서 관계 안에서의 자신에 대한 필요한 질문을 나타낸다. 하지만 성찰은 때로는 지나치게 간단하고 합리적이고 심리적 자세로 치부받을 수도 있다. 예를 들면, 가족에 대한 Linden의 연구에서, 성찰이 만연한 학문적 정설의 규범들에 맞추기 위해서 우리 자신을 '감시하는' 방법과 같은 자기 방어적인 형태로 쉽게 변형되기 때문에 우리의 감정은 다른 사람들의 감정 상태를 이해하는 데 있어서 중요할 수 있다. 그러한 자기방어는 우리를 안전하거나 특별한 정체성 안에 존재하는 것처럼 느끼게 해주지만 이것이 우리로 하여금 다른 생각을 할 수 없게 만들 수 있다. 성찰은 자신과 타인의 감정, 생각들에 대한 민감성과 연구자로서 우리 자신의 생애사와 마음 때문에 우리에게 무엇이 다루기에 또 이해하기 어려운지에 대한 민감성을 요구한다(Hunt & West, 2009). 다양한 연구자에 따르면, 우리는 알고자 하는 욕망만큼이나 피하고자 하는 욕망에 이끌려 행동한다고 한다. 연구자로서 우리는 특히 특정 경험들을 다룰 때 우리 자신의 삶 속에서 걱정과 욕구를 지니고 있지만 무의식적으로 어떤 것에 대해 알아 가는 것을 거절할지도 모른다. 다시 말하지만 학습은 연구에서 혹은 삶 전체에서 피할 수 없는 것이다.

　마지막 장에서 토론된 것처럼, 연구에서의 거리감과 유연함, 그리고 실제 정신분석학적인 치료요법 사이에는 분명한 평행선이 있다. 동시에 둘의 중심 모두에는 비슷한 역설이 있다. 반면, 치료할 때 만남에서 다른 사람들의 이야기에 충분히 몰두하고 존중하는 마음으로 경청하는 것은 중요하다. 또한, 객관성을 위해 수용성을 갖추거나 학습하는 것, 무엇이 이야기하기 어려운지와 우리 스스로의 감정의 민감함을 포함해 어떠한 일이 벌어지고 있는지에 대해 조심스럽게 생각하는 것은 필수적이다. 듣는 것에 대한 수용력은 생각하는 것에 대한 수용력과 함께 결합한다: 다른 사람들에 대한 의식은 치료사 혹은 연구자로서의 우리를 어떻게 생각하는지와 상호작용한다. 우리는 치료에서처럼, 연구 안에서도 걱정, 의심, 혼란, 고통 등과 같은 타인들이 경험하는 감정들을 느낄 수 있게 된다는 점에서 역전이에 대한 생각은 도움이 된다. Tom Wengraf(2000)는 통찰력 있게 전기적 인터뷰에서 어떻게 두 명의 불안해하는 사람이 있을 수 있는지와 연구를 구성하는 관계에서 어떻게 역전이가 전이만큼 중요할 수 있는지를 제시했다.

전이공간과 사회과학 연구의 두 체제

본문의 많은 부분에서, 모든 당사자들의 학습을 위한 전이의 공간으로서 전기적 연구에 대한 생각이 강조되었다. 특히 5장에서 기술했듯, 참여자들에게 그들의 이야기를 고려하고 발전시키고 변화시킬 수 있도록 그 과정 안에 서사성과 특수성이 강화된 충분히 좋은 환경을 제공하는 것의 중요성을 포함한다. 사람들은 이야기 작가와 마찬가지로 현재의 필요와 요구들, 대중적인 신화와 만연한 사상에 의해 형성된 그들의 기억에 관한 이야기를 듣는다. 그 증거는 Anzac 참전용사의 이야기나 가족들에 대한 연구에 있다. 연구자의 업무 중 하나는 경험의 발전에 충분한 개방성과 성찰을 제공하기 위해 다른 이야기들이 떠오를 수 있는 충분한 공간을 만드는 것이라고 할 수 있다. 물론 여기에는 고려할 윤리적인 문제가 있을 수 있다. 그리고 연구는 사람들의 자기방어에 도전하는 것이 아니다. 하지만 호기심과 성찰이라는 관점에서 우리의 반응과 행동은 다른 사람들이 이야기를 들려 주고 탐색할 수 있는 열정을 만들 수 있다. 만약 우리가 정말로 삶에 흥미가 있다면, 우리에게 이야기를 해주는 사람은 이것을 알고 더 생각이 깊고 연구에 대한 질도 더 높아지게 될 것이다. 의심과 불안이 더 큰 진실로 바뀔 수도 있다; 이야기를 듣던 사람에서 더 자신감 있는 행위자로 이야기를 이끄는 사람이 될 수도 있다.

첫 장에서 연구자의 가치에 대해 얘기했었다. Plummer(2001)는 사회과학 연구에서 꽤 다른 방식으로 생각하고 작동하는 두 개의 부분이 있을 수 있다고 말했다. 연구자들은 이 세상의 Heidis를 위해(5장 참고) 연민으로부터 동기가 부여될지도 모른다. 혹은 우리가 가능하면 중립적이어야 한다고 느낄지도 모른다. 거기에는 인간성 또는 인간주의에 대한 영향과 과학을 다루는 데 있어 전통적인 사고 사이에서 긴장이 있을 수 있다. 이러한 영향은 다른 가정들을 만든다: 더 '과학적인' 관점에서 경험을 지정하여 말하는 것은 중립적인 과정이어야만 한다. 더 인본주의적 관점에서 전기적 연구와 이야기 말하기는 최소한 어느 정도는 주류문화에 의해 소외된 하위문화 속에서, 침묵을 강요받아 온 사람들이 누구이고 무엇이 그렇게 억압되어 왔는지에 대해 알아보려고 하는 정치적인 행동이다.

특수성과 일반성

특수성과 일반성 사이의 관계는 계속 반복되는 주제이다. 많은 전기적 연구자들 사이에서 지식을 일반화하는 능력의 관점에서 이 방법을 정당화하는 것은 우려가 있다. 어떻게 어떤 연구자가 대표성을 갖고 있는 자료 집단에서 그들의 표본을 추출해 냈는지에 대한 언급이 있어 왔다. 표본 집단과 대표 집단 중 어느 것에 더 상대적으로 무게를 두느냐는 연구자의 학문적 배경을 반영할 수 있다. 대강의 양분법을 사용하면, 이것은 심리학적 관점의 연구자들은 특수성을 선호하는 반면 사회학자들은 일반성을 선호한다는 것을 의미할 수 있다. 하지만 이것이 분명한 것은 아니다. 위에서 언급했듯이, 시카고 학파의 학자들은 일반성에 집중하고 있다. 하지만 그들의 연구는 타인들에 대한 일반화를 위해 개인의 삶을 사용하는 방식으로서 사회적 맥락 속의 개인에 그 기반을 두고 있다. 예를 들어, Shaw의 「the Jack Roller」에 나온 Stanley의 이야기는 더 광범위한 대표적 특성들을 참고하여 조심스럽게 정당화되었다.

Barbara의 사회학적 규율에 관련하여, 특수성과 일반성에 대한 문제들은 핵심적이다. 왜냐하면 이것은 인간의 행동에서 개인적인 것 혹은 사회/집단 또는 구조(두 사회학에 대한 Dawe(1970)의 개념 참고) 중 지배적인 힘이 무엇인가에 대한 질문을 제기하기 때문이다. 몇몇의 사회학자들은 Pierre Bourdieu(아비투스와 자본), Anthony Giddens(구조주의 이론), Margaret Archer(이원론)와 같은 다른 방법들에도 불구하고, 특수성과 일반성 둘 다의 중요성에 대한 논쟁의 중심에서 분투해 왔다.

다른 많은 곳에서 참조된 그들의 연구인 「Researching Life Stories」(2004)에서 Dan Goodley 등은 일반적인 이야기들을 다룰 때 배울 수 있는 것이 많은 만큼 특별한 이야기들도 많은 것들을 가르쳐 줄 수 있다고 여기며 구체적인 몇몇 사람들의 삶에 집중했다. Goodley는 학습 장애가 있는 Gerry의 삶을 이야기했다. Gerry는 그의 생각을 표현하고 학습 장애를 가진 사람들을 위한 센터에서의 그의 학습 경험에 대해 서술하고 학습 장애가 어떻게 삶 전체에 영향을 주는지 표현했다. 비록 이야기가 단지 한 사람만 고려할지라도, Goodley는 학습 장애를 가진 사람들에 대한 광범위한 정책과 실용적 이슈를 토론하기 위해 전기를 이용했다. 그는 풍부한 이야기와 Gerry와의 친밀함을 통해 그리고 좋은 문학이 그런 것처럼 장애의 병적 희생자로서 꼬리표가 붙는다는 것이 무엇을 의미하는지를 폭로함으로써 이것을 이뤄냈다. Goodley는 10장(2004b)의 첫 부분에서 다른 사람에 대한 이해의 질을 높이는 관계의 중요성과 또한 우리가 창조하는 것을 도와주는 이야기를 하는 사람(현실에서는 어렵지만)과 함께 공감하고 감정적으로 하는 일의 필요성을 상기시킨다. 사람들을 알아 가기 위한 것은 지적인 것뿐만 아니라 정서적인 것의 현실적인 투자를 요구한다. 이런 종류의 글을 통해 우리는 우리 자신과 우리가 아는 타인을 바라본다. 다양한 정도로, 우리 모두는 강력한 타인과 기관들에 의해 부정적으로 규정지어진다. 레즈비언 의사들에 관한 Linden의 연구에서, 더 효과적이고 공감을 잘 하는 의사가 되기 위한 감정적 투쟁, 성적 투쟁 그리고 인식적 투쟁을 이해하기 위해, 전이의 한 시점에서 연구자 그 자신이 아웃사이더가 됐었던 경험과 소외되었을 때 느꼈던 감정의 경험을 활용할 수 있었다.

비슷한 맥락에서, 우리는 어떻게 페미니즘의 자서전작가/전기작가를 포함한 많은 연구자들이 여성의 경험들을 넓히는 다른 방법으로 특별하게 말하는지 관찰했다. Carolyn Steedman(1986)의 「Landscape for a Good Woman」에는 거시와 미시의 상호작용과 역사에 대한 폭넓은 이해와 함께 교실 위치, 산업 도시의 독특한 상황에서 그녀 자신과 그녀 어머니의 삶의 해석이 자리 잡고 있다. 주부로서 어머니의 삶의 중심적인 역할은 Somme에서 죽은 아버지와 경제 침체의 배경에 반하여 나타난다. 일반성과 특수성은 가장 친밀한 가족과 성별에 관련된 경험의 조화 안에서 만들어진다.

어떤 역사학자와 사회학자는 항상 어떻게 특수성이 일반성에 대한 우리의 이해를 환기시키고 이해의 질을 높일 수 있는지 인식한다. 단순하게 이야기를 하는 사람을 위한 것뿐만 아니라 전체 집단과 문화를 위한 강력한 전기적인 말하기의 다양한 예시들이 있다. 이것은 대참사에서 살아남은 자, 게이들, 미국 원주민들, 노예들의 전기를 포함한다. '개인적인 이야기가 이제 모두의 이야기가 된다.'고 했을 때 이것이 바로 Ken Plummer가 '집단 자서전'이라고 말한 것이다(2001: 91). 그녀의 연구에서 Barbara는 개인적인 이야기들 속의 일반성에 대해서 우리에게 상기시켜 주려고 했다. Linden의 학습 및 변화 과정에 대한 연구에서 독특한 내면 세계의 구축과 역동성은 관계에 내재되어 있는 사람들을 참조하여 이해가 되고, 이것은 상대적으로 보다 광범위한 문화에서 구조화되고 담론적 과정을 통해 형성이 된다. 게다가, 10장과 다른 장에서, 우리는 사람들을 계층, 성별, 지역과 같은 인구통계학적 특성에 따라 분류하는 일반화의 전통적인 형태를 설명하고, 큰 문제가 있을 수 있다고 판단했다. 결국 일반화는 사람들의 깊이 있는 이해와 그들의 주관성, 그리고 그들의 행동과 생각의 의미를 끌어 올 수 있다.

이론과 경험주의

마찬가지로 전기적 연구에서 장소와 이론의 요소는 되풀이되는 주제이다. 이것은 시카고 학파에서 중심적으로 토론되고 있다. 시카고 학파의 연구자들은 형식적이고 지나치게 추상적인 이론에 의지하는 것보다 사회적 세부사항들에 대한 지식 획득의 중요성을 강조했다. 실용주의와 형식주의의 철학적 전통을 기반으로 하면서 그들은 (반복성이 사회의 일관성과 재생산을 설명하는) '구조'라고 불리는 사회적 상호작용의 형식들이나 패턴들의 추상적인 상태를 살펴봄으로써 이해하는 것보다 사회적 인물들과 그들의 매일의 삶을 구체적으로 살펴봐야지만 완전히 이해될 수 있다. 요약하면 실증적 증거가 없는 경험 공백으로 만들어진 이론들은 거부되었다. 전기적 연구자들의 이론은 더 중립적이고 경험에 기반을 둔다; 경험적, 실용적, 실험에 의해 검사하는 것을 거쳐 도출된다. 이론은 이야기 자료를 해석하고 이것을 사회적이고 역사적인 질문에 연결시키는 것이 중요하다. 하지만 그런 이론은 실제 삶의 맥락에서 실제 사람들의 이야기에 기반을 두거나 또는 규정된다. 비록 소설이나 실화 소설이 존재하더라도 우리는 사실을 찾는 과정에 참여한 좋은 소설가처럼, 상상을 통해 경험에 대해 오해한 측면을 분석하고 이해하는 것과 같이 우리가 무엇을 하고 있는지 명백히 아는 것이 필요하다.

전기적인 전통에 영향을 준 Edward P. Thompson이 쓴 글은 연구에서 이론적 겸손함의 필요성을 상기시킨다. Thompson(1978)은 그의 에세이인 「The Poverty of Theory」에서 역사가의 과업에 대해 그리고 우리가 역사적 과정을 어떻게 최상으로 이해할 수 있을지에 대해 탐색했다. 1장의 서론에서 인용했듯이, 그는 사람들 사이에 발생하는 일에 대해 관찰했다. 존중은 매일의 만남 속에서 그것의 특징을 경험하고 생산하는 대지주와 노동자를 필요로 한다. 흥미로운 점은 Thompson이 프랑스 철학자 Althusser의 구조주의 사상과 같이, 사람들이 역사를 이해했는지 그리고 역사적인 혹은 전기적 연구가 실제 타당성을 지닐 수 있는지에 대한 질문들을 갖고 있는 마르크스주의의 다양한 견해들을 지닌 사람들과 논쟁 중이었다는 것이다. 수학과 같은 이론은 외부의 입증을 요구하지 않는다고 Althusser이 단언했다: 논리의 규칙을 통해 그것 스스로의 유효성을 가지는 것이다. Rousseau의 글을 예로 들면, 그의 단어의 사용과 논리의 지속성은 철저하게 철학적 참고나 비판적 절차에 의해 분석된다. 이러한 관점에서 실질적인 상식선에서 만들어지는 경험은 사회적 세계를 낮은 수준에서 조정하는 것이라고 할 수 있다: 그것은 실제의 상식선에 지날지도 모른다. 만일 경험을 통해 농부가 계절을 알고, 항해사가 바다를 안다면, 둘 다 우주론이나 연구에서 신비화된 상태로 남을 수 있다. 여기에 전기적 연구에 대한 후기구조주의자들의 비평에 역설적인 공명(共鳴)이 있다: 그들에게 만연한 구조적 결정론에 반하는 것으로서 사람들은 담론을 인식하지 못할 수도 있다. 여기서의 핵심은 이해가 어디에 기반을 두는지와 역사 안에서 대상의 중요성이다.

Thompson은 새로운 경험과 이것과 관련된 생각들이 새로운 종류의 지각이나 지식의 형태를 유발할 수 있다고 주장한다. 사람들은 학문 밖의 영역에서 달갑지않게 땅을 경작하고, 집을 짓거나 그들의 삶을 살아가는 과정과 같은 영역에서 이런 생각들을 했다. 새로운 경험이 빈곤상태 혹은 가족 지원 프로젝트의 형태에서 삶에 생기를 불어넣을 때, 사람들은 어떤 일이 벌어질지에 대해 반성적으로 생각할 수 있다. 그들은 가난 혹은 사회정책의 근본적인 전제들에 대해 의문을 제기하는 용기를 얻을 수 있다. 사회적 존재와 의식 사이에서 어떻게 사람들이 그들의 세계를 새로운 방식으로 배울 수 있는지와 잠재적이고 풍요로운 다양한 관계는 지나치게 추상적인 이론화로 상실된다. 새로운 이해와 급진적인 통찰력은 세계를 경험하고 이해하는 데 질서를 확립하고 변화를 이끌 수 있다.

　이러한 관점에서, 역사 혹은 전기적 연구는 현자의 돌(마법사의 돌)을 사용하는 것과는 다르다. 즉 이 돌이 진짜인지 혹은 어떻게 이 돌의 존재가 가장 잘 알려질 수 있는지에 대한 질문에 어떤 대답도 못했다(Thompson, 1978). 사람들은 그들의 경험으로 대답하고 다른 이들을 가르칠 수 있다. 비슷한 맥락에서, 몇몇의 포스트모더니즘의 페미니즘은 많은 여성들의 경험들에서 너무 분리되었다는 점에서 비판을 받아 왔다(Merrill & Puigvert, 2001). 많은 전기적 연구자들에게, 이론은 사람들의 사회적 삶의 경험과 그들에 대한 이야기를 덜 추상적이고 더 정제되고 상황 중심적이게 한다. 연구자가 더 많고 나은 지식을 가졌다는 보장은 없다. 안다는 것에 대한 논리적이고 이성적인 방식의 한계와 환상, 안다는 것에 대한 상이한 방식을 지닌 페미니스트와 포스트모던 정신의 더 큰 우려에 대해 더 큰 감수성이 있다. 그러나 이미 강조되었듯이 이론은 정말 중요한데, 이론은 무엇이 혼돈상태이고, 이해되지 않으며 의미 없는 것인지를 설명해 주기 때문이다. 아빠의 베이컨, 소시지와 과일 선물은 넓은 역사적이고 성적인 이해 안에서 상징적인 의미를 가진다. 하지만 그러한 이해는 세부 내용에 의해 대단히 강화되고 확장되었다.

이론과 주관성

Barbara의 연구와 글에서 마르크스주의와 페미니즘 이론의 쓰임과 중요성은 노동자 계급 여성으로서 그녀의 삶의 경험에서 비롯된다. 연구자와 그녀의 전기는 항상 다른 사람들과 일하면서 존재한다. 어떤 면에서, 전기와 이론은 특정한 이론들이 그녀의 가치, 행동, 세상을 보는 법을 형성하는 데 도움을 주기 때문에 역동적으로 연결된다.

　Barbara는 이론과 전기를 분리할 수 없다고 말한다. 젊은 사람으로서, 나에게 마르크스주의 이론은 마치 나 개인과 가족의 삶뿐만 아니라 자본주의 사회와 그것의 불평등의 더 넓은 거시적 수준의 이해를 위한 하나의 도구의 역할을 했다. 비슷한 시기에, 나는 내 인생의 주요 경험들을 결합시킨 마르크스 페미니즘 이론에 흥미(계층과 성별에 대한)를 가지게 되었다. 페미니즘과 마르크스주의는 내 인생에 목표와 마르크스주의자와 여성주의자의 조직, 반인종차별 조직들과 Coventry 지역의 좌익 교사 조직 설립에 참여한 것을 포함한 시위 참여를 이끌었다.

나는 결정론적인 마르크스 입장보다는 마르크스적 인본주의를 지지한다. 왜냐하면 Adam Schaff가 '그가 이론적인 탐구에 착수했을 때부터, 살아있는 개인은 마르크스의 출발점이었다.'고 얘기했기 때문이다(1970, p. 50).

이론과 실천을 연결하는 마르크스의 실천 개념은 특별히 흥미를 끈다:

이론은 무엇이며 실천은 무엇인가? 그들의 차이는 어디에 있는가? 이론은 내 머리에만 숨어 있는 것이고, 실천은 내 머리 속에서 나를 겁주는 것이다. 어떤 것은 많은 사람들과 연합하고, 대중을 창조하며, 자기 스스로를 확장하여 세상 속에서 자신이 설 곳을 발견한다. 만일 새 원리를 위한 새 기관을 창조하는 것이 가능하다면, 이것은 절대 놓쳐서는 안 되는 방식이다(Marx, 1843 신문에 게재된 편지, 원본 강조).

마르크스도 마찬가지로 추상적이고 이론적인 철학에 대해서 비판적이었다:

모든 참된 철학은 그 철학이 존재하는 시대의 참된 정수이기에, 철학이 그 시대의 현실과 접점을 갖게 되는 때가 오기 마련이고 그 철학들 사이의 내용들을 통해 내적으로뿐만 아니라 이것의 현상적 징후를 통해 외적으로도 상호간의 관계가 형성되는 때가 오기 마련이다(1842: 97-8).

Barbara는 이어서, Bourdieu와 C. Wright Mills의 글과 함께 마르크스주의 이론은 거시적인 것과 미시적인 것을 연결하기 위해, 구조와 행위를 연결하기 위해,

자신과 자신의 가족에서의 삶뿐만 아니라 자신의 연구 참여자 삶에서의 그들의 역할을 반영하기 위해 자신을 도와 왔다고 한다. 그녀는 연구가 이론, 경험, 실천을 연결하기 위해 분투하는 것이 중요하다고 말했다.

Linden의 관점에서 이론이 심리 분석적 이해에 있어 여전히 중요하지만, 만약 상대적으로 낮은 위치에 놓여 있다면 이 이론에 대해 언급하는 것은 의미가 있다. 이론은 항상 임상적 경험에 비추어 심문된다: 이론의 역할은 주인이라기보다는 하인에 가깝다. 그러나 정신분석적 심리치료의 역사는 성의 위치와 본성, 인간의 삶에서 관계와 알고자 하는 욕구에 대한 이론적인 논란과 함께 난제였다. 하지만 많은 이유로 강렬한 이론적 논쟁들은 최근 몇 년간은 덜 양극화되었다. 왜냐하면 이론적 논쟁의 강도 중 일부는 치료 환경에서의 관계의 질과 임상실험에 대한 연구 개발을 포함한, 특히 절충적으로 근거이론에 더 많은 중점을 두게 됨에 따라 최근 몇 년 동안 양극화가 덜해졌다(예를 들어 Sayers, 2003 참고).

학제와 학제간 연구

우리는 어떻게 전기적 연구가 학제간 연구로 발전하는지 설명했다. 사람들은 다르고 다양한 방식으로 반응할지도 모르는 특정한 사회적 힘과 담론들에 의해 형성된 특별한 역사적 순간들을 살아간다. 시카고 학파에서처럼, 전기적 연구방법의 역사가 서로 긴밀하게 연구하는 사회적 심리학자들과 사회학자들을 포함하는 것은 흥미롭다. 사회학이 더 과학적이고 양적 방법화를 위해 분투한 것처럼 그들이 그들의 길을 따로 가게 된 것은 나중의 일이었다. 관찰된 것처럼, 이전 공동연구는 어떤 면에서 연구 대상과 지극히 추상적인 이론화의 의혹에 대한 겸손에 기초되었다.

우리는 이 책에서 C. Wright를 종종 언급해 왔다. 그의 공헌은 전기적 연구의 학제간 연구를 생각하는 데에 도움이 되었다: 그의 사회학적 상상은 연구자의 주요 과업에 집중하도록 하는 방법이었다. 분석자들은 내적 삶의 의미를 참조하여 더 큰 역사적 상황을 이해하도록 장려되었다. Wright Mills의 글에서, 전기적 초점은 연구자들을 가장 비인격적인 것과 먼 변형들로부터 가장 밀접한 인간 자신의 특징까지 총망라한 이 두 가지의 관계를 고려하는 것을 장려한다(Wright Mills, 1970). C. Wright Mills는 우리가 역사적인 것과 사적인 것, 과정을 구조화하는 것과 인간 행위의 분투 사이의 접점으로서 전기를 고려하도록 한다. 학제간 연구는 보다 나은 사회적 질서의 구축을 추구하는 인본주의적 목적과 결합된다.

특히 3, 5장에서 기술해 온 전기적 연구는 지속적인 힘과 피할 수 없는 공명을 포함한다(Frosh et al., 2005; Hollway & Jefferson, 2000; Salling Olesen, 2007a, 2007b; Weber, 2007). 예를 들어, 우리는 어떻게 Weber(2007)가 성인의 직업 훈련에서 성별과 학습 프로세스에 중점을 두었는지 그리고 문화, 언어, 자료들을 틀속에 가져오면서 어떻게 그녀가 고전적인 심리 분석적 통찰력을 남성의 친밀성을 위한 투쟁에 적용시켰는지에 대해 설명했다. 성별은 노동의 역사적 분리에서 파생한 사회 구조에 내재한다. 이것은 사람들이 할 수 있는 접근 가능한 선택의 범위 안에서 재생산되거나 도전받는다. Salling Olesen(2007a)은 그의 전문가의 정체성과 GP의 학습에 대한 연구에서(4, 5장 참고), 방어에 대한 정신분석적 개념 — 학습에 대한 의사들의 방향(지향) 이해에서 — 을 의학적 세계에서 현대화된 프로세스의 사회학적 인식과 지식의 과학적 형태의 설득력과 함께 사용했다. 그의 상상에서, 심리적 역학 관계는 일종의 상징된 문화와 사회적 관계의 산물로 보인다. 비판이론에 대한 그의 생각은 정신분석(구현되고 상징화된, 모순과 긴장으로 특징지어질 수 있는 의식 안에서)과 함께 마르크스주의(사회적, 역사적 요인들)로부터 파생된 요소들을 통합한다. 초자연적인 프로세스 — 내부적으로, 사회적 관계들이 형성되는 — 는 투명함과 의식과는 멀지도 모른다(Salling Olesen, 2007b).

가족에 관련한 Linden의 연구에서, 학제간 연구와 인본주의적 긴요함의 강점은 비슷하게 연대순으로 기록되었다. Heidi와 (그들의 삶에서 학습하고 주요 인물이 되기 위해) 그녀를 좋아하는 사람들의 투쟁은 역사적, 사회적, 심리적으로 이해된다(예를 들어, 5장). 전기는 종종 다른 이들을 무시하는 것에 투영되고 내면화되는 계급, 성별 혹은 민족에 대해 잠재적으로 모욕하는 글들을 통해 널리 쓰일 뿐만 아니라 전체 지역사회의 역사 내에 위치하고 있다. 그러나 사람들은 자신들의 내부와 외부 세계의 측면에 도전과 변화를 위한 그들의 방식을 배울 수 있다.

연구자 되기: 실용적 학습과 삶을 살기

우리는 이 책에서 더 자신감 있는 전문가가 되는 데에 실제적인 문제들에 관심을 가진 전기적 연구의 이론을 결합하기 위해 노력했다. 6장부터 9장은 프로젝트를 시작하고 샘플을 선택하는 것에서부터 인터뷰를 이용하여 경험을 기록하고 연구를 분석하여 완전히 기록하는 것까지 실용성에 중점을 두었다. 그러나 이런 실용적 이슈들은 인식론적 관점과 가치와 목표에 관한 의문을 제기한다. 샘플링은 우리에게 질과 양의 가치를 비교하여 생각할 것을 제기한다. 그리고 이것은 우리에게 좋은 문학과 밀접한 타당성에 대한 이해 혹은 우리 자신의 상당한 샘플들의 사용과 대량 자료들의 증거 혹은 범주화를 통한 일반화의 중요성에 대한 이해를 가능하게 한다. 그러나 Mike Rustin처럼 우리는 빛을 발하는 하나의 사례 연구는 결정과 자기반성과 다수의 행동을 대표할 수 있다는 것을 제의한다 (Rustin, 2000).

그 책의 심화된 핵심 주장은 학습자와 연구자의 역할 모두를 수행하는 연구자가 되는 것이다. 그들은 분리되지 않고 얽혀 있다. 심지어 경험이 많은 사람들에게도 연구는 근본적으로 계속 학습이 된다. 논문을 보며 진행되는 학술발표/학회 및 세미나는 전기적 연구의 풍요로움, 다양성과 어려움의 깊은 이해를 위해 필수적이다. 새로운 연구자를 위해서, 그들은 어떻게 인터뷰하고, 어떻게 전기적 자료를 분석하고 기록하는지와 논문을 제출하는 방법과 새 지식을 얻기 위한 포럼을 제공한다. 더 많은 경력이 있는 연구자로서, 이 책을 쓸 때, 우리는 새 아이디어에 놀라거나 예전 것으로부터 활기를 불어넣기 위해 계속하여 학습과 변화를 한다. 책을 쓰는 것을 포함하여 논문 발표 기간 혹은 기타 발표 때 동료들과의 학문적 토의는 가치 있고 유익할 수 있다. 학술발표/학회는 새로운 공동체 실천의 참여와 접촉을 위한 소셜 네트워킹의 좋은 무대가 된다. 새로운 연구자 혹은 박사과정 학생으로서 당신의 연구 경력의 몇몇 부분에서, 당신은 처음으로 논문을 발표하는 단계를 거칠 필요가 있다. 이것은 마치 모든 공정을 끝마친 완제품이라기보다는 아직 생산 단계라고 볼 수 있다. 가능하다면, 발표하기 전에 비판적인 친구에게 그 논문을 읽어 보라고 요청하라. 많은 학술발표/학회는 박사과정 학생들에게 발표를 장려하고 최고의 논문에는 보상과 재정지원으로 장학금이 제공될지도 모른다. 학회는 학회 행사를 통해, 새로운 연구자들에게 처음으로 출판할 기회를 제공한다. 그것은 다른 사람들과의 대화 속에서 우리가 어떻게 우리의 여정을 시작하고 계속해 왔는지에 관한 것이다.

확장된 관심과 사회 정책

어떻게 전기적 방법들이 다른 연구들은 근처에도 가지 못했던 사람들의 경험에 관한 영역에 도달하게 되었는지, 그리고 어떻게 범죄나 교육적 과정들과 같은 사회의 중요한 영역들이 계층, 성, 윤리성 혹은 장소와 같은 환원적인 다양성을 뛰어넘어 새롭고 더 미묘한 방식으로 이해될 수 있는지에 대한 언급이 있었다. 그러나 정책 입안자들에게는 이것에 대해 더 소통해야 하는 도전 과제가 있다. 이러한 이유로, 몇몇 연구자들은 보다 일반적으로 받아들여지는 학제간의 공동연구의 보완으로써 혼합된 방법적 접근에 대해 논쟁한다. 전기적 연구는 그 자체로 고유한 이점이 있다. 그러나 이것이 다른 형태의 연구들과 통합될 때, 이 이점들은 더욱 향상될지도 모른다(Schuller et al., 2007). 이러한 통합은 연구 단체를 위한 중요한 도전과제들을 나타낸다. 6장과 다른 장에서 설명했듯이, Tom Schuller

와 그의 동료들은 어떻게 큰 집단인 코호트 연구가 개인 전기들의 사용을 풍요롭게 하는지, 반면에 후자가 더 큰 규모의 연구들이 단지 암시할 뿐인 복잡성을 더 조명할 수 있다. 여기에 규모의 경제가 있을 수 있다. 그들은 질적, 양적 데이터를 조합하는 것이 부분들의 합보다 더 많은 것을 생산한다는 것에 대해 논쟁한다. 또한 정책 입안자들은 일반화될 수 있는 연구결과들에 더 편안함을 느낀다(Schuller et al., 2007). 이 제안들은 더 넓은 토론을 할 가치가 있다. 왜냐하면 정책 입안자의 세계와 전기적 연구자들의 연구를 연결시킬 필요가 있기 때문이다.

미래로 돌아가서

우리는 우리 스스로의 전기—모든 사람들과 연구자들—와 연구로부터 학습할 때 정체성의 변화의식을 토대로 이 책을 시작했다. Barbara는 자신을 거시/미시와 행위(agency)/구조 사이의 상호작용에 관심이 있는 사회학자로 생각한다. Linden은 미시적 수준에서 사람들 사이의 친밀한 공간에서 무슨 일이 발생하는지에 더 중점을 둔다. 즉 전기 또는 자서전/전기는 무의식 과정과 사회적 관계의 이해 내에 내부세계의 작용들을 알려 줄 수 있으며, 이것이 우리에게 권력과 담론에 대해 말해 줄 수 있다. 그러나 우리는 연구자로서 다르게 혹은 유사한 방법으로 서로에 대해 그리고 왜, 어떻게 생각해야 할지 이해가 필요하다.

한마디로, 책을 쓰는 것은 우리 모두에게 학습 여정이었다. 우리를 아는 다른 학계 동료들은 우리가 전기적 방법에 대한 책을 함께 쓰고 있었다는 사실에 놀랐다. 왜냐하면 우리는 학문 분야와 지적인 전통이 서로 다르기 때문이다(수년 넘게 우리가 몇몇의 학술 논문들을 함께 발표해 왔음에도 불구하고). 아마도 그들은 글 쓰는 과정을 열띤 토론, 논쟁과 해결되지 않은 차이점으로 인하여 풀기 힘든 난제로 여겼을 것이다. 그와 반대로, 글쓰기 과정은 우리가 하는 것, 연구자로서 우리가 누구인지 그리고 우리가 만든 학문과 이론의 가정들, 심지어 자료나 이야기 같은 우리가 사용하는 말조차 반영하는 것을 가능케 했다. 무엇이 포함되어야 하고 어떻게 전기적 연구를 기술해야 할지에 대한 토론에서, 차이점들이 있었지만 공통점에 비하면 별로 큰 것은 아니었다.

희망적이게도 이 차이점들과 공통점은 당신과 같은 새 연구자의 전기적 방식을 레퍼토리에 추가하는 것에 관심이 있는 누군가로서, 당신이 어디에 서야 하는지, 어떻게 당신이 자리 잡을 것인지를 고려하도록 도울 것이다. 아마도 당신은 다른 관점들을 포용할 수 있다는 것을 깨닫게 될 것이다. 이 책의 핵심인 학제간 연구는 덜 독단적이고 우리가 하는 것에 대해 겸손할 수 있도록 해주었다. 함께 연구하는 것은 다른 사람의 삶과 그들의 이야기를 더 충분히 이해하는 것을 가능하게 했고, 우리가 비슷하거나 다른 방식으로 자서전/전기를 생각하는 이유에 대해 더 충분히 이해하는 것을 가능하게 했다. 유사점들은 풍부한 묘사를 생성하는 것, 목소리를 내기 위한 사람들의 투쟁과 그들이 말하는 것에 가치를 두는 것, 사회구조적 그리고 정신분석적 제약을 인식하는 것 등이다. 우리는 전기적 연구자가 되기 위해 그리고 글쓰기의 이론과 실행을 위해, 폭넓은 상상과 상호간의 학습을 위한 능력이 필요하다.

요점

- 전기적 연구는 인본주의적인 방식으로 다른 이들의 삶에 대한 이해를 위해 풍부하고 가치 있는 접근 방식을 제공하지만, 진실, 기억, 관계, 과거와 현재, 자신과 타인에 대한 어려운 문제를 제기한다.
- 특히 연구자들이 자신들을 어떻게 포지셔닝하는지에 대한 이견이 전기적 연구자들의 일가에 존재한다.
- 전기적 연구자가 된다는 것은 심오한 학습 여정이 될 수 있다. 그 중 하나는 우리 자신이 자리 즉 포지션의 위치나 방법을 결정해야만 한다는 것 그리고 우리가 모르는 것과 학습할 필요가 있는 것에 대해 민감해지는 것의 중요성을 인식해야 하는 것이다.

1. 책을 다시 한 번 보라: 어떤 이슈들이 가장 흥미로웠으며 그 이유는 무엇인가?

2. 객관주의자/주관주의자 논쟁과 관련하여 당신의 위치는 어디이며, 특히 어떻게 대표적인 것으로 간주될 수 있는가?

3. 어떤 방식으로 전기적 연구가 경계를 극복할 수 있으며, 그 방식 중 어떤 방식이 연구자로서 자신을 돌아보게 할 수 있는가?

| 용어설명 |

게슈탈트(Gestalt): 게슈탈트는 전체는 부분들의 합보다 더 크다는 개념이다. 예를 들어, 의미(중요성)는 전체적인 삶으로 보다 넓은 맥락 내에서 특별한 경험의 장소를 이해하는 것에서 파생된다.

구술역사(Oral history): 구술역사는 역사적 기술과 설명을 발전시키는 차원에서 사람들에게 사건들에 대한 그들의 경험을 인터뷰하는 것을 포함한다.

내러티브(Narratives): 내러티브는 전기적 관점에서 중요하다. 우리는 과거, 현재, 미래의 개념을 통해 우리 자신의 삶을 경험한다. 그러한 프레임은 경험의 단편들에 일관성을 제공한다. 전기적 연구자들은 종종 사람들의 이야기에 대한 질과 구성에 큰 관심을 둔다.

상징적 상호작용주의(Symbolic interactionism): 상징적 상호작용주의는 사람들은 사회적 질서를 포함하여 언어와 타인을 통해 자신들의 경험, 자아 그리고 신체뿐만 아니라 보다 넓은 사회적 세계에 의미를 부여한다. 사회 연구자들에게 그러한 의미를 분석하는 것은 핵심적인 과업이다.

생애사(Life history): 생애사는 기록된 문서, 인터뷰의 기록물 그리고 다른 구술 증거들에 근거를 둘지도 모른다. 생애사는 다른 객관적인 자원과 함께 전기적 증거의 사용뿐만 아니라 연구자들의 이론적인 이해를 사용함으로써 구축될 수 있다.

생활세계와 평생학습(Lifewide and lifelong learning): 학습의 개념은 형식과 비형식, 과거와 현재 그리고 모든 차원의 경험을 연결한 것이다. 이러한 관점에서 학습은 경험에 대해 심리적인 방향으로서, 비교적 새로운 경험에 열린 경향으로서, 혹은 다른 극단적인 상황에서 그것을 두려워하고 저항함으로써 생각할 수 있다. 이것은 초기의 경험과 타인과 우리 자신의 상호작용에서의 질에 근거를 둘 수 있다.

실용주의(Pragmatism): 실용주의는 학자들이 구체적인 상황을 이해하며, 사회적 세계를 이해함으로써 스스로를 이해해야 한다는 관점에서 생겨난 것이다. 즉 다시 말해 지나치게 추상적인 논리, 경험, 이론과는 거리가 멀다. 그러나 인간은 비록 좀 더 잠정적이지만 혼란스러운 세상으로 보이는 것에 대한 일관성 있는 이해를 위해 추상적 개념과 이론이 필요하다.

심리사회학(Psychosocial): 심리사회학은 사회과학 연구에서 학제간의 관점에서, 사회와 문화는 우리가 세계에 대해 어떻게 생각하고 느끼는 방식뿐만 아니라 심리학자들이 그들만의 삶을 가지는 방식을 어떻게 조직화할 수 있는가에 민감하다. 정신분석학적 통찰력이 얼마나 사람들의 전기에서 내적이고 외적인 역학에 대한 이해에 기여할 수 있는가에 관심이 있다.

자기방어(Defended self): 자기방어는 정신분석적인 실천과 이론으로 구축된 개념으로 자기는 단일한 개체가 아닌 의식적, 무의식적 측면으로 구성된다. 그러한 자기는 타인과의 상호작용에서 안녕에 대한 주위의 위협들로부터 자신을 보호하기 위해 종종 무의식적인 방식으로 근심과 방어가 만들어진다.

자서전/전기(Auto/Biographical): 우리는 자신의 전기를 이해하기 위해서 다른 사람들의 이야기를 이용할 뿐만 아니라 우리가 어떻게 우리 자신의 삶과 경험을 이해하기 위해 우리 자신을 사용하는지 정도를 인지하는 것이다.

전기적 시각(Biographical perspectives): 전기적 시각은 범죄의 두려움과 학습과정의 이해 등과 같은 사회적 연구에 대한 기초로서 다른 사람들의 삶을 사용하는 것이다.

포스트모더니즘(Postmodernism): 포스트모더니즘은 차이점과 방언에서의 해방을 찬양하는 것으로 다양한 인종, 성적, 종교적, 문화적 또는 미학적 목소리가 더 많은 공간을 발견할 수 있다. 개성과 자율성, 다양성과 대중성을 중시하여 절대성을 거부했다. 특권적 관점에서 한 가지 진실 보다는 다수의 관점을 존중한다. 반면에 복잡한 세부사항들을 제거하거나 통일할 수 있는 웅장한 서술과 방법론보다는 국소적이며 맥락에 따른 연구를 강조를 둔다.

현실주의와 비판적 현실주의(Realism and critical realism): 현실주의는 이론의 사용과 함께 주의 깊게 관찰하거나 데이터를 수집하는 것을 통해 심층적으로 파악할 수 있고, 삶을 좀 더 완전히 이해할 수 있는 개념에 근거를 둔다. 현실주의는 예를 들어, 삶을 주의 깊게 기록함과 정신분석학의 고전적인 형태 그리고 이론적인 통찰력과 무의식의 역할이 결합된 특징을 보여준다. 그러한 통합은 전기나 생애사를 더욱 '실제적'으로 만들 수 있다. 비판적 현실주의는 '실제'를 생성하는 과정에 주목함으로써 연구자가 과정뿐만 아니라 언어의 역할과 상호작용의 본질을 제공하는 것을 포함한다.

형식주의(Formalism): 시카고학파에 영향을 끼쳤던 형식주의는 사회학의 목적이 사회의 형식들을 기술하고 발견하는 관점으로 본다. 즉 사회의 형식들은 반복적, 상호작용 패턴이고, 특정한 사회적 세계의 일관성과 경계를 설명한다.

후기구조주의(Post-structuralist): 후기구조주의는 우리가 우리자신과 세계를 이해하고 생각하는 방법에 대한 보편적인 언어의 힘과 '지식의 권력' 형성을 강조한다.

| 참고문헌 |

Acker, J., Barry, K. and Esseveld, J. (1991) 'Objectivity and Truth: Problems in Doing Feminist Research', in M. Fonow and J.A. Cook (eds) *Beyond Methodology: Feminist Scholarship as Lived Research*. Bloomington and Indianapolis: Indiana University Press.

Ackroyd, P. (2000) *London: The Biography*. London: Chatto and Windus.

Alheit, P. (1982) *The Narrative Interview: An Introduction*. Bremen: University of Bremen Press.

Alheit, P. (1993) 'Transitorische Bildungsprozesse: Das "biographische Paradigma" in der Weiterbildung', in W. Mader (ed.) *Weiterbildung und Gesellschaft. Grundlagen wissenschaftlicher und beruflicher Praxis in der Bundesrepublik Deutschland* (2nd edn). Bremen: University of Bremen Press.

Alheit, P. (1995) *Taking the Knocks, Youth Unemployment and Biography – a Qualitative Analysis*. London: Cassell.

Alheit, P. and Dausien, B. (2007) 'Lifelong Learning and Biography: A Competitive Dynamic between the Macro and the Micro Level of Education', in L. West, B. Merrill, P. Alheit, A. Bipn and A.S. Andersen (eds) *Using Biographical and Life History Approaches in the Study of Adult and Lifelong Learning*. Frankfurt-am-Main: Peter Lang.

Allport, G. (1937) *Personality*. New York: Holt.

Allport, G. (1964) *Letters from Jenny*. New York: Harcourt, Brace and World.

Andersen, A.S. and Trojaborg, R. (2007) 'Life History and Learning in Working Life', in L. West, B. Merrill, P. Alheit, A. Bron and A.S. Andersen (eds) *Using Biographical and Life History Approaches in the Study of Adult and Lifelong Learning, Across Europe*. Frankfurt-am-Main: Peter Lang.

Andrews, M. (2000) 'Texts in a Changing Context: Reconstructing Lives in East Germany', in P. Chamberlayne, J. Bornat and T. Wengraf (2000) (eds) *The Turn to Biographical Methods in Social Science*. London: Routledge.

Andrews, M. (2007) *Shaping History: Narratives of Political Change*. Cambridge: Cambridge University Press.

Apitzsch, U. and Inowlocki, L. (2000) 'Biographical Analysis: A "German" School?', in P. Chamberlayne, J. Bornat and T. Wengraf (2000) (eds) *The Turn to Biographical Methods in Social Science*. London: Routledge.

Armitage, S.H. and Gluck, S.B. (2006) 'Reflections on Women's Oral History', in R. Perks and A. Thomson (eds) *The Oral History Reader* (2nd edn). London: Routledge.

Armstrong, P. (1982) *The Use of the Life History Method in Social and Educational Research*, Newland Papers No. 7, Department of Continuing Education, The University of Hull.

Armstrong, P. (1998) 'Stories Adult Learners Tell ⋯ Recent Research on How and Why Adults Learn', in J.C. Kimmel (ed.) *Proceedings of the 39th Annual Adult Education Research Conference (AERC)*. San Antonio, TX: University of the Incarnate Word. pp. 7–12.

Baena, R. (ed.) (2007) *Transculturing Auto/Biography: Forms of Life Writing*. London: Routledge.

Banks-Wallace, J. (1998) 'Emancipatory Potential of Storytelling in a Group', *Journal of Nursing Scholarship,* 30(1): 17–21.

Barley, S.R. (1989) 'Careers, Identities and Institutions: The Legacy of the Chicago School of Sociology', in M.B. Arthur, T.D. Hall and B.S. Lawrence (eds) *Handbook of Career Theory.* Cambridge: Cambridge University Press.

Barr, J. (2006) 'Refraining the Idea of an Educated Public', *Discourse,* 27(2): 225–39.

Becker, H.S. (1963) *Outsiders: Studies in the Sociology of Deviance.* New York: Free Press.

Becker, H.S. (1966) 'Introduction', in C. Shaw, *The Jack Roller: A Delinquent Boy's Own Story.* Chicago: The University of Chicago Press.

Becker, H.S. (1967) 'Whose Side Are We On?', *Social Problems,* Winter: 239–47.

Becker, H.S. (1986) *Writing for Social Scientists.* Chicago: University of Chicago Press.

Becker, H.S. (1998) *Tricks of the Trade: How to Think About Your Research IA/bile You're Doing It.* Chicago: University of Chicago Press.

Becker, H.S., Geer, B., Hughes, E.C. and Strauss, A. (1961/1977) *Boys in White: Student Culture in Medical School.* Chicago: Chicago University Press.

Belenky, M.F., Clinchy, B.M., Goldberger, N.R. and Tarule, J.M. (1997) *Women's Ways of Knowing: The Development of Self, Voice and Mind* (2nd edn). New York: Basic Books.

Berger, J. and Mohr, J. (1967) *A Fortunate Man: The Story of a Country Doctor.* London: Writers and Readers Co-op.

Berger, P. (1966) *Invitation to Sociology.* Harmondsworth: Penguin.

Bertaux, D. (ed.) (1981a) *Biography and Society.* Beverly Hills: Sage.

Bertaux, D. (1981b) 'From the Life-History Approach to the Transformation of Sociological Practice', in D. Bertaux (ed.) *Biography and Society.* Beverly Hills: Sage.

Bertaux, D. and Delcroix, C. (2000) 'Case Histories of Families and Social Processes: Enriching Sociology', in P. Chamberlayne, J. Bornat and T. Wengraf (eds) *The Turn to Biographical Methods in Social Science.* London: Routledge.

Biesta, G. (2006) *Beyond Learning: Democratic Education for a Human Future.* Boulder: Paradigm Publishers.

Biesta, G., Field, J., Goodson, I., Hodkinson, P. and MacLeod, F. (2008) *Learning Lives: Learning, Identity and Agency Across the Lfecourse.* London: TRLP/Institute of Education.

Blackman, S. (2006) 'Hidden Etlinography: Crossing Emotional Borders in Qualitative Accounts of Young People's Lives', *Sociology,* 41(4): 699–716.

Blaxter, L., Hughes, C. and Tight, M. (2006) *How to Research.* Buckingham: Open University Press.

Blumer, H. (1984) *The Chicago School of Sociology: Institutionalisation, Diversity and the Rise of Sociological Research.* Chicago: University of Chicago Press.

Blumer, H. (1986) *Symbolic Interactionism: Perspective and Method.* Berkeley: University of California Press.

Borenstein, A. (1978) *Redeeming the Sin: Social Science and Literature.* New York: Columbia University Press.

Bornat, J., Dimmock, B., Jones, D. and Peace, S. (2000) 'Researching the Implications of Family Change', in P. Chamberlayne, I. Bornat and T. Wengraf (eds) *The Turn to Biographical Methods in Social Science.* London: Routledge.

Bourdieu, P. (1997) *Outline of a Theory of Practice,* trans R. Nice. Cambridge: Cambridge

University Press.

Bourgois, P. (2002) 'In Search of Horatio Alger: Culture and Ideology in the Crack Economy', in D. Weinburg (ed.) *Qualitative Research Methods*. Oxford: Blackwell Publishers.

Brewer, J.D. (2002) *Ethnography*. Buckingham: Open University Press.

Bron, A. (1999) 'The Price of Immigration. Life Stories of Two Poles in Sweden', *International Journal of Contemporary Sociology*, 36(2): 191–203.

Bron, A. (2002) 'Symbolic Interactionism as a Theoretical Position in Adult Education Research', in A. Bron and M. Schemmarm (eds) *Social Science Theories in Adult Education Research*, Bochum Studies in International Adult Education, 3. Hamburg: LIT.

Bron, A. (2007) 'Learning, Language and Transition', in L. West, B. Merrill, P. Alheit and A. Siig Andersen (eds) *Using Biographical and Life History Approaches in the Study of Adult and Lifelong Learning Across Europe*. Frankfurt-am-Main: Peter Lang.

Brown, D. and Pedder, J. (1991) *Introduction to Psychotherapy: An Outline of Psychodynamic Principles and Practice*. London: Routledge.

Burgess, E.W. (1966) 'Discussion', in C. Shaw, *The Jack Roller: A Delinquent Boy's Own Story*. Chicago: The University of Chicago Press.

Burgess, R.G. (1984) *In the Field: An Introduction to Field Research*. London: Allen & Unwin.

Burke, P. (2002) *Accessing Education: Effrctively Widening Participation*. Stoke-on-Trent: Trentham Books.

Burton, J. and Launer, J. (2003) *Supervision and Support in Primary Care*. Oxford: Radcliffe.

Butler, J. (1997) *The Psychic Life of Power: Theories in Subjection*. Stanford, CA: Stanford University Press.

Byng-Hall, J. (1990) 'The Power of Family Myths', in R. Samuel and P. Thompson (eds) *The Myths We Live By*. London: Routledge.

Calhoun, C. (1995) *Critical Social Theory*. Cambridge, MA: Blackwell Publishers.

Chamberlayne, P. and Spanò, A. (2000) 'Modernisation as Lived Experience: Contrasting Case Studies from the SOSTRIS Project', in P. Chamberlayne, J. Bornat and T. Wengraf (eds) *The Turn to Biographical Methods in Social Science*. London: Routledge.

Chamberlayne, P. Bornat, J. and Apitzsch, U. (2004) *Biographical Methods and Professional Practice*. Bristol: The Policy Press.

Chamberlayne, P. Bornat, J. and Wengraf, T. (eds) (2000) *The Turn to Biographical Methods in Social Science*. London: Routledge.

Chapman Hoult, E. (2007) 'Resilience in Adult Learning', work in progress, Canterbury Christ Church University, UK.

Christians, C.G. (2003) 'Ethics and Politics in Qualitative Research', in N.K. Denzin and Y.S. Lincoln (eds) *The Landscape of Qualitative Research*. Thousand Oaks, CA: Sage.

Clough, P. (2004) 'Frank's Life Story', in D. Goodley, R. Lawthom, P. Clough and M. Moore, *Researching Lfe Stories: Method, Theory, Analyses in a Biographical Age*. London: Routledge Falmer.

Coffey, A. and Atkinson, P. (1996) *Making Sense of Qualitative Data*. London: Sage.

Coffield, F. (1999) 'Breaking the Consensus: Lifelong Learning as Social Control', *British Journal of Educational Research*, 25(4): 479–99.

Cohen, G.A. (1988) *History, Labour and Freedom: A Defence*. Oxford: Oxford University Press.

Connell, R. (1995) *Masculinities*. London: Policy Press.

Corrigan, P. (1979) *Schooling the Smash Street Kids*. London: Macmillan.

Courtney, S. (1992) *Why Adults Learn: Towards a Theory of Participation in Adult Education.* London: Routledge.

Creswell, J.W. (1998) *Qualitative Inquiry and Research Design: Choosing Among Five Traditions.* Thousand Oaks, CA: Sage.

Crompton, R. (2008) *Class and Stratification.* London: Polity.

Crossan, B., Field, J., Gallacher, J. and Merrill, B. (2003) 'Understanding Participation in Learning for Non-Traditional Adult Learners: Learning Careers and the Construction of Learning Identities', *The British Journal of Educational Sociology,* 24(1): 55–67.

Crotty, M. (1998) *The Foundations of Social Research: Meaning and Perspective in the Research Process.* London: Sage.

Damasio, A. (2000) *The Feeling of What Happens: Body, Emotion and the Making of Consciousness.* London: Vintage.

Dausien, B. (2007) 'Learning from History? Experiences and Reflections from a German-Polish Time Witness Project', unpublished conference paper, Concepts of Learning – Conference of the ESREA Network on Life History and Biography, Roskilde University, Denmark, 1–4 March.

David, M. (2008) 'Foreword', in P. Frame and J. Burnett (eds) *Using Auto/biography in Learning and Teaching,* SEDA Paper, 120. London: SEDA Publications.

Davie, G. (1961) *The Democratic Intellect: Scotland and her Universities in the Nineteenth Century.* Edinburgh: Edinburgh University Press.

Davies, B. and Gannon, S. (2006) *Doing Collective Biography.* Maidenhead: Open University Press.

Dawe, A. (1970) 'The Two Sociologies', *The British Journal of Sociology,* 21(2): 207–18.

Daymond, M., Driver, D., Meintjes, S., Molema, L., Musengezi, C., Orford, M. and Rasebotsa, N. (eds) (2003) *Women Writing Africa. Vol. 1: The Southern Region.* New York: Feminist Press at CUNY.

Denzin, N. (1989a) *The Research Act.* Englewood Cliffs, NJ: Prentice Hall.

Denzin, N.K. (1989b) *Interpretative Biography.* Newbury Park, CA: Sage.

Denzin, N.K. (1992) *Symbolic Interactionism and Cultural Studies: The Politics of Interpretation.* Oxford: Blackwell.

Denzin, N.K. (1997) *Interpretive Ethnography: Ethnographic Practices for the 21st Century.* London: Sage.

Devine, F., Savage, M., Scott, I. and Crompton, R. (2005) *Rethinking Class: Cultures, Identities and Lifestyle.* New York: Palgrave Macmillan.

Dominicé, P. (2000) *Learning From Our Lives.* San Francisco: Jossey-Bass.

Dorman, P. (2008) 'Confusion of Horizons: Developing an Auto/biographical Imagination', Canterbury Christ Church University (part of a PhD submission).

Eakin, P.J. (2008) *Living Autobiographically: How We Create Identity in Narrative.* Ithaca: Cornell University Press.

Ecclestone, K. (2004) 'Therapeutic Stories in Adult Education: The Demoralisation of Critical Pedagogy', in C. Hunt (ed.) *Whose Story Now? (Re) generating Research in Adult Learning and Teaching. Proceedings of the 34th SCUTREA Conference.* Exeter: SCUTREA. pp. 55–62.

Edel, L. (1985) *Writing Lives: Principia Biographica.* London: W.W. Norton.

Edwards, R. (1993) *Mature Women Students: Separating or Connecting Family and Education.* London: Macmillan.

Edwards, R. (1997) *Changing Places? Flexibility, Lifelong Learning and a Learning Society.* London:

Routledge.

Egan, G. (1994) *The Skilled Helper.* Pacific Grove, CA: Brooks/Cole Publishing Co.

Elqvist-Salzman, I. (1993) *Lärarina, kvinna, mdnniskan.* Stockholm: Carlssons.

Elwyn, G. and Gwyn, R. (1998) 'Stories we Hear and Stories we Tell ⋯ Analysing Talk in Clinical Practice', in T. Greenhalgh and B. Hurwitz (eds) *Narrative Based Medicine: Dialogue and Discourse in Clinical Practice.* London: BMJ.

Eraut, M. (2004) 'Informal Learning in the Workplace', *Studies in Continuing Education,* 26(2): 247–73.

Erben, M. (1998) 'Biography and Research Method', in M. Erben (ed.) *Biography and Education: A Reader.* London: Falmer Press.

Erickson, E. (1959) 'Identity and the Life Cycle', *Psychological Issues,* 1: 509–600.

Erickson, E. (1963a) *Identity: Youth and Crisis.* London: Faber and Faber.

Erickson, E. (1963b) *Childhood and Society* (2nd edn). New York: Newton.

Esterberg, K.G. (2002) *Qualitative Methods in Social Research.* Boston: McGraw Hill.

Evans, R. (2004) *Learning Discourse: Learning Biographies, Embedded Speech and Discourse Identity in Students' Talk.* Frankfurt-am-Main: Peter Lang.

Falk Rafael, A. (1997) 'Advocating Oral History: A Research Methodology for Social Activism in Nursing', *Advances in Nursing Science,* 20(2): 32–44.

Fieldhouse, R. (1996) 'Mythmaking and Mortmain: A Response', *Studies in the Education of Adults,* 28(1): 117–20.

Fieldhouse, R. (1997) 'Adult Education History: Why Rake Up the Past?', Sixteenth Albert Mansbridge Memorial Lecture, Leeds, School of Continuing Education.

Fielding, N. (1981) *The National Front.* London: Routledge and Kegan Paul.

Fine, M. (1992) 'Passion, Politics and Power', in M. Fine (ed.) *Disruptive Voices: The Possibilities of Feminist Research.* Michigan: Michigan University Press.

Fine, M. and Gordon, S. (1992) 'Feminist Transformations of/despite Psychology,' in M. Fine (ed.) *Disruptive Voices: The Possibilities of Feminist Research.* Michigan: Michigan University Press.

Fine, M., Weis, L., Weseen, S. and Wong, W. (2003) 'For Whom? Qualitative Research, Representations and Social Responsibilities', in N.K. Denzin and Y.S. Lincoln (eds) *The Landscape of Qualitative Research.* Thousand Oaks, CA: Sage.

Finnegan, R. (2006) 'Family Myths, Memories and Interviewing', in R. Perks and A. Thomson (eds) *The Oral History Reader* (2nd edn). London: Routledge.

Fischer-Rosenthal, W. (1995) 'Schweighen-Reichfertigen: Biographische Arbeit im Umgang mit deutschen Vergangenheitan', in W. Fischer-Rosenthal and P. Alheit, in cooperation with E. Hoerning (eds) *Biographien in Deutschland.* Opladen: Westdeutscher Verlag.

Flecha, R. (2000) *Sharing Words: Theory and Practice of Dialogic Learning.* Lanham, MD: Rowman and Littlefield Publishers.

Flecha, R. and Gómez, J. (2006) 'Participatory Paradigms: Researching "with" rather than "on"', in M. Osborne, J. Gallacher and B. Crossan, *Researching Widening Access to Lfelong Learning: Issues and Approaches in International Research.* London: Routledge.

Flyvberg, B. (2004) 'Five Misunderstandings about Case Study Research', in C. Seale, G. Gobo, J. Gubrium and D. Silverman (eds) *Qualitative Research Practice.* London: Sage.

Foucault, M. (1978) *I, Pierre Rivière, Having Slaughtered My Mother, My Sister and My Brother* ⋯ Harmondsworth: Penguin.

Foucault, M. (1979a) 'What is an Author?', *Screen,* 20: 13–35.

Foucault, M. (1979b) *The History of Sexuality, Vol. 1*. London: Allen Lane.

Fraser, W. (2007) 'Adult Education and the Cultural Imagination', work in progress, Canterbury Christ Church University, UK.

Freire, P. (1972a) *Cultural Action for Freedom*. Harmondsworth: Penguin.

Freire, P. (1972b) *Pedagogy of the Oppressed*. Harmondsworth: Penguin.

Freire, P. (1976) *Education: The Practice of Freedom*. London: Writers and Readers Publishing Cooperative.

Freud, S. (1910/1963) *Leonardo de Vinci and a Memory of his Childhood*. Harmondsworth: Penguin.

Freud, S. (1977) *Case Histories: 'Dora' and Little Hans*. The Penguin Freud Library, Vol. 4. Harmondsworth: Pelican.

Frisch, M. (1990) *A Shared Authority: Essays on the Craft and Meanings of Oral and Public History*. Albany, NY: State University of New York Press.

Frisch, M. (2006) 'Oral History and the Digital Revolution: Toward a Post-documentary Sensibility', in R. Perks and A. Thomson (eds) *The Oral History Reader* (2nd edn). London: Routledge.

Frosh, S. (1989) *Psychoanalysis and Psychology: Minding the Gap*. London: Macmillan.

Frosh, S. (1991) *Identity Crisis; Modernity, Psychoanalysis and the Self*. London: Macmillan.

Frosh, S., Phoenix, A. and Pattman, R. (2005) 'Struggling Towards Manhood: Narratives of Homophobia and Fathering', *British Journal of Psychotherapy*, 22(1): 37–56.

Gallacher, J., Crossan, B., Leahy, J., Merrill, B. and Field, J. (2000) *Education for All? Further Education, Social Inclusion and Widening Access*. Glasgow CRLL: Glasgow Caledonian University.

Gay, P. (1988) *Freud: A Life for Our Time*. London: Papermac.

Gerson, K. and Horowitz, R. (2002) 'Observation and Interviewing: Options and Choices in Qualitative Research', in T. May (2003) (ed.) *Qualitative Research in Action*. London: Sage.

Giddens, A. (1991) *Modernity and Self-Identity*. Cambridge: Polity.

Giddens, A. (1999) *Runaway World*. London: Profile Books.

Gilligan, C. (1982) *In a Different Voice: Psychological Theory and Women's Development*. Cambridge, MA: Harvard University Press.

Glaser, B. (1992) *Basics of Grounded Theory Analysis*. California: Sociology Press Mill.

Glaser, B.G. and Strauss, A.L. (1967) *The Discovery of Grounded Theory: Strategies for Qualitative Research*. Chicago: Aldine.

Glaser, B. and Strauss, A. (1968) *A Time for Dying*. Chicago: Aldine.

Gluck, S. (1979) 'What's So Special About Women? Women's Oral History', *Frontiers*, 2(2): 3–11.

Gluck, S. and Patai, D. (eds) (1991) *Women's Words, the Feminist Practice of Oral History*. London: Routledge.

Goffman, E. (1961/1968) *Asylums*. Harmondsworth: Penguin.

Goldberger, N. (1997) 'Preface', in ME Belenky, B.M. Clinchy, N.R. Goldberger and J.M. Tarule (eds) *Women's Ways of Knowing: The Development of Self Voice and Mind*. (2nd edn). New York: Basic Books.

Good, F. (2006) 'Voice, Ear and Text', in R. Perks and A. Thomson (eds) *The Oral History Reader* (2nd edn). London: Routledge.

Goodley, D. (2004a) 'Gerry's Life Story', in D. Goodley, R. Lawthom, P. Clough and M. Moore, *Researching Life Stories: Method, Theory, Analyses in a Biographical Age*. London: Routledge

Falmer.

Goodley, D. (2004b) 'Craft and Ethics in Researching Life Stories', in D. Goodley, R. Lawthom, P. Clough and M. Moore, *Researching Life Stories: Method, Theory, Analyses in a Biographical Age*. London: Routledge Falmer.

Goodley, D., Lawthom, R., Clough, P. and Moore, M. (2004) *Researching Life Stories: Method, Theory and Analyses in a Biographical Age*. London: Routledge Falmer.

Goodson, I. (ed.) (1992) *Studying Teacher's Lives*. London: Routledge.

Goodson, I. (1994) 'Studying the Teacher's Life and Work', *Teaching and Teacher Education*, 10(1): 29–37.

Goodson, I. and Sykes, P. (2001) *Life History Research in Education Settings: Learning from Lives*. Buckingham: Open University Press.

Gould, R. (2009) 'Contemplating Old Age: An Auto/Biographical Study of How it Feels to Get Old', PhD thesis, Canterbury Christ Church University, UK.

Gramling, L.F and Carr, R.L. (2004) 'A Life History Methodology', *Nursing Research*, 53(3): 207–10.

Greenhalgh, T. and Hurwitz, B. (1998) *Narrative Based Medicine, Dialogue and Discourse in Clinical Practice*. London: BMJ.

Gribbin, J. (2007) *The Universe: A Biography*. London: Allen Lane.

Habermas, J. (1972) *Knowledge and Human Interests*. Heinemann: London.

Hammersley, M. (1995) *The Politics of Social Research*. London: Sage.

Hammersley, M. (1998) *Reading Ethnographic Research: A Critical Guide*. London: Longdon.

Hammersley, M. (2000) *Taking Sides in Social Research*. London: Routledge.

Hammersley, M. (2002) 'Research as Emancipatory: The Case of Bhaskar's Critical Realism', *Journal of Critical Realism*, 1: 33–48.

Hammersley, M. and Atkinson, P. (1992) *Ethnography: Principles in Practice*. London: Routledge.

Haraway, D. (1988) 'Situated Knowledges: The Science Question in Feminism and the Privilege of Partial Perspective', *Feminist Studies*, 14: 575–99.

Harding, S. (ed.) (1987) *Feminism and Methodology*. Indiana: Indiana University Press.

Haug, F., Andersen, S., Bunz-Elfferding, A., Hauser, K., Lang, U., Lauden, M., Lüdemann, M., Meir, U., Nemitz, B., Niehoff, E., Prinz, R., Rathzel, N., Scheu, M. and Thomas, C. (eds) (1987) *Female Sexualization: A Collective Work of Memory*, trans E. Carter. London: Verso Press.

Hodkinson, P., Hodkinson, H., Evans, K., Kersh, N., Fuller, A., Unwin, L. and Senker, P. (2004) 'The Significance of Individual Biography in Workplace Learning', *Studies in the Education of Adults*, 36(1): 6–24.

Hoggart, R. (1957) *The Uses of Literacy*. London: Penguin, in association with Chatto and Windus.

Holliday, A. (2007) *Doing and Writing Qualitative Research* (2nd edn). London: Sage.

Hollway, W. (1989) *Subjectivity and Method in Psychology: Gender, Meaning and Science*. London: Sage.

Hollway, W. and Jefferson, T. (2000) *Doing Qualitative Research Differently*. London: Sage.

hooks, b. (1984) *Feminist Theory: From Margin to Center*. Boston: South End Press.

Hopper, E. and Osborn, M. (1975) *Adult Students, Education, Selection and Social Control*. London: Frances Pinter.

Horkheimer, M. (1982) *Critical Theory*. New York: Continuum.

Horsdal, M. (2002) *Active Citizenship and the Non-Formal Education: Description of Competencies*. Copenhagen: FFO Højskolerne.

Howatson-Jones, L. (2009) 'Exploring the Learning of Nurses', PhD thesis, Canterbury Christ Church University, UK.

Hudson, L. (1966) *Contrary Imaginations: A Psychological Study of the English Schoolboy.* Harmondsworth: Penguin.

Humm, M. (1992) *Feminisms: A Reader.* London: Prentice-Hall Europe.

Humphreys, L. (1970) *Tea Room Trade.* London: Duckworth.

Humphries, S. (1984) *The Handbook of Oral History, Recording Life Stories.* London: InterAction.

Hunt, C. and Sampson, F. (2006) *Writing, Self and Reflexivity.* London: Palgrave.

Hunt, C. and West, L. (2006) 'Learning in a Border Country: Using Psychodynamic Perspectives in Teaching and Research', *Studies in the Education of Adults,* 38(2): 160–77.

Hunt, C. and West, L. (2009) 'Salvaging the Self in Adult Learning', *Studies in the Education of Adults,* in press.

Hutchings, M. (2007) 'Teach First: "A Cut Above the Rest"', paper presented to a Learning to Teach in Post Devolution UK Conference, Roehampton, March.

Hutchings, M., Maylor, U., Mendick, H., Menter, I. and Smart, S. (2006) *An Evaluation of Innovative Approaches to Teacher Training on the Teach First Programme: Final Report to the Training and Development Agency for School Student TDA.*

Jackson, B. and Marsden, D. (1966) *Education and the Working Class.* London: Pelican.

Jackson, D. (1990) *Unmasking Masculinity: A Critical Autobiography.* London: Unwin.

Johnston, R. and Merrill, B. (2004) 'From Old to New Learning Identities: Charting the Change for Non-traditional Adult Students in Higher Education', in *ESREA Proceedings: Between 'Old' and 'New' Worlds of Adult Learning.* Wroclaw: University of Wroclaw. pp. 153–66.

Jones, C. and Rupp, S. (2000) 'Understanding the Carer's World: A Biographical-interpretive Case Study', in P. Chamberlayne, J. Bornat and T. Wengraf (eds) *The Turn to Biographical Methods in Social Science.* London: Routledge.

Jung, C. (1933) *Memories, Dreams, Reflections.* London: Pantheon.

Kennedy, E.L. (2006) Telling Tales: Oral History and the Construction of Pre-Stonewall Lesbian History', in R. Perks and A. Thomson (eds) *The Oral History Reader* (2nd edn). London: Routledge.

Kincheloe, J.L. and McLaren, P. (2003) 'Rethinking Critical Theory and Qualitative Research', in N.K. Denzin and Y.S. Lincoln (eds) *The Landscape of Qualitative Research: Theories and Issues* (2nd edn). Thousand Oaks, CA: Sage.

King, E. (1995) 'The Use of Self in Qualitative Research', draft paper.

Kirby, S. (1998) 'The Resurgence of Oral History and the New Issues it Raises', *Nurse Researcher,* 5(2): 45–58.

Klein, M. (1998) *Love, Gratitude and Other Works, 1921–1945.* London: Virago.

Kleinman, S. and Copp, M. (1993) *Emotions and Field Work.* Qualitative Research Methods Series, 28. London: Sage.

Krieger, S. (1991) *Social Science and the Self* New Brunswick, NJ: Rutgers University Press.

Lalljee, M., Kearney, P. and West, L. (1989) 'Confidence and Control: A Psychological Perspective on the Impact of Second Chance to Learn', *Studies in the Education of Adults,* 21(1): 20–8.

Lather, P. (1991) *Getting Smart: Feminist Research and Pedagogy with/in the Postmodern.* London: Routledge.

Launer, J. (2002) *Narrative-based Primary Care.* Abingdon: Radcliffe Medical Press.

Lawthom, R. (2004) in D. Goodley, R. Lawthom, P. Clough and M. Moore, *Researching Life*

Stories: Method, Theory and Analyses in a Biographical Age. London: Routledge Falmer.

Lee, H. (2008) *Edith Wharton.* London: Vintage Books.

Levinson, D. (1978) *The Seasons of a Man's Life.* New York: Ballintine.

Lincoln, Y.S. and Denzin, N.K. (2003) 'The Seventh Moment: Out of the Past', in N.K. Denzin and Y.S. Lincoln (eds) *The Landscape of Qualitative Research: Theories and Issues* (2nd edn). Thousand Oaks, CA: Sage.

London School of Economics (LSE) (2006) *The Depression Report: A New Deal for Depression and Anxiety Disorders,* a report by The Centre for Economic Performance's Mental Health Policy Group, chaired by Lord Layard. London: LSE.

Lyon, T. (2004) *Guns and Guerilla Girls: Women in the Zimbabwean Liberation Struggle.* Trenton, NJ: African World Press.

McClaren, A. (1985) *Ambitions and Real isations: Women in Adult Education.* London: Peter Owen.

McKirirtey, J.C. (1966) *Constructive Typology and Social Theory.* New York: Appleton-Century-Crofts.

McRobbie, A. and Garber, J. (1976) 'Girls and Subcultures – An Exploration', in S. Hall and T. Jefferson (eds) *Resistance Through Rituals.* London: Hutchinson University Library.

Malcolm, I. (2006) 'Life History as Emotional Labour', paper presented at the ESREA Life History and Biographical Research Network Conference, Volos, Greece.

Marvasti, A. (2004) *Qualitative Research in Sociology.* London: Sage.

Marx, K. (1842) *Rheinische Zeitung* (Worksl, *97*).

Marx, K. (1843) *Deutsch-Franzbsische Jahrbticher* (letter to Ruge).

Marx, K. (1845) 'Theses on Feuerbach', in F. Engels (1888/1934) *Ludwig Feuerbach and the End of Classical German Philosophy.* London: M. Lawrence.

Marx, K. (1852/1973) 'The Eighteenth Brumaire of Louis Bonaparte', in E. Fischer, *Marx in his Own Words.* Harmondsworth: Penguin.

Mason, J. (1996) *Qualitative Researching.* London: Sage.

Matza, D. (1964) *Delinquency and Drift.* Berkeley: John Wiley and Sons.

Matza, D. (1969) *Becoming Deviant.* Englewood Cliffs, NJ: Prentice Hall.

May, T. (2001) *Social Research: Issues, Methods and Process.* Buckingham: Open University Press.

Mead, G.H. (1934/1972) *Mind, Self and Society.* Chicago: University of Chicago Press.

Mead, G.H. (1982) *The Individual and the Social Self.* Chicago: University of Chicago Press.

Meltzer, B.N., Petras, J.W. and Reynolds, L.T. (1975) *Symbolic Interactionism: Genesis, Varieties and Criticisms.* London: Routledege & Kegan Paul.

Merrill, B. (1999) *Gender, Change and Identity: Mature Women Students in Universities.* Aldershot: Ashgate.

Merrill, B. (2001) 'Learning Careers: Conceptualising Adult Learning Experiences Through Biographies', paper presented at ESREA Biography and Life History Network Conference, Roskilde, Denmark.

Merrill, B. (2003) 'Women's Lives and Learning: Struggling for Transformation', in B. Dybbroe and E. Ollagnier, *Challenging Gender in Lifelong Learning: European Perspectives.* Roskilde: Roskilde University Press.

Merrill, B. (2007) 'Recovering Class and the Collective in the Stories of Adult Learners', in L. West, B. Merrill, P. Alheit, A. Bron and A. Siig Andersen (eds) *Using Biographical and Life History Approaches in the Study of Adult and Lifelong Learning.* Frankfurt-am-Main: Peter Lang.

Merrill, B. and Puigvert, L. (2001) 'Discounting "Other Women"', in *Researching Widening Access*

– *International Perspectives*, Conference Proceedings, CRLL. Glasgow: Glasgow Caledonian University.

Michelet, J. (1847) *Histoire de la Revolution Française*. Paris.

Mies, M. (1991) 'Women's Research or Feminist Research?', in M.M. Fonow and J.A. Cook (eds) *Beyond Methodology: Feminist Scholarship as Lived Research*. Bloomington: Indiana University Press.

Miles, M.B. and Huberman, A.M. (1994) *Qualitative Data Analysis: A Sourcebook of New Methods*. Thousand Oaks, CA: Sage.

Miller, J. (1997) *Autobiography and Research*. London: University of London Institute of Education.

Miller, N. (2007) 'Developing an Auto/Biographical Imagination', in L. West, B. Merrill, P. Alheit, A. Bron and A. Siig Andersen (eds) *Using Biographical and Life History Approaches in the Study of Adult and Lifelong Learning*. Frankfurt-am-Main: Peter Lang.

Milner, M. (1971) *On Not Being Able to Paint*. London: Heinemann Educational Books.

Moore, M. (2004) 'Grounded Theory', in D. Goodley, R. Lawthom, P. Clough and M. Moore, *Researching Life Stories: Method, Theory and Analyses in a Biographical Age*. London: Routledge Falmer.

Morse, J.M. (1994) 'Designing Funded Qualitative Research', in N.K. Denzin and Y.S. Lincoln (eds) *Handbook of Qualitative Research*. Thousand Oaks, CA: Sage.

NESS (2005) *Early Impacts of Sure Start Programmes on Children and Families; Research Report NESS/2005/FR/013*. London: HMSO.

NESS (2008) *The Impact of Sure Start on Three-Year-Olds and their Families*. London: HMSO.

Oakely, A. (1979) *Becoming a Mother*. Oxford: Martin Robertson.

Oakley, A. (1981) *From Here to Maternity: Becoming a Mother*. Harmondsworth: Penguin.

Oakley, A. (1992) 'Interviewing Women: A Contradiction in Terms', in H. Roberts (ed.) *Doing Feminist Research*. London: Routledge.

Ollagnier, E. (2002) 'Life History Approach in Adult Education Research', in A. Bron and M. Schemmarirt (eds) *Social Sciences Theories in Adult Education Research*. Münster: LIT Verlag.

Ollagnier, E. (2007) 'Challenging Gender with Life History', in L. West, B. Merrill, P. Alheit, A. Bron and A. Siig Andersen (eds) *Using Biographical and Life History Approaches in the Study of Adult and Lifelong Learning*. Frankfurt-am-Main: Peter Lang.

Pahl, R. (1989) 'Is the Emperor Naked?', *International Journal of Urban and Regional Research*, 13: 711–20.

Parker, H. (1974) *View from the Boys: A Sociology of Downtown Adolescents*. Newton Abbot: David & Charles.

Passerini, L. (1990) 'Mythbiography in Oral History', in R. Samuel and P. Thompson (eds) *The Myths We Live By*. London: Routledge.

Perdue, T. (1980) *Nations Remembered: An Oral History of the Five Civilised Tribes, 1865–1907*. Westport, CT: Greenwood Press.

Perks, R. and Thomson, A. (2006) (eds) *The Oral History Reader* (2nd edn). London: Routledge.

Personal Narratives Group (1989) *Interpreting Women's Lives: Feminist Theory and Personal Narratives*. Bloomington: Indiana University Press.

Plummer, K. (1983) *Documents of Life: An Introduction to the Problems and Literature of a Humanistic Method*. London: George Allen and Unwin.

Plummer, K. (2001) *Documents of Life 2: An Invitation to Critical Humanism*. London: Sage.

Pollert, A. (1981) *Girls, Wives, Factory Lives*. London: Macmillan.

Popadiuk, N. (2004) 'The Feminist Biographical Method in Psychological Research, *The Qualitative Report,* 9(3): 392–412, http:/ /www.nova.edu/ssss/QR/QR9-3/popadiuk.pdf

Portelli, A. (1990) 'Uchronic Dreams, Working-class Memory and Possible Worlds', in R. Samuel and P. Thompson (eds) *The Myths We Live By.* London: Routledge.

Portelli, A. (2006) 'What Makes Oral History Different?', in R. Perks. and A. Thomson (eds) *The Oral History Reader* (2nd edn). London: Routledge.

Postone, M. (1993) *Time, Labour and Social Domination: A Reinterpretation of Marx's Critical Theory.* Cambridge: Cambridge University Press.

Puigvert, L. and Valls, R. (2002) 'Political and Social Impact of "the Other Women" Movement', paper presented at the Second International Conference of the Popular Education Network, University of Barcelona, Barcelona, 27–9 September.

Ranson, S. and Rutledge, H. (2005) *Including Families in the Learning Community: Family Centres and the Expansion of Learning.* York: Joseph Rowntree Foundation.

Reid, H. and West, L. (2008) 'Talking with a Shared Purpose: Applying Auto/ biographical and Narrative Approaches to Practice', *Constructing a Way Forward: Innovation in Theory and Practice for Career Guidance,* Occasional Paper. Canterbury, CCCU, pp. 29–38.

Reinharz, S. (1992) *Feminist Methods in Social Research.* New York: Oxford University Press.

Richardson, L. (1990) *Writing Strategies: Reaching Diverse Audiences.* Newbury Park: Sage.

Rickard, W. (2004) 'The Biographical Turn in Health Studies', *Biographical Methods and Professional Practice.* Bristol: The Policy Press.

Roberts, B. (2002) *Biographical Research.* Buckingham: Open University Press.

Roper, M. (2003) 'Analysing the Analysed: Transference and Counter-transference in the Oral History Encounter', *Oral History,* Autumn: 20–32.

Rosenthal, G. (1993) 'Reconstruction of Life Stories: Principles of Selection in Generating Stories for Biographical Narrative Interviews', in R. Josselson and A. Lieblich, *The Narrative Study of Lives,* Volume 1. Newbury Park, CA: Sage. pp. 59–91.

Rosenthal, G. (1995) *Erlebte und Erzählte Lebensgesichte. Gesalt und Struktur Biographischer Selbstbeschreibenungen.* Frankfurt: Campus.

Rosenthal, G. (2004) Paper presented to the ESREA Life History and Biography Network/ISA Conference. Roskilde, March.

Ross, F. (2003) *Bearing Witness: Women and the Truth and Reconciliation Struggle in South Africa.* London: Pluto.

Rustin, M. (2000) 'Reflections on the Biographical Turn in Social Science', in P. Chamberlayne, I. Barnett and T. Wengraff (eds) *The Turn to Biographical Methods in Social Science.* London: Routledge.

Salinsky, J. and Sackin, P. (2000) *What are you Feeling, Doctor?* Oxford: Radcliffe.

Sailing Olesen, H. (2007a) 'Professional Identities, Subjectivity and Learning: Be(coming) a General Practitioner', in L. West, B. Merrill, P. Alheit and A. Siig Andersen (2007) (eds) *Using Biographical and Life History Approaches in the Study of Adult and Lifelong Learning.* Frankfurt-am-Main: Peter Lang. pp. 125–41.

Sailing Olesen, H. (2007b) 'Theorising Learning in Life History: A Psychosocietal Approach', *Studies in the Education of Adults,* 39(1): 38–53.

Samuel, R. (1982) 'Local History and Oral History', in R.G. Burgess (ed.) *Field Research: A Sourcebook and Field Manual.* London: George Allen and Unwin.

Savage, M. (2000) *Class Analysis and Social Transformation.* Buckingham: Open University Press.

Sayer, A. (2005) *The Moral Sigmfficance of Class.* Cambridge: Cambridge University Press.

Sayers, J. (1995) *The Man Who Never Was: Freudian Tales.* London: Chatto and Windus.

Sayers, J. (2003) *Divine Therapy: Love, Mysticism and Psychoanalysis.* Oxford: Oxford University Press.

Schaff, A. (1970) *Marxism and the Human Individual.* New York: McGraw-Hill.

Schuller, T., Preston, J. and Hammond, C. (2007) 'Mixing Methods to Measure Learning Benefits', in L. West, P. Alheit, A. Siig Andersen and B. Merrill (eds) *Using Biographical and Life History Approaches in the Study of Adult and Lifelong Learning: European Perspectives.* Frankfurt-am-Main: Peter Lang.

Schutze, F. (1992) 'Pressure and Guilt: The Experience of a Young German Soldier in World War Two and its Biographical Implications', *International Sociology,* 7(2): 187– 208; 7(3): 347–67.

Schwartz, J. (1999) *Casandra's Daughter: A History of Psychoanalysis in Europe and America.* London: Allen Lane.

Sclater, S.D. (2004) 'What is the Subject?', *Narrative Enquiry,* 13(2): 317–30.

Seabrook, J. (1982) *Working-Class Childhood.* London: Gollancz.

Seidman, I.E. (1991) *Interviewing as Qualitative Research.* New York: Oxford University Press.

Shaw, C. (1966) *The Jack Roller: A Delinquent Boy's Own Story.* Chicago: The University of Chicago Press.

Shilling, C. (1999) Towards an Embodied Understanding of the Structure/Agency Debate', *British Journal of Sociology,* 50(4): 543–62.

Silverman, D. (2006) *Interpreting Qualitative Data.* London: Sage.

Sinclair, S. (1997) *Making Doctors.* Oxford: Berg.

Skeggs, B. (1997) *Formations of Class and Gender.* London: Sage.

Slim, H., Thompson, P, Bennett, O. and Cross, N. (eds) (1993) *Listening for a Change: Oral Testimony and Community Development.* London: Panos Publications.

Smith, D.E. (1987) 'Women's Perspective as a Radical Critique of Sociology', in S. Harding (ed.) *Feminism and Methodology.* Bloomington: Indiana University Press.

Smith, L. (1994) 'Biographical Method', in N.K. Denzin and Y.S. Lincoln (eds) *Handbook of Qualitative Research.* Thousands Oaks, CA: Sage.

Smith, L. (1998) 'Biographical Method', in N.K. Denzin and Y.S. Lincoln (eds) *Strategies of Qualitative Enquiry.* Thousand Oaks, CA: Sage.

Smith, R. (2001) 'Why are Doctors so Unhappy?', Editorials, *BMJ,* 322: 1073–4.

Snodgrass, J. (1982) *The Jack-Roller at Seventy.* Lexington: Lexington Books.

Sork, T.J., Chapman, V.L. and St Clair, R. (eds) (2000) *Proceedings of the 41st Annual Adult Education Research Conference.* Vancouver: University of British Columbia.

Stadlen, N. (2004) *What Mothers Do: Especially When it Looks Like Nothing.* London: Piatkus.

Stanley, L. (1992) *The Auto/Biographical I: Theory and Practice of Feminist Auto/Biography.* Manchester: Manchester University Press.

Stanley, L. and Wise, S. (1993) *Breaking Out Again: Feminist Ontology and Epistemology.* London: Routledge.

Steedman, C. (1986) *Landscape for a Good Woman.* London: Virago.

Stones, R. (1996) *Sociological Reasoning: Towards a Post-Modern Sociology.* London: Macmillan.

Strauss, A.L. and Corbin, J. (1990) *Basics of Qualitative Research: Grounded Theory Procedures and Techniques.* London: Sage.

Swindells, J. (1995) 'Introduction', in J. Swindells (ed.) *The Uses of Biography.* London: Taylor and

Francis.

Sztompka, P. (1984) 'Florian Znaniecki's Sociology: Humanistic or Scientific?', in P. Sztompka (ed.) *Masters of Polish Sociology.* Wroclaw: Ossolineum.

Tharu, S. and Lalita, K. (1991) *Women Writing in India, from 600BC to the early Twentieth Century.* New York: The Feminist Press at CUNY.

Thomas, W.I. and Znaniecki, F. (1958) *The Polish Peasant in Europe and America.* New York: Dover Publications. (First published 1918–1921.)

Thompson, B. (1990) 'Raisins and Smiles for Me and My Sister: A Feminist Theory of Eating Problems, Trauma and Recovery in Women's Lives', PhD dissertation, Brandeis University.

Thompson, E.P. (1978) *The Poverty of Theory and Other Essays.* London: Merlin Press.

Thompson, E.P. (1980) *The Making of the English Working Class.* London: Penguin.

Thompson, J. (2000) *Women, Class and Education.* London: Routledge.

Thompson, P. (2000) *The Voice of the Past* (3rd edn). Oxford: Oxford University Press.

Thomson, A. (1994) *Anzac Memories: Living with the Legend.* Auckland: Oxford University Press.

Tonkin, E. (1992) *Narrating Our Pasts: The Social Construction of Oral History.* Cambridge: Cambridge University Press.

Tucker, S. (1988) *Telling Memories among Southern Women: Domestic Workers and their Employers in the Segregated South.* Baton Rouge: Louisiana State University Press.

Vansina, J. (1985) *Oral Tradition as History.* Madison, WI: University of Wisconsin Press.

Viney, L. (1993) *Life Stories: Personal Construct Therapy with the Elderly.* Chichester: John Wiley and Sons.

Walmsley, J. (2006) 'Life History Interviews with People with Learning Disabilities', in R. Perks and A. Thomson (2006) (eds) *The Oral History Reader* (2nd edn). London: Routledge.

Weber, K. (2007) 'Gender, Between the Knowledge Economy and Every Day Life', in L. West, B. Merrill, P. Alheit, A. Bron and A. Siig Andersen (eds) *Using Biographical and Life History Approaches in the Study of Adult and Lifelong Learning.* Frankfurt-am-Main: Peter Lang.

Weinberg, M.S. (1966) 'Becoming a Nudist', *Psychiatry: Journal for the Study of Interpersonal Processes,* 29(1).

Wengraf, T. (2000) 'Uncovering the General from the Particular: From Contingencies to Typologies in the Understanding of Cases', in P. Chamberlayne, J. Bornat and T. Wengraf (eds) *The Turn to Biographical Methods in Social Science.* London: Routledge.

West, L. (1996) *Beyond Fragments: Adults, Motivation and Higher Education.* London: Taylor and Francis.

West, L. (2001) *Doctors on the Edge: General Practitioners, Health and Learning in the Inner City.* London: Free Association Books.

West, L. (2004a) 'Doctors on an Edge: A Cultural Psychology of Learning and Health', in P. Chamberlayne, J. Bornat and U. Apitzsch (eds) *Biographical Methods and Professional Practice: An International Perspective.* Bristol: The Policy Press.

West, L. (2004b) 'Re-generating our Stories: Psychoanalytic Perspectives, Learning and the Subject called the Learner', in C. Hunt (ed.) *Whose Story Now? (Re)generating Research in Adult Learning and Teaching. Proceedings of the 34th SCUTREA Conference.* Exeter, pp. 303–10.

West, L. (2005) 'Old Issues, New Thoughts: Family Learning, Relationship and Community Activism', in A. Bron, E. Kurantowicz, H. Sailing Olesen and L. West, *'Old' and 'New' Worlds of Adult Learning.* Wydawnictwo Naukowe: Wroclaw.

West, L. (2006) 'Really Reflexive Practice: Auto/Biographical Research and Struggles for a Critical

Reflexivity', paper to the SCUTREA Pre-Conference on Reflective Practice, Leeds, July.

West, L. (2007) 'An Auto/Biographical Imagination and the Radical Challenge of Families and their Learning', in L. West, B. Merrill, P. Alheit, A. Bron and A. Siig Andersen (eds) *Using Biographical and Life History Approaches in the Study of Adult and Lifelong Learning.* Frankfurt-am-Main: Peter Lang.

West, L. (2008a) 'On the Emotional Dimensions of Learning to be a Teacher: Auto/Biographical perspectives', paper presented to the ESREA Conference on Emotionality in Learning and Research, Canterbury, March.

West, L. (2008b) 'Gendered Space: Men, Families and Learning', in E. Ollagnier and J. Ostrouch (eds) *Gender and Adult Learning.* Frankfurt: Peter Lang.

West, L. (2009, in press) 'Really Reflective Practice: Auto/Biographical Research and Struggles for a Clinical Reflexivity', in H. Bradbury, N. Frost, S. Kilminster and M. Zukas (eds) *Beyond Reflective Practice: Proffssional Lifelong Learning for the 21st Century.* London: Routledge.

West, L. and Carlson, A. (2006) 'Claiming and Sustaining Space? Sure Start and the Auto/Biographical Imagination', *Auto/Biography,* 14: 359–80.

West, L. and Carlson, A. (2007) *Claiming Space: An In-depth Auto/Biographical Study of a Local Sure Start Project.* CISDP, CCCU.

West, L., Merrill, B., Alheit, P. and Siig Andersen, A. (eds) (2007) *Using Biographical and Life History Approaches in the Study of Adult and Lifelong Learning: European Perspectives.* Frankfurt-am-Main: Peter Lang.

West, L., Miller, N., O'Reilly, D. and Allen, R. (eds) (2001) 'Travellers' Tales: From Adult Education to Lifelong Learning and Beyond', *Proceedings of the 31st SCUTREA Conference.* London: UEL.

Whyte, W.F. (1943) *Street Corner Society: The Social Structure of an Italian Slum.* Chicago: University of Chicago Press.

Widgery, D. (1993) *Some Lives: A GP's East End.* London: Simon and Schuster.

Willis, P. (1977) *Learning to Labour: How Working Class Kids get Working Class Jobs.* Farnborough: Saxon House.

Wilson, A. (1978) *Finding a Voice.* London: Virago.

Winnicott, D. (1971) *Playing and Reality.* London: Routledge.

Wolcott, H.F. (1997) *Writing Up Qualitative Research.* London: Sage.

Woodley, A., Wagner, L., Slowey, M., Fulton, O. and Bowner, T. (1987) *Choosing to Lear.* Buckingham: SRHE/Open University Press.

Woods, D. (1993) 'Managing Marginality: Teacher Development through Grounded Life History', *British Educational Research Journal,* 19(5): 447–65.

Wright, E.O. (1985) *Classes.* London: Verso.

Wright, E.O. (1997) *Class Counts: Comparative Studies in Class Analysis.* Cambridge: Cambridge University Press.

Wright Mills, C. (1970) *The Sociological Imagination.* Harmondsworth: Penguin. (First published 1959.)

Wright Mills, C. (1973) *The Sociological Imagination* (3rd edn). Harmondsworth: Penguin.

| 찾아보기 |

ㄱ

가부장적 경계선 196
가부장적인 권위 91
가부장제 60
가설 249
가정폭력 162
가족 구조 85
가족사 15
가족 슈어 스타트 프로젝트 288
가족의 붕괴 86
가족의 생애사 22
가족의 하위문화 86
가족지원 프로그램 연구 204
가치중립성 308
감정 53
감정 노동 118, 140, 150
감정노동의 경험 191
감정의 민감함 316
감정적 경험 59, 148, 156
감정적 삶 59
감정적인 상호작용 214
감정적인 어조 48
감정적인 어조와 상황의 질 202
감정적인 질과 개념적인 통찰력 200
감정적인 폭로 293
감정적인 학습 93
감정적 투쟁 319
개념화 102
개방대학 116
개방적인 시선 57

개방형 질문 210
개별 행위자 57
개성화 128
개인사 15
개인 서사 76
개인적 경험과 연구 27
개인적 기록물 55
개인적, 문화적 자원 80
개인적인 경험 15
개인적인 기록 53
개인적인 이야기 83
객관성 17, 261, 313
객관적 90, 313
객체 61
객체화 111
거리감과 유연함 316
거리 두기 63
게슈탈트 238
결손 모형 89, 140
결정주의 21
경계 35, 258, 262
경계선 168
경계의 변환 246
경력 52
경력 개발 113
경력의 네트워크 113
경력 학습 97, 115
경제 결정론 64
경청 99
경험 16

경험과 목소리 62
경험의 재귀 63
경험의 집합적인 망 62
경험적 데이터 87
경험적 실험실 67
경험적 주체 58
계관 시인 162
계급 47
계급과 성별의 구조화 과정 178
계급의식 265
계급 정체성 158
계급체제의 구분선 26
계속교육 20
계약 노동자 166
계층과 인종 61
계층 구조 118
계층화 61
고등 교육 156
고등 교육 학습자 97
고전주의 페미니즘 98
공간의 효용성 146
공간적 비유법 141
공감과 분열 101
공감적 이해 151
공개토론 86
공동연구 230
공동체 프로젝트 47, 99
공동체 활동 116
공유 권한 43
공정한 세계 56
공통의 형성 85
과거와 기억 81
과소평가 60
과학적 70
과학적 샘플링 접근법 198
과학인인 접근 56
과학적 접근법 238, 312

과학적 증거 93
과학적 활용 56
관료주의자 51
관심사와의 대화 18
관음증 293
교류적인 공간 146
교사 교육 프로그램 137, 152
교육의 현대화 152
교육적 맥락 62
교육 프로그램 24
교차문화 29
구성주의 49
구술사 15, 18, 39, 42, 43
구술사가 46
구술사의 정의 44
구술사 프로젝트 47
구술사 학회(Oral History Society) 46
구술역사 이야기 95
구술의 예술적인 기교 100
구술 전통 39, 40, 42, 43
구조적 126
구조적 불평등 112, 233
구조주의 이론 318
구조화 183
구체화 30
권력 31
권력과 사회 구조 58
권력 관계 118
귀납적 141, 181
규준 154
근거이론 106, 238, 248, 249
근거이론가 238
글쓰기 25, 39
급진적 페미니즘 118
기능주의자 165
기밀과 익명성의 문제 193
기억 45

기억의 본질 48
기억의 이론 44
기억의 회복 44
기억(회상) 99
기회적 샘플링 140, 189

ㄴ

나체주의자 113
나치즘 151
낙인 이론 53
낙인찍기 93
남근중심주의 60
남성사회 118
남성주류 118
내러티브 15, 137, 263
내러티브 인터뷰 35
내러티브 자원 76
내면세계 14
내적 주관성 101
노동계급 20, 98
노동계급 여성 60
노동계급의 성인 학생 22
노동시장 40
노동자 계층의 여성 63
녹음 인터뷰 방식 218
눈덩이 샘플링 191
느낌의 기억 125

ㄷ

다문화 공동체 152
단일사례 290
담론 31, 90
대상관계이론 125
대상자 55, 60
대중문화 14
대표성 185, 317
대표 집단 317

대화 접근법 247
데이터 분석 172
데이터 표현 172
도덕성 305
도덕적 결핍 86
도덕적 권위주의 88
도덕적 윤리 86
돌봄 117
돌봄 경험 84
돌봄과정 201
돌봄의 문화 84
동성애 공포증 101
동성애적 행위 304
동성애 집단 304
딜레마 261, 264

ㄹ

레즈비언 47
레퍼토리 68
리더십 152
리더십의 수사학 153

ㅁ

마르크스주의와 페미니즘 322
마르크스주의자 119
매혹적인 제국주의 148
멘토 152
면접관 61, 195
면접 대상자 61
목소리 69
목소리를 내는 것 83
목소리와 이야기 76
목소리의 개념 108
목적의식 샘플링 191
목적적 140
몸짓언어 251
무의식적 130

무형식(informal) 241
무형식 학습 96, 116
문답법 237
문서화 232
문자해독능력 68
문학적인 영감 220
문화인류학 267
문화 자본 168
문화적 규범 48
문화적 다양성 153
문화적 맥락 58, 78
문화적 불평등 24
문화적 이해 202
문화적 이해와 민감성 85
문화적 자본 165
문화적 지식 102
물리적 페미니즘 120
미사여구 45, 241
민감성 16
민속지방법론 114
민속지방법론자 114
민속지/전기적 연구 65
민족지학적 연구 71

ㅂ

반구조화 183
반사적 반응 196
반성적 사고 247
발달심리학 267
발언권 69
발전적 126
방어 206
방어구조 287
방어적인 역할 108
방어적인 자아 245
방향 전환 17
백인 남성의 규범 117

백인 페미니스트 62
범죄 경력 53
범죄 및 범죄에 대한 두려움 90
범죄병리학 112
범죄와 일탈 112
범죄의 학습 방법 53
범죄자 52
범죄학 52
범주화 326
베스트 스타트 138
변증법 44
변증적 관계 122
변화된 삶 80
변화하는 공간 146
병리학 87
보상 54
부호화 절차 248
분석 기법 35
비밀관찰법 304
비전통적인 출신 160
비주류 43
비준(ratified) 213
비판이론 34, 39, 64, 108, 121, 123
비판이론가 64
비판적 관점 60
비판적 의식 157
비판적 인식 66
비판적 통찰력 93
비판적 학습과 의식 30
비판적 현실주의 228, 284
비행(delinquency)경로 116
비행 청소년 52, 58

ㅅ

사례 연구 52, 55
사색 39
사회개량가 51

사회계급 28
사회계층화 40
사회과학 14
사회과학적 글쓰기 259
사회 구조의 문제 57
사회문제 107
사회문화적 맥락 80
사회민주 집합주의 80
사회사업 91
사회생활의 구조적 측면 56
사회심리학 56
사회심리학자 18, 110
사회역사학자 19
사회의 민주화 75
사회이론 107
사회적 가치 72
사회적 과정의 객관화 122
사회적 관습 248
사회적 맥락 48, 158
사회적 메시지 42
사회적 본능 73
사회적 분석의 틀 156
사회적 비판 151
사회적 삶 49
사회적 상호작용 109
사회적 상호작용주의자 112
사회적 세계의 주관성 54
사회적 소외 45, 148
사회적 약자 집단 61
사회적 열등감 26
사회적 자료 49
사회적 조건 70, 72
사회적 질서 18, 114
사회적 행동 29, 58, 110
사회적 행위 44
사회적 행위자 114
사회적 환경 115

사회적 활동가 88, 145
사회적 힘 118
사회정책 36
사회정치학 78
사회 조사 40
사회주의 운동가 82
사회주의 원리 82
사회주의적 페미니스트 118
사회주의적 페미니즘 119
사회 통제 88
사회학 13
사회학 그물망 19
사회학자 18
사회학적 경향 254
사회학적 삶 49
사회학적 상상력 57
사회학적 이론 236
사회학적 진주 85
삶 39
삶의 경력 113
삶의 궤적 69
삶의 역사 42
삶의 연대표 37
삶의 이야기 105
삶의 체험 79
상관관계 모델 146
상담 154
상속권 권리 87
상징적 상호작용 112
상징적 상호작용주의 18, 108, 134
상징적 상호작용주의의 원칙 54
상징적 상호작용주의자 18
상징적 의미 28
상징적인 의사소통 65
상호작용 16, 76
상호작용적 인터뷰 35
상호적 인터뷰 211

상호주관적 역동성 101
상호주관적 절차 133
샘플링 168, 183, 184
샘플링 접근법 198
생명선(lifeline) 접근방법 95
생물학적 영향 72
생애사 13, 15, 55, 64, 68, 100, 185, 259
생애사 방법 59
생의학 모델 92
생활사 52
생활세계 68
서사시 41, 48
서사적 설명 251
서식 240
서식자료 141
선입견 28, 82
선택적 기억 44
설문조사 211
설문지 191
성별 47
성불평등 61
성인 교육 20
성인 교육 연구 78
성인 정체성 115
성인 학습 69, 101
성인 학습자 34, 207
성적 능력 45
성적 차별 79
성적 취향 47
성적 투쟁 319
성적 평등 118
성 정체성 87
성차별주의자 118, 150
성찰 20, 315
성찰과 거리 유지 능력 313
성찰적 이해 32
소명의식 244

소셜 네트워킹 327
소수문화 네트워크 기관 84
소수민족 문화 154
소외 계층 32
소외된 공동체 48, 138
소외된 성인 학습자 20
소외된 지역 34
소외 집단 71
수사법 70
수사적 이야기 59
수평적인 관리구조 97
숨겨진 갈망의 배양 130
슈어 스타트 88, 138, 139
슈어 스타트 연구 211
슈어 스타트 프로그램 289
슈어 스타트 프로젝트 142
스크린 영웅의 사회학적인 버전 58
스토리 41
스토리텔링 41, 95, 126, 163, 262
스토리텔링/구어와 문어 62
시각적 전기 99
시카고 대학의 사회학 51
시카고 학파 33, 39, 110
시카고 학파의 전통 58
시험용 인터뷰 218, 222
신경생물학 267
신뢰성 24, 42, 286
신화 29, 45, 87
실용성 326
실용주의 철학 110
실제 세계 51
실제 정신분석학적인 치료요법 316
실증적인 연구 49
실증주의 108
실증주의적 30, 49
심리적 의사소통 93
심리적인 경향 254

심리치료 26
심리치료사 26
심리학 연구의 언어 24
심층 인터뷰 94, 210

ㅇ

아비투스 318
아웃사이더 150
양가감정 83
양극화 324
양분법 317
양육 프로그램 145
양적 연구 24, 184
양적인 패러다임 30
어린이 보호 정책 147
억압이론 229
언어 65, 160
언어와 담론 65
언어학습 111
언어활동과 담화활동 291
에이즈 96
여성과 진실 99
여성운동 47, 60
여성의 구술사 47
여성의 삶 61
여성인권 95
여성 인권 운동 연구 227
여성주의와 정신분석 101
역동적 무의식 66
역사적 사건 72
역사적 의의 52
역전 316
역전이 141, 206
역할 모델 153
역할 이론 66
연구공동체 36
연구 대상자 35, 63

연구방법론 41
연구방법적 접근 35
연구와 글쓰기 98
연구의 윤리 32
연구 일기 240
연구 주제 선택 176, 179
연구참여 동의 299
연구현장 64
연대감 69
연대기 258
연대기적 사건 95
연속성 41
오이디푸스 콤플렉스 27, 130
외부세계 14
우선순위 192
우울증 72
위계적인 문화 97
유도성 49
유사성 16, 261
유소년 범죄자 56
유일성 및 대표성 290
윤리 148, 292
윤리강령 211, 310
윤리 규정 222
윤리 원칙 195
윤리적 문제 36, 295, 316
윤리적 원칙 308
윤리적 지침 298
의료 모델 151
의료 연구 94
의미 101
의사소통 41
의사소통 패러다임 248
의사소통 행동 123
의존성과 방어성 146
이데올로기의 역할 76
이데올로기적 논쟁 76

이데올로기적 환경 76, 86
이드 127
이력서 37
이론 114
이론적 샘플링 190
이론적 통찰력 238
이미지와 은유 260
이상적 공간 91
이상주의 123
이야기 82
이야기의 본질과 관습 28
이원론 318
이주의 경험과 규범 85
이질적인 문화 85
이질적인 사회현상 15
이해관계 30
이해 추구 71
익명성 148
익명성 보장 237
인간문제 107
인간성 18
인간성과 성찰의 습관 315
인간의 본성 57
인간의 정체성 77
인구통계학적 특성 320
인류학 43
인문주의 57
인본주의 18
인본주의적 마르크시즘 121
인본주의적 비평가 285
인본주의적 프로젝트 65
인생 경력의 의미 113
인생 경험의 공유 59
인식론적 환원주의 288
인식적 투쟁 319
인종 47
인종 차별 61

인종차별주의 20, 21
인종차별주의자 150
인터뷰 21, 192
인터뷰 대상자 228
인터뷰 대상자의 동의서 193
인터뷰의 감정온도 215
인터뷰의 구조 209
일관성 90
일반화 80, 184, 326
임상 방식(clinical style) 101
임상실험 96
임상적 경험 324

ㅈ

자기도취 297
자기반성 326
자기 방어 306, 315, 317
자기 방어 기제 221
자기 방어성 307
자기 방어적인 전기적 설명 249
자기성찰 66
자기의 재귀 프로젝트 40
자기 인식 16, 151
자기 자신 111
자기 재귀 잠재성 63
자기 정당화 42, 45
자기 정체성 236
자기학습 경험 61
자문화기술지 15
자본 318
자본주의 21
자서전 14, 15
자서전/전기 39, 59, 64, 88
자서전/전기적 연구 140, 148
자서전/전기적 접근법 259
자서전 접근방식 119
자아 14, 110, 126, 127

자아성찰 274, 312
자아와 주관성 126, 260
자아와 주관성의 종말 261
자아 유동성 127
자아의 기술 31
자아의 발달 101
자연과학 17, 63
자연과학적인 해석 284
자연사 59
자연주의적 접근 110
자연주의적 접근 방식 58
자유연상법 209, 305
작인적(agentic) 112
잠재성 30
잠재적 모호성 187
잠재적인 행위자 108
재구성 86
재귀(반사적) 인터뷰 95
재통합 49
재현성과 일반화가능성 286
저항 33, 62, 77, 97
저항(반감) 101
전기 14, 16, 68
전기 문제 57
전기 분석 226
전기 분석 방법 237
전기 사례 연구 97
전기와 스토리텔링 70
전기와 해석주의 59
전기 자료 35
전기 작가 15
전기 작성 70, 98
전기 작품 96
전기적 관점 90
전기적 데이터 237
전기적 렌즈 80
전기적 방법 15, 17, 28, 33, 39, 59, 77, 88,

148, 172, 238
전기적 방법론 61, 312
전기적 시대 312
전기적 연구 78, 82, 260, 261, 324
전기적 연구 개발 64
전기적 연구물 36
전기적 연구방법 18, 55
전기적 연구 사례 29
전기적 연구의 기원 33
전기적 연구의 샘플 287
전기적 연구의 윤리 292
전기적 연구의 저서 49
전기적 연구자 18, 70, 106
전기적 연구자 공동체 25
전기적 연구 주제 20
전기적 인터뷰 32, 61, 101, 145, 150, 196,
200, 205, 209, 226
전기적 인터뷰의 설정 201
전기적인 표현과 실험 14
전기적 자료 67, 148, 186, 227
전기적 전환 13, 30
전기적 접근 22, 56
전기적 접근법 15
전기적 접근법의 사용 69
전기적 진술 76
전기적 질문 185
전기적 탐구 26
전기적 프로젝트 168
전기적 해석과 분석 73
전기적 해석 방법 84
전기적 형식 66
전문성 77, 308
전문적 범죄자 56
전문적인 경험 25
전문화 56
전 언어(pre-linguistic) 126
전의식적 130

전이 141, 206, 241, 307, 316
전이공간 142, 217
전이와 역전 240
전이와 역전이 141
전쟁 참전용사 23
전쟁포로 23
전지적 서술자 46
전체론적 감각 241
전통적 사회주의 122
전환점의 순간 59
절차적 해석 284
절충주의 314
절충주의적 66
정보 보관함 301
정서적 긴장감 70
정서적 충격 26
정신 건강 문제 149
정신분석 심리치료 27
정신분석적 관점 66
정신분석 치료 206
정신분석학 27
정신분석학적 이론 101
정신역학 238
정신요법의 통찰력 209
정신적인 빈민 53
정책 입안자 327
정체성 14, 19, 81, 267
정체성과 전문성 96
정체성의 변화의식 328
정치색 67
정치적 논쟁 197
정치적 연구 71
정치적 정당성 166
정치적 행동 21
젠더 연구 77
주관론적 차원 41
주관성 20, 42, 46, 49

주관성과 공통주관성 133, 175
주관성과 상호주관성 312
주관적인 경험 연구 68
주관적 참여 118
주관화 62
주류 심리학자 67
주류 연구 200
주류 윤리관 308
주류의 사회적/역사적 기록 17
주변부의 전기 99
주변인 124
주조된 이야기 87
준거 샘플링 190
준정치적 프로젝트 76
중산층 22
지속 공간 142
지식과 앎 31
지식 구조 65
지식기반 94
지식의 구축 68
지역 공공 서비스 146
지역사회 교육 47
지역사회 발전 103
지역사회 종사자 142
지역사회 활동가 144
지적 구조 107
지적 한계 72
직업 교육 150
직업세계 33
질적 연구 59, 184
질적 접근 95
질적 패러다임 30
집단 자서전 319
집단적 전기운동 67
집단 토론 250

ㅊ

참여 관찰 56
참여사업 62
참여자 관찰 55
참여적 기풍 63
참여 정책 156
창의적 공간 200
창의적 글쓰기 35
책임의 개별화 79
철학적 혼란 66
청년 프로젝트 116
청소년 문화 60
청소년 훈련기관 116
체계적 재구성 262
체크리스트 212
체험 51
체화된 기억 125
초자아 127
초자연적인 프로세스 325
추가교육 156
추상적 개념 18
추상적 의미전달 229
추상적 이론 56
추상적 이론화 31
치료적 통찰력 70
침잠 125

ㅋ

커밍아웃 98
컴퓨터 기반 35
컴퓨터 기반 분석 252
컴퓨터 소프트웨어 251
코딩 32
코딩방법 232, 234
코딩작업 254
코호트 연구 187, 287, 328

ㅌ

타당성 13, 42, 187, 287
타당성과 윤리성 284
탈근대적 감성주의자 291
탐구 42
통계적 기법 55
통계적 접근 95
통계학적 검증 41
통찰 59
통찰력 29
통합 49
통합된 감수성 274
투명성 302
트라우마 22, 231, 306
트란섹트 99
특성화 73
특수성 185
특수성과 일반성 317

ㅍ

판도라의 상자 209
패치워크 생활방식 178
페다고지 64
페미니스트 15, 260
페미니스트 구술사 47
페미니스트 면접관 203
페미니스트 연구자 202
페미니스트 운동 98
페미니스트 전기 157
페미니즘 16, 18, 39, 40, 60, 118
페미니즘과 주관주의 134
페미니즘적인 상징적 상호작용주의 108
페미니즘 전기의 방식 119
편견과 합리화 53
평등주의적 43
평등주의적인 대화와 합의 99
평생교육 17

평생 학습 96, 156
포괄적인 접근방법 250
포스트모더니즘 40, 119, 120, 262
포스트모던 세계 79
폭력과 패배 98
표류 115
표류감 116
표본 집단 317
표준심리도구 24
표준화 286
프랑스 혁명 40, 43
프로그램 100
프로이드 178
피상주의 288
피험자 58
픽션 71

ㅎ

하위문화 111
하향식 관리 접근 방식 97
학대 54, 94
학문적 규율 102
학문적 글쓰기 25, 259
학문적인 경계 100
학습 241
학습경험 96
학습 생애사 222, 244
학습 언어 162
학습 여정 328
학습자 정체성 182
학습 장애 68
학습 정체성 115, 156, 158, 161, 167
학습하는 삶 17
학제간 52
학제간 양상 34
학제간 연구 75, 83, 101, 324
학제간의 공동연구 327

학제간의 긴밀함 102
학제간의 이해 58
학제간의 정신 100
학제간 접근 27
함축성 64
합리성 45
해방운동 205
해석과 전기 19
해석적인 접근방법 62
해석주의 34
해석학 34
해석학적 해석 방법 250
행위 14, 64, 112
행위(agency)와 구조 간의 변증법적 방식
    63
행위(agency)의 개념 113
행위자 68
헤게모니 122
헤드 스타트 88, 138
현상학 58, 238
현실 세계 51
현실주의 59
현자의 돌 322
현장노트 141
현장 실습 154
현장 연구 52, 305
형식(formal) 241
형식주의 109
형태(gestalt) 245
형태주의 240
홀로코스트 14
회고담 42
회피주의자 120
효율성 149
후기구조주의 34, 39, 65
후기구조주의자 30, 31
훈련 프로그램 139

흑인과 레즈비언 여성 67
흑인 페미니스트 62
희귀성과 대표성 290

A

Acker 231
Acker et al 229, 262
Ackroyd 15
Adrian Holliday 279
Agnieszka Bron 111
Alessandro Portelli 45
Alheit 209, 210, 213
Allport 66
Al Thomsom 263
Amir Marvasti 257, 279
Andersen 97
Andrews 29, 76, 80, 81, 82, 83, 100
Andrew Sayer 120
Ann Oakley 302
Anselm Strauss 239, 248
Anthony Giddens 16
Anzac 참전 용사 264
Apitzsch 209
Apitzsch and Inowlocki 70
Arlene McClaren 63
Armitage 47, 48, 98, 204
Armstrong 63, 69, 114
Association Internationale des Histires de Vie
    en Formation 69
Atkinson 275
Audrey Borenstein 13

B

Banks-Wallace 95
Barbara 157
Barley 109
Barney Glaser 248

Becker 55, 56, 58, 113
Becker et al 165
Becky Thompson 222, 305
bell hooks 117
Bent Flyvberg 185
Berger 92, 297
Bertaux 85, 86, 175
Beth Crossan 270
Beverly Skeggs 247
Biesta 17, 146
Blackman 313
Blaxter et al 286
Blumer 51
Bornat et al 86
Bourdieu 233
Bourgois 266, 304
Brewer 107
Brian Roberts 91
British Educational Research Association 298
British Psychological Association 310
British Psychological Society 298
British Sociological Association 298, 310
Bron 49, 63, 111
Brown 307
Burgess 56, 184
Burke 197
Burton 149
Butler 62

C

Carl Gustav Jung 128
Carlson 88, 89, 138, 139, 290, 294
Carol Gilligan 67, 129
Carolyn Steedman 130, 188, 264, 319
Carr 95
Celia Hunt 260
Chamberlayne 17, 78, 79

Chamberlayne et al 33, 77, 84, 96, 209
Clifford Christians 308
Clifford Shaw 112
Clough 175, 262
Coffey 275
Coffield 139
Cohen 122
Connell 179
Copp 220
Corbin 232
Corlson 240
Corrigan 175, 176
Craig Calhoun 121
Creswell 190
Crossan et al 97, 270, 271
Crotty 123
C. Wright Mills 56, 57, 311, 325

D

Dan Goodley 283, 318
Daniel Cohen 150
Daniel Levinson 128
Dausien 47
David 17
David Jackson 65
David Matza 56, 112
David Silverman 227, 279
Davies 30, 31, 62, 99
Delcroix 85, 86
Dennis Brown 206
Denzin 59, 151
Dominicé 33, 96, 297
Donald Winnicott 126
Dorma 259
Dorothy Smith 117
Downes 58

E

Ecclestone 139
Edwards 63, 69, 97, 294
Edward Thompson 19, 263
Egan 214
Elizabeth Chapman Hoult 274
Elizabeth Tonkin 43
Elwyn and Gwyn 220
Esterberg 175
Evans 188

F

Falk Rafael 95
Fieldhouse 30, 285
Fielding 304
Fine 67
Finnegan 87
Fiona Sampson 260
Fischer-Rosenthal 70
Flecha 99, 248
Foucault 284
Francis Good 219
Fraser 273, 274
Freud 66
Frisch 251
Fritz Schutze 70, 238
Frosh 41, 125
Frosh et al 206, 305, 325

G

Gabriele Rosenthal 70, 188
Gallacher 191
Gannon 30, 31, 62, 99
Gay 179, 290
General Practitioner 148
George Davie 273
Gerson 192, 193

Giddens 41
Gilligan 128
Glaser 184, 191
Gluck 47, 48, 98, 204, 205
Goffman 58, 113
Goldberger 228
Gómez 99, 248
Good 220
Goodley 189
Goodson 68
Gordon 67
Gordon Allport 66
Gould 215
Gramling 95
Greenhalgh 77, 92
Gribbin 15

H

Habermas 122
Hammersley 49
Haraway 63
Harry F. Wolcott 279
Harold Shipman 149
Henning Salling Olesen 94, 130
HIV 전염병 149
Hodkinson et al 97
Holloway 27
Hollway 187, 206, 208, 209, 220, 238, 252,
    287, 305, 306, 325
Hopper 124
Horkheimer 122
Horowitz 192, 193
Horsdal 218
Howard Becker 51, 112, 184
Howatson-Jones 95
Huberman 189
Humphries 219

Hung 126
Hunt 127, 260, 305, 315
Hurwitz 77, 92
Hutchings 152, 241
Hutchings et al 246

I

Inowlocki 209
Irene Malcolm 195
Ivor Goodson 68

J

Jackson 26
Jane Thompson 157
Janet Miller 179
Janice Morse 188
Jan Vansina 42
Jan Walmsley 68
Jefferson 27, 187, 206, 208, 209, 238, 252,
    287, 305, 306, 325
Jennifer Mason 183
Jenny Garber 60
Jeremy Seabrook 130
Jim Gallacher 270
Joan Acker 261
Johanna Esseveld 261
John Byng-Hall 87
John Creswell 190, 226
John Field 270
Jonathan Pedder 206
Jones 84, 85
Joseph Schwartz 179
Judith Butler 65
Julia Swindells 76
Juliet Corbin 239
Jurgen Habermas 121

K

Kate Barry 261
Ken Plummer 105, 183, 291
Kirby 95
Kirsten Weber 100, 129
Kildare 149
Kleinman 220
Kristin Esterberg 279

L

Lalljee et al 24
Launer 92, 149
Laurel Richardson 268, 279
Lee 260
Lemert 58
Linden 88, 92, 137
Liz Stanley 19, 65, 171, 314
Louis Smith 66, 75, 76
Luisa Passerini 45

M

Maggie Humm 118
Marion Milner 199
Martyn Hammersley 114, 132
Marsden 26
Marvasti 279
Marx 122
Mary Field Belenky 67
Mason 190, 191
Max Weber 18
McClaren 69, 156
McRobbie 60
Mead 111
Melanie Klein 125
Meltzer 109
Merrill 60, 63, 98, 115, 120, 156, 157, 158,
    177, 190, 271, 322

Michael Erben 184
Michael Roper 46
Michele Moore 249
Michelet 43
Michel Foucault 30, 65
Michelle Fine 63, 300
Mike Rustin 186, 290
Miles 189
Miller 20, 64, 179
Mohr 92, 297
Molly Andrews 132, 315

N

Nancy Goldberger 225
Naomi Stadlen 201
NESS 139
Nigel Fielding 304
North American Adult Education Research
    Conference 69

O

Oakley 203
Ollagnier 30
Oral Tradition as History 42
original emphasis 203
Osborn 124

P

Parker 113
Patai 204, 205
Patti Lather 65
Paul Atkinson 114
Paul John Eakin 267
Paulo Freire 121
Paul Thompson 42, 210, 211, 218
Pedder 307
Perdue 47

Perks 48, 219

Personal Narratives Group 62

Peter Ackroyd 15

Peter Alheit 212, 250

Peter Berger 56

Peter Dorman 258

Phillipe Bourgois 265, 304

Pierre Dominicé 195

Plummer 17, 40, 61, 65, 86, 98, 185, 209,
 272, 279, 283, 286, 292, 317

Portelli 45, 46

Postone 122

P. Thompson 219

Puigvert 120, 322

Q

Qualified Teacher Status 152

R

Ranson 140

Rebecca Lawthom 268

Reid 96

Reinharz 60

Richard Hoggart 130

Rickard 96

Rock Matza 58

Roper 206

Rosalind Edwards 63

Rosenthal 70, 209

Rupp 84, 85

Rustin 185, 263, 291, 326

Ruth Finnegan 87

Rutledge 140

S

Sackin 149

Salinsky 149

Salling Olesen 65, 92, 100, 325

Sampson 260

Samuel 42

Sayers 128

Schooling the Smash Street Kids 175

Schuller et al 327, 328

Schutze 209

Sclater 108, 214

Scottish Office Education and Industry
 Department(SOEID) 295

Sean Courtney 124

Seidman 303

Shaw 54, 113

Sinclair 93, 149

Skeggs 61, 120, 156

Slim et al 99, 100

Smith 15, 66, 77, 149

Spanò 78, 79

Stadlen 201, 202

Stanley 64, 203

Steedman 64, 130, 184, 265

Strauss 184, 191, 232

Sue Wise 171

Susan Krieger 259

Sykes 68

Sztompka 49

T

Teach First 152, 240, 241, 245, 247

Teach First 프로그램 246

Teach First 프로젝트 153

The Economic Social Research
 Council(ESRC) 301

The Iliad 41

the Jack Roller 55

The Odyssey 41

Thomas 50

Thompson 13, 42, 43, 44, 48, 156, 232, 320, 321, 322
Thomson 219, 264
Tim May 292
Tom Schuller 145, 191
Tom Wengraf 249, 316
Tony Jefferson 90, 287
Trojaberg 97
Tucker 47

Ulrich Beck 16
University Research Ethics Committee 298

Viney 92

Weber 65, 325
Wendy Hollway 90
Wengraf 209

West 26, 27, 64, 77, 87, 88, 89, 94, 96, 97, 100, 126, 127, 128, 131, 132, 138, 139, 140, 146, 148, 149, 150, 156, 179, 180, 190, 195, 206, 207, 208, 214, 215, 220, 221, 238, 240, 241, 260, 269, 271, 277, 290, 294, 297, 305, 307, 315
West et al 33, 69, 106, 313
William Foote Whyte 56
Wilma Fraser 273
Wilson 62
Winnicott 146, 214
Wise 203
Women Writing in India 98
Woodley et al 69
Woods 68, 96, 259
Wright 122
Wright Mills 57, 325
www.britsoc.co.uk 298

Znaiecki 50

[역자 약력]

전주성
The University of Georgia(성인교육학 박사)
서울대학교(교육학 박사과정수료)
서울대학교(교육학 석사)
서울교육대학교(학사)
현) 숭실대학교 평생교육학과 교수

임경미
숭실대학교(평생교육학 박사)
中國 西北大學(旅遊經濟學 석사)
성결대학교(사회복지학 석사)
단국대학교(경영학 학사)
현) 숭실대학교 초빙교수, 성결대학교 호서대학교 출강

사회과학 연구에서의
전기적 연구방법의 이해와 활용

발행일 2018년 4월 25일 초판 발행
저자 Barbara Merrill, Linden West | **역자** 전주성, 임경미
발행인 홍진기 | **발행처** 아카데미프레스 | **주소** 413-756 경기도 파주시 문발동 출판정보산업단지 507-9
전화 031-947-7389 | **팩스** 031-947-7698 | **이메일** info@academypress.co.kr
웹사이트 www.academypress.co.kr | **출판등록** 2003. 6. 18 제406-2011-000131호
ISBN 979-11-6136-007-2 93370

값 25,000원

_ 역자와의 합의하에 인지첨부는 생략합니다.
_ 잘못된 책은 바꾸어 드립니다.